读客文化

# 楚留香新传 4

## 新月传奇·午夜兰花

古 龙 著

文匯出版社

# 楚留香和他的朋友们[1]

我想楚留香应该是一个相当有名的人。虽然他是虚构的，是一个虚构小说中的人物，可是他的名字，却“上”过台湾各大报纸的社会新闻版，而且是在极明显的地位。

他的名字，也在其他一些国家造成相当大的震荡。

对于一个虚构的武侠小说人物来说，这种情况应该算是相当特殊的了。

一般来说，只有一个真实存在于这个社会中的人，而且造成过相当轰动的新闻人物，才能上得了一家权威报纸的第三版。[2]

楚留香，很可能是唯一的例外。

——这个人为什么会是例外，他究竟有什么特别的地方？

我想这个问题大概并不是每个人都能了解的，所以我在写这篇《楚留香新传》之前，至少应该先介绍一下楚留香这个人，和他的朋友们。

---

1　本文发表于1982年，原为《午夜兰花》序。本文吸收了1979年《关于“楚留香”》（原《新月传奇》序）全文和1978年《楚留香这个人》的大部分文字。——编者注（如无特别说明，本书中注释均为编者注）

2　《联合报》于1982年6月7日、8日、15日均将港剧《楚留香》的相关新闻置于第三版。而在“赵姿菁桃色风波”和“吟松阁深夜喋血”两个社会事件中，古龙自己也登上了主流报纸的第三版。

要介绍楚留香，就不能不介绍他的朋友。没有朋友，就没有楚留香了。

不论怎么样，我们当然还是要介绍楚留香。

## 关于楚留香

小说里一定有人物，人物中一定有主角，无论写什么小说，大概都不能例外。就算《天地一沙鸥》中的那只鸥，也是拟人化的，也有思想和情感。

武侠小说中的人物无疑是要比较特殊一点，无论形象和性格都比较特殊。

因为武侠小说写的本来就是一种特殊的社会，小说中人物的遭遇通常都不是普通一般人会遭遇到的，而且常被“推”入一个极尖锐的“极端”中，让他在一种极困难的情况下作选择，生死胜负、成败荣辱，往往就决定在他一念间。

是舍生取义，还是舍义求荣？其间往往根本没有什么选择的余地。因为武侠小说的作者一定要让他的主角在这种磨炼和考验中表现出真正的侠义精神，表现出他的正直坚强的勇气。

一个人如果经常会受到这种考验，就好像一块铁被投入洪炉中，经过千锤百炼之后，自然会化凡铁成精钢的。

所以武侠小说中的主角，通常都是一个非常坚强的人，绝不屈服，绝不妥协，义之所在，百折不回。无论他们的外表看来像个什么样的人，这一点决心和勇气却是永远不会改变的，就算他们的躯壳已因愁苦、伤痛、疾病而被伤害，这一点也不会改变，否则他就根本不会出现在武侠小说中，根本就不值得写了。

但他们也是人，有血有肉，有思想有感情，所以他们也有很多种不同的类型：有些冷若岩石；有些热情如火；有些木讷沉着；有些潇洒风流；还有些平时看来虽然平凡懦弱，可是在他们面临大节大事时，却能表现出一种非常人所能企及的决心和勇气。

人本来就有很多种，在创造小说中的人物时，当然也应该有很多种不同的形态，否则这种小说也根本不值得写了。

就算在武侠小说的人物中，楚留香无疑也应该算是一个很特殊的人，有很多值得别人喜欢、佩服、怀念之处。

因为他冷静而不冷酷，正直而不严肃，从不伪充道学，从不矫揉做作，既不会板起脸来教训别人，也不会摆起架子来故作大侠状。

所以我也喜欢他。

所以我一直都想把他的故事多写几个，让别人也能分享他对人生的热爱和欢乐。

他这一生中本来就充满了传奇，有关他的故事本来就还有很多还没有写出来，每一个故事中都充满了冒险和刺激，充满了他的机智与风趣，也充满了他对人类的爱与信心。

不把这种故事写出来，实在是件很遗憾的事，而且让人很难受。

所以我又决定要写了。

在重写这个人之前，我当然希望大家都能了解他是个什么样的人。

楚留香究竟是个什么样的人呢？

# 盗帅只有一个

江湖中人都知道楚留香——“楚香帅”，却很少有知道这个人在哪里，有多大年纪，长得什么样子。

因为他成名极早，所以有的人说他已“垂垂老矣”。可是也有的人说他还很年轻，甚至还有的人说他已经学会“驻颜之术，能够使青春常驻”。

因为他有“盗帅”之名，所以有的人说他只不过是个比较有本事的大盗而已。可是也有人说他的“盗”只不过是一个手段而已，一种为了使人间更公平合理的手段，而且他已经将这件事化作一种艺术。

一种极风雅的艺术。

有很多朋友都认为我在开始写他的故事时——那张短笺，最能表现出他这种特性。

“闻君有白玉美人，妙手雕成，极尽妍态，不胜心向往之。今夜子时，将踏月来取。君素雅达，必不致令我徒劳往返也。”

这是他要去“取”一尊白玉美人前，先给那个主人的通知。

他要“取”一样东西之前，一定会先通知对方，要对方好好防备。

他甚至还会告诉你，他要来取此物，只不过因为你已经不配拥有它。

这是件很绝的事，实在很绝。

所以就连他的对头们也不能不承认，这个人是独一无二的。

江湖中永远都不会有第二个楚留香，就好像江湖中永远都不会有第二个小李飞刀一样。

## 风流飘逸处处留香

可是楚留香和李寻欢不同。

他没有李寻欢那种刻骨铭心的相思和痛苦，也没有李寻欢的烦恼。

在他心里，这个世界上根本就没有什么不能解决的事，所以也没有什么真正能令他苦恼的问题。

只不过他也是个人，有人性中善的一面，也有恶的一面。

可是他总能将恶的一面控制得很好。

有时他也会做出很傻的事，傻得连自己都莫名其妙。有时他甚至会上别人的当。

幸好他总是很快就会发觉，而且就是上了当之后，也能一笑置之。

他总认为，不管在多么艰难困苦的情况下，能够笑一笑总是好事。

没事的时候，楚留香总喜欢住在一条船上。

一条很特别的船，洁白的帆，狭长的船身，轻巧快速，甲板光滑如镜，通常都停留在海边，船舷下通常都吊着一瓶从波斯来的葡萄酒，让海水把它“镇”得刚好冷得适口。

他不在这条船上的时候，也有人替他管理照顾这条船。三个女孩子，聪明而可爱的女孩子。

苏蓉蓉温柔体贴，负责照料他的生活衣着起居；李红袖是才女，对武林的人物典故如数家珍；宋甜儿是女易牙，精于烹饪，苏蓉蓉和李红袖都很怕她，怕她说“官话”。

“天不怕，地不怕，就怕广东人说官话。”

宋甜儿说的官话确实很少有人能听得懂。可是人与人之间如果心意相通，又何必说话？

楚留香的鼻子从小就有毛病，从现代的医药观点来看，大概是鼻窦炎一类的毛病。

所以他常常喜欢摸鼻子。

可是这种毛病并没有让他苦恼过。这条路不通，他就换一条路走；鼻子不通，他就训练自己用另外一种方法呼吸，用身体的毛孔呼吸。

人生中有很多事都是这样的，伟大的画家眼睛常常不好，伟大的音乐家往往耳朵不太灵，贝多芬晚年已经是个聋子。

楚留香的鼻子不好，却最喜欢香气。

每当他做过一件很得意的事情之后，就会留下一阵淡淡的，带着郁金香花芬芳的气息。

这就是“楚留香”这个名字的来历。

## 第八个故事

像楚留香这么样的一个人，当然有很多朋友，各式各样的朋友。

他的朋友中有少林寺的方丈大师，也有满街化缘的穷和尚；有冷酷无情的刺客，也有感情冲动的少年；有才高八斗的才子，也有一字不识的村夫。

胡铁花也是个妙人。

他喜欢找楚留香拼酒，喜欢学楚留香摸鼻子，没事也要“臭”楚留香几句，找楚留香的麻烦。

他也和楚留香一样，喜欢酒，喜欢女人，喜欢管闲事、打抱不平。

——喜欢他的女人，他都不喜欢；他喜欢的女人，都不喜欢他。

楚留香这一生中做过各式各样的事，好事做得固然多，傻事也做得不少。他几乎什么事都做，只除了一件事。

——他绝不做自己不愿意做的事，这个世界上绝对没有任何人能够勉强他。

这就是楚留香。

他这一生中实在是多彩多姿，充满了传奇性。

也许就因为他是这么样一个人，所以无论他走到哪里，都会遇到一些与众不同的人，发生一些不同凡响的事情。

只要有关他的故事，就一定充满了不平凡的刺激。

楚留香的故事，我只写过七篇，有：《血海飘香》《大沙漠》《画眉鸟》《蝙蝠传奇》《桃花传奇》《借尸还魂》和《新月传奇》。若还有第八篇，恐怕就是别人冒名写出来的了。

对于那些冒古龙的名，写楚留香的故事的人，我虽然觉得啼笑皆非，却也很感激他们的好意。因为他们至少对古龙这名字还看得起，至少也和我一样，觉得楚留香这人很有趣。

只可惜他们的写法和做法未免有些无趣而已。

楚留香的故事，每篇都是完全独立的。现在我就要写他的第八个故事。以后有关楚留香的故事，我把它归纳于——《楚留香新传》。

## 有敌也有友

每一个作家，写稿的经历都是有转变的。风格有转变，文字有转变，思想有转变，名声有转变，稿费当然也有转变。

能活在这个世界的作家中，不能转变的，就算还没有死，也活不着了。

——就如一个作家写了一部很成功的小说后，还继续要写一部相同类型的小说，甚至还要写第二部、第三部、第四部。

——如果一个作家不能突破自己，写的都是同一类型同一风格的小说，那么这位作家就算不死，在读者心目中，也已经是个“死作家”。

逆水行舟，不进则退。退就是死。

新就是变。

我写楚留香“新”传，当然一定要变，只不过我写的《楚留香新传》，写的还是“楚留香”。

——写的还是楚留香和他的朋友们。

楚留香是个非常可爱的人，他当然会有很多朋友。一个有很多朋友的人，当然也不会没有很多仇敌——一个人如果总是常常维护他的朋友，怎么会没有朋友。

仇敌往往会给一个最致命的伤痛，可是朋友们仍然还是一个人一生中最重要的。

无友亦无敌，平静过一生的人，日子也许过得安详快乐，是不是真的快乐，就很难说了。

可以确定的是，我们的“香帅”楚留香，是绝不愿意过这种日子的。

他“有友”，也“有敌”。

他的朋友多，仇敌也不少。

为了深入这个人，我不但要变他的朋友，也要变他的仇敌。

是应该先变朋友，还是先变仇敌呢？

朋友。从任何顺序上来说，朋友，总是占第一位的。

## 楚留香的朋友们

### 胡铁花

要写楚留香，当然不可不写胡铁花，我在前面虽然写过，可是“一点”是绝对不够的。

所以现在我还要再写好几个“一点”。

胡铁花不是楚留香，我们甚至可以说，他和楚留香是完全不同的两个人。

这个世界上往往有很多事情都是这个样子，恩爱的夫妻、亲密的朋友，往往都不是同一类型的人。

他们都以四海为家，浪迹天涯，行踪不定。

只不过楚留香并不是个浪子，胡铁花才是。

楚留香是个游侠。

游侠没有浪子的寂寞，没有浪子的颓丧，也没有浪子那种“没有根”的失落感，没有浪子那份莫名其妙无可奈何的愁怀。

游侠是高高在上的，是受人赞扬和羡慕的，是江湖大豪们结交的对象，是“胯下五花马，身披千金裘”，是“骑马倚斜桥，满楼红袖招”的浊世佳公子。

浪子呢？胡铁花不是游侠，是浪子。

他看起来虽然嘻嘻哈哈，稀里哗啦，天掉下来也不在乎，脑袋掉下来也只不过是个碗大的窟窿，可是他的内心里却是沉痛的。

一种悲天悯人却也无可奈何的沉痛，一种“看不惯”的沉痛。

……这个世界上有很多人，很多事是他看不惯的，而且非常不公平，可是以他一个人的力量，他能怎么办呢？

他只有坐下来喝酒。

这种心情当然不是别人所能了解的，别人愈不了解他，他愈痛苦，酒喝得也就愈多。

他的酒喝得愈多，做出来的事也就更怪异，别人也就更不了解他了。到后来，有些人甚至已经认为，他已经变得像是以前传说中的“酒丐”“疯丐”那一类的人物了，有些人甚至索性认为他已经变成了个疯子。

只有楚留香知道胡铁花绝不是个疯子，所以胡铁花为了楚留香也可以做出任何人都做不到的事，甚至可以把自己像火把一样燃烧，来照亮楚留香的路途。

有很多读者都认为楚留香这个人是一个可以令大家快乐的人，可是在我看来他这个人自己是非常不快乐的。

## 姬冰雁

姬冰雁看起来是非常不快乐的，冷冷淡淡，面无表情，在香港制作的电视剧集里，他甚至被女孩们称之为“木头”。

这种说法真是荒谬可笑至于极点。

姬冰雁不是木头，也不是石头，也不是冰块。

他是座火山。

在他已经凝固冷却多年的岩石下，流动着的是一股火烫的血，他也像胡铁花一样，随时可以为他的朋友付出一切。

## 中原一点红

在某一方面来说，中原一点红做事的方法是和姬冰雁有些相同的。

他一身黑衣，面如死灰，瞬息杀人，面不改色。

他是天下索价最高的职业杀手，“合约”一定，永无更改，他要杀的对象也就死定了。

他的剑术精绝，“杀人不见血，剑下一点红”。他的一剑刺出，只要能夺取对方精灵魂魄就已足够，又何必要别人多流血。

——他是个艺术家，不是屠夫。

他的“合约”只有一次没有完成，因为他忽然觉得这一次他要杀的对象是他的朋友，是一个值得他尊敬信任的朋友。

这个朋友当然就是楚留香。

## 左轻侯

左轻侯是掷杯山庄的主人。

掷杯山庄在松江府城外，距离名闻天下的秀野桥还不到三里，每年冬至前后，楚留香几乎都要到这里来住几天。因为他也和季鹰先生张翰一样，秋风一起，就有了莼鲈之思；因为天下唯有松江秀野桥下所产的鲈鱼才是四鳃的，而江湖中人谁都知道，掷杯山庄主人左二爷除了掌法冠绝江南之外，亲手烹调的鲈鱼更是妙绝天下。

江湖中人也都知道，普天之下能令左二爷亲自下厨房，洗手做鱼羹的，总共也不过只有两个人而已。

楚留香恰巧就是这两个人其中之一。

但是这一次楚留香到掷杯山庄来，并没有尝到左二爷妙手亲调的鲈鱼脍，却遇到了一件平生从未遇的，最荒唐、最离奇、最神秘也最可怖的事。

他为左二爷解决了这件事，所以不管他出了什么麻烦，左二爷也会为他解决的。

像左轻侯这样的江湖大豪，为了解决一件事，通常都是不计一切后果、不择一切手段的，甚至连身家性命都在所不惜。

这或许也就是他们能成为武林大豪的原因。

## 不写的朋友

楚留香的朋友多彩多姿、五花八门，而且全都精彩绝伦，谁也不知道究竟有多少个朋友，可是这一次我只写了这几个。

因为与我们这一次将要看到的这几个故事中无关的朋友，我不写。

关系不大的，我也不写。

楚留香认识很多种不同女孩子，有的姿容婉妙，有的温柔体贴，有的刁蛮泼辣，有的天真活泼，有的心如蛇蝎，可是她们也有相同的地方。

她们见到楚留香的时候，她们的心，就会变得像初夏暖风中的春雪一样融化了。

可是我并不认为她们是楚留香的朋友，因为我总认为在男女之间“友情”和“义气”是很少会存在的，也很难存在。

所以我不写。

还有一些根本不是朋友的朋友，出卖朋友如刀切豆腐，吃起朋友来如吃龟孙，锦上有花，雪中无炭，恩将仇报，口蜜腹剑，嘴里叫哥哥，腰里掏家伙。

这种“朋友”，你叫我怎么写？

## 疑问和传言

如果这个世界上真有楚留香这么样一个人存在，那么在他活着的时候，就已经是个传奇人物。

一个传奇人物所引起的争议和问题，通常都是非常多的，无论在他生前死后都一样。

目前街头巷尾，大街小巷，尤其是在台北，大家都在谈论着楚留香。

大家最有兴趣的一个问题是——

楚留香和他的三个“天使”——苏蓉蓉、李红袖和宋甜儿之间，有没有什么特别的关系？一个风流倜傥的楚留香，三个甜甜蜜蜜的小女孩，同居一船，会怎么样？能怎么样？

答案是——

你说怎么办，就怎么办。你说应该怎么样，大概也就是那么样一个样子了。

每个人都有他自己的想法，如果你一定要那么想，谁也没有法子叫你不那么想。

对不对？

## 楚留香的身世

有关于这个问题，是最容易回答的，因为这个问题根本就没有答案。

因为楚留香根本就没有过去，只有现在和未来。

## 版权问题

在一个有文明有文化有法治的地方，一个创作者的权益，是绝对会受到保护的。如果他的版权受到损害，对方一定会受到法律的制裁。

关于“楚留香”的版权问题却是一个很滑稽的例外。

台湾是一个尊重人权、尊重版权的地方，可是因为某一种疏忽，却有很损及有关“楚留香”版权的地方出现。

一个小说中的人物能够被群众所重视，被群众所欢迎宠爱，造成一股相当大的轰动，使得这个人物的名字能够在娱乐界、影视界，甚至音响唱片界，甚至在服装界、建筑界，都造成一种相当大的轰动，这种光荣，当然是属于大家的。

属于制作群，以及扮演剧中人的演员明星们。

可是这个人物的版权，绝不属于那部电影或是那部电视剧集的制片、导演、演员，就算那个演员是明星也一样，不能例外。

阿嘉莎·克丽斯蒂创造“包洛特”，柯南道尔创造“福尔摩斯”，无论哪一个行业，如果要使用“包洛特”和“福尔摩斯”的名字，都一定要经过作者本身或者作者亲属、后代的同意，而且要付给他们一笔相当庞大数目作为“权利金”，无论哪一种行业都不能例外。

伊恩·佛来明创造的“〇〇七”，更是一个最好的例子。

无论哪一行要用“〇〇七詹姆斯·庞德”作为宣传号召，都要经过作者的同意，“史恩·康纳利”和“罗杰·摩尔”是无权做主的，因为他们只不过是饰演这一个角色的演员而已。

楚留香呢?

我笑了。

我只有笑笑，讲起来我可以打官司，而且我可以说我是绝对可以受到法律保障的。

可是我只有笑笑，因为自古以来中国的文人是不喜欢打官司的，打官司太麻烦，太不好玩，肥肥和秋仔却又是那么好玩的人。

除了笑笑，还能怎么样?

可是在一个有法治、有文化的地方，这个问题还是应该提出来让大家来对准眼睛看一下的。

用眼睛对准来看一下的意思，换句话来说，也就是希望有关这种事件的各方面也应该用一种非常“文明”的态度，来“正视”这种问题。

我相信这一定也是千千万万辛苦创作的朋友，所希望的有关方面正视的问题。

# 结论

江湖中关于楚留香的传说很多，有的传说甚至已接近神话。

有人说他 “驻颜有术已长生不老”，有人说他“化身千万，能飞天遁地”。

只有一件事，是大家公认的。

如果楚留香要在今天晚上偷光你的裤子，那么明天早上你大概就再也找不到一寸可以穿在你腿上的绸缎丝棉皮毛布料了。

甚至可能连一张不透光的纸都找不到。

甚至有很多人相信，他能够在你不知不觉间，偷掉你的脑袋。

最妙的是他不偷裤子和脑袋，只偷天下大多数人都希望去偷的东西，譬如说，奸佞的坏心、盗匪的恶胆，这些他都是要偷的。

这种“偷”是一种“偷”，还是一种艺术？

现在我又要写楚留香了，写的是《楚留香新传》，因为他这一生中实在是充满了传奇性，不可不写，也不能不写。

他无论走到哪里都会遇到一些非常不平凡的人，发生一些非常不平凡的故事。只要有关他的故事，就一定会充满了一些非常不平凡的兴奋和刺激。

在《楚留香新传》中，我准备再写有关他的四个故事。[1]

四个故事都是全新的，而且完全独立。

我要写的这四个故事，第一个故事我相信大概是大家都想不到的故事，而且是会让大家都大吃一惊的。因为这个故事在一开始时，楚留香就已经是个死人。

---

1　可惜未能如愿，《午夜兰花》已是楚留香的最后一部故事。

能够让大家都大吃一惊，岂非正是一个作家的最大目的之一？

所以这个故事我想不写都不行。

所以现在我就要推出《楚留香新传》的第一个故事——《午夜兰花》。

**古龙**

# 目　录

## 新月传奇

## 午夜兰花

# 新月传奇

# 第一章

## 一碗奇怪的面

夜，春夜，有雨，江南的春雨密如离愁。

春仍早，夜色却已很深了，远在异乡的离人也许还在残更中，怀念着这千条万缕永远剪不断的雨丝。城里的人都已梦入了异乡，只有一条泥泞满途的窄巷里，居然还有一盏昏灯未灭。

一盏已经被烟火熏黄了的风灯，挑在一个简陋的竹棚下，照亮了一个小小的面摊，几张歪斜的桌椅和两个愁苦的人。

这么样一个凄凉的雨夜，这么样一条幽僻的小巷，还有谁会来照顾他们的生意？

卖面的夫妇两个人脸上的皱纹更深了。

想不到就在这时候，窄巷里居然传来了一阵脚步声，居然有个青衣人冒着斜风细雨踽踽行来，蜡黄的面色在昏灯下看来仿佛重病已久，看来应该躺在床上盖着棉被吃药的。

但是他却告诉这个小面摊的老板：“我要吃面，三碗面，三大碗。”

这么样一个人居然有这样的好胃口。

老板和老板娘都忍不住用怀疑的眼光看着他：“客官要吃什么面？”

虽然已经有三十多岁，身材却还很苗条的老板娘问他：“要白菜面？肉丝面？还是蹄花面？”

“我不要白菜肉丝，也不要蹄花。”青衣人用低沉沙哑的声音说：“我要一碗金花、一碗银花、一碗珠花。”

他不是来吃面的，他是来找麻烦的。

可是这对卖面的夫妻脸上却连一点惊奇的表情都没有，只淡淡地问：“你有本事吃得下去？”

“我试试。”青衣人淡淡地说，“我试试看。”

忽然间，寒光一闪，已有一柄三尺青锋毒蛇般自青衣人手边刺出，毒蛇般向这个神情木讷的面摊老板心口上刺了过去。出手比毒蛇更快、更毒。

面摊老板身子平转，将一根挑面的大竹筷当作了点穴镢，斜点青衣人的肩井穴。

青衣人的手腕一抖，寒光更厉，剑尖已刺在面摊老板的心口上，却发出了“叮”的一声响，就好像刺在一块铁板上。

剑尖再一闪，青锋已入鞘，青衣人居然不再追击，只是用一种很平静的态度看着这对夫妇。

老板娘却笑了，一张本来很平凡丑陋的脸上，一笑起来居然就露出了很动人的媚态。

“好，好剑法。”她搬开了竹棚里一张椅子，“请坐，吃面。”

青衣人默默地坐下，一碗热气腾腾的面很快就送了过来。

面碗里没有白菜、肉丝、蹄花，甚至连面都没有，却有一颗和龙眼差不多大小的明珠。

在这条陋巷里的这个小面摊，卖的居然是这种面，有本事能吃得下这种面的人实在不多，可是这个人并不是唯一的一个。

他刚坐下，第二个人就来了，是个看来很规矩的年轻人，也要吃三碗面，也是要“一碗金花、一碗银花、一碗珠花”。

面摊的老板当然也要试试他“有没有本事能吃得下去”。

他有。

这个年轻人的剑法虽然也跟他的人同样规矩，但却绝对迅速、准确、有效，而且剑式连绵，一剑发出，就一定有连环三招，多已不能再多，少也绝不会少，剑光一闪，“叮、叮、叮”三声响，老板的胸口已被一剑击中三次，这个规矩人用的规矩剑法，竟远比任何人想象中都快了三倍。

老板连脸色都变了，老板娘却喜笑颜开，年轻人看到她的笑容，眼睛里忽然有种他这种规矩人不该有的情欲，老板娘笑得更妩媚。

她喜欢年轻的男人用这种眼光看她。但是她的笑容忽然又冻结在脸上，年轻人的眼睛也冷了，就好像同时感觉到有一股逼人的寒气袭来。

他的剑已入鞘，长而有力的手掌仍紧握剑柄，慢慢地转过身，就看见一个身材虽瘦如竹竿，肩膀却宽得出奇的独臂人站在密密的雨丝中，背后斜背着一根黑竹竿，把一顶破旧的竹笠低低地压在眉下，只露出左边半只眼睛，锥子般盯着这个年轻人，一个字一个字地问：“你是不是铁剑方正的门下？”

“是。”

“那么你过来。”

“为什么要我过去？过去干什么？”

“过来让我杀了你。”

斗笠忽然飞起，飞入远方的黑暗中，昏暗的灯光就照上了独臂人的脸，一张就像是屠夫肉案般刀疤纵横的脸，右眼上也有个“十”字形的刀疤，像一个铁枷般把这只眼睛完全封死，却衬得他另外一只眼中的寒光更厉。

年轻人握剑的手掌已沁冷汗。已经想起这个人是谁了。

他也看得出这个“十”字形的疤，是用什么剑法留下来的。

独臂人已伸出一只瘦骨嶙峋青筋凸起的大手，反手去抽他肩后的漆黑竹竿。

但是老板娘忽然间就已掠过面摊，到了他面前，用一双柔软的手臂，蛇一般缠住了他的脖子，踮起了足尖，将两片柔软的嘴唇贴在他的耳朵上，轻轻地说：“现在你不能动他，他也是我特地找来的人，而且是个很有用的人，等到这件事办完，随便你要怎么对付他都行，反正他也跑不了的。”她软语轻柔：“我也跑不了的。”

她说话的声音和态度都像是情人的耳语，简直就好像把她的老公当作个死人一样，那位面摊的老板居然也好像根本没看见。什么都没看见。

独臂人盯着她，忽然一把拎住了她的衣襟，把她像拎小鸡一样拎了起来，拎过那个面摊子，才慢慢地放下，然后就一字字地说：“我要吃面，三碗面，三大碗。”

老板娘笑了，笑容如春花：“这是我跟别人约好的，为的只不过是要确定他们是否真的是我约的那个人，可是你不同，你就算烧成灰，我也不会认错的，你何必跟我说这些蠢话？”

独臂人什么话都不再说，而且连看都不再去看那个年轻人一眼，就好像他已经把这个人当作死人了。

就在这时候，他们又看见一个人施施然走入了这条陋巷。

一个他们从未见过的人，他们也从未见过任何一个人像他这种样子。

这个人的样子其实并不奇怪，甚至可以说连一点奇怪的地方都没有。

他看起来好像比一般人都要高一点，也许比他自己实际的身高都要高点，因为他穿着一双有唐时古风的高齿木屐，虽然走在泥泞的窄巷里，一双白袜上却没有溅到一点泥污。

他的穿着并不华丽，可是质料手工剪裁都非常好，颜色配合得也让人觉得很舒服。

他没有佩剑，也没有带任何武器，却撑着柄很新的油纸伞。可是，当他冒着斜风细雨走入这条阴暗的陋巷中时，就好像走在艳阳满天、百花盛放的御花园里一样。

不管是在什么时候、什么地方，他的样子都不会改变，因为他本来就是这么样一个人，不管在多么艰苦困难危险的情况下都不会改变。

所以他脸上好像总是带着微笑，就算他并没有笑，别人也会觉得他在笑。

也许这就是这个人唯一奇怪的地方。

昏暗的灯光也照上这个人的脸了，并不是那种能够让少女们一看见就会被迷死的脸，但是也绝不会让人觉得讨厌。

除了面汤、面锅、汤匙、筷子、酱油、麻油、葱花之外，这个小面摊也和别的小面摊没什么两样，也有个摆卤菜的大木盘，摆着些牛肉、肥肠、豆干、卤蛋。

这个人好像对每样东西都很感兴趣。

"每样东西我都要一点，豆腐干最好切多一点。"他说："另外再来两壶酒，不管什么酒都行。"

"面呢？"老板试探着问，"你要吃什么面？要几碗？"

"半碗我都不要，"这个人微笑，"我只想喝点酒，不想吃面。"

这个人居然不是来吃面。

来吃面的三个人神色都变了，独臂人那只瘦骨嶙峋的大手上已有青筋凸起，面摊的老板已经握住了那双挑面的长筷。

可是他的脚已经被老板娘踩住了。

“我们这里没有准备什么好酒，豆腐干倒真的卤得不错。”老板娘赔笑，“客官请到棚子里头坐，酒菜我马上就送来。”

简陋的席棚里只有三张小桌子，已经被先来的三个人分别占据了。

幸好一张桌位通常都不是只能让一个人坐的，通常都会配上两三张椅凳，就正如一个茶壶通常都会配上好几个茶杯一样。

所以这个人总算也有个位子能坐下来。

他选的位子在第一个来的青衣人对面，因为这个位子最近。

这个人好像很懒，能够少走两步就少走两步，能够坐下来就绝不站着。

他不但懒，而且好像有点笨，感觉也有点麻木，别人对他的敌意，他居然连一点也没有感觉到，还没有坐下去，就先问青衣人。

“天地这么大，人这么小，我们两个能坐同一张桌子，看来很有缘。”他说，“我想请你喝杯酒，好不好？”

“不好，”青衣人的态度也不能算很不客气，“我不喝酒。”

这个人摸了摸鼻子，好像觉得失望极了。

可是等到酒菜上来时，他又高兴了起来：“一个人喝酒虽然无趣，至少总比没有酒喝好一点。”

他刚说完这句话，就听见有人在鼓掌。

“这真是千古不易的至理名言。”一个人拍掌大笑而来，“就凭这句话，就值得浮三大白。”

他的笑声豪迈而洪亮，他走路时腰杆挺得笔直，他的衣裳是刚换上的，而且浆洗得很挺，他的腰带上悬挂着一柄乌鞘长剑，黄铜吞口和剑柄的剑锷都擦得闪闪发光。

为了让别人对他有个良好的印象，他的确花了很多工夫。

遗憾的是这一切都已掩不住他的落拓憔悴和疲倦了，只不过他自己还希望别人看不出来而已。

“可惜现在我还不能陪你喝酒，我要先吃几碗面。”他大步走到面摊前，“我要三碗面，三大碗。”

面摊的老板瞪大了眼睛看着他，就好像恨不得一把扼住他的脖子，问他为什么看不出这里有个人不是来吃面的，问他为什么连这点眼光都没有。

佩剑的中年人也在瞪着他，忽然冷笑：“你为什么不开口？你这是什么意思？是不是认为我焦林已经老了，已经吃不得你们这碗面了？”他的声音已因愤怒而嘶哑：“这碗面我吃不吃都无妨，可是我一定要让你看看我还有没有这个本事。”

他已拔剑。

他拔剑的方法完全正确而标准，但是他的手已经不太稳。

面摊的老板手里一双竹筷忽然刺出，以双龙夺珠之势去戳他的双眼。

他的剑还未到对方的心口前，对方的竹筷已到了他的眉睫间。

他只有退。

只退了一步，竹筷忽然下击，敲在他腕骨上，“笃”的一声，长剑落地。

长剑落地时，焦林这个人也好像忽然自高楼落下，落入了万劫不复的深渊。

就在这一瞬间，所有一切他一心想掩饰住的弱点，忽然间就全都暴露了出来。他的衰老、他的落拓、他那双已无法控制稳定的手，甚至连他衣领和袖口上被磨破了的地方，都在这一瞬间让人看得很明显。

可是已经没有人愿意再看他一眼。

他慢慢地弯下腰，慢慢地拾起被击落在地上的剑，一步步向后退。眼睛却一直盯着面摊老板的竹筷。

他的手在抖，眼中充满了绝望和恐惧，好像知道自己每退一步就距离死亡更近一步。

喝酒的那个人忽然站起来，先拿出块碎银摆在桌上，再撑起油纸伞，走过去扶住了他。

“我看得出你一定是酒瘾犯了。”他微笑着道，“这儿的豆腐干虽然卤得不错，酒却太酸，我们换个地方喝酒去。”

古风的高屐踏着泥泞，崭新的油纸伞挡住细雨，一手扶着一个人，渐渐走出了这条陋巷。

独臂人看着他们，独眼中已露出杀机，青衣人霍然站起，铁剑门下的年轻人已握住他的剑，面摊老板也已经准备飞身而起。

“不能动！”

老板娘忽然一拍桌子：“你们谁都不能动，谁动谁就死。”

面摊的老板脸色变了。

“这次我不能听你的，我们绝不能留下焦林的活口。”他的声音压得很低，“这件事的关系太大，焦林多少已经知道一点，就算干他那一行的人皆都很稳，我们也不能冒险。”

“就因为我们不能冒险，所以绝不能动。”老板娘说，“只要一动，我们这件事就必败无疑。”

“难道你怕焦林？难道你看不出他已经完了？”

“我怕的不是焦林。”老板娘说，“十个焦林也比不上那个人一根手指头。”

“哪个人？”老板问，“难道你怕的是那个打扮得像花花公子一样的酒鬼？”

“一点也不错，我怕的就是他。”老板娘说，“我本来也想做了他的，幸好我忽然认出他是谁了，否则我们现在恐怕已经完了。”

独臂人忽然冷笑：“你有没有认出我是谁？你是不是已经忘了我是谁？”

老板娘轻轻地叹了口气：“我知道你是个天不怕地不怕的人，我也知道你自从在巴山败过一次之后，四年来连战七大剑派中十三高手，连战皆捷。上个月你居然在一招间就将点苍卓飞刺杀于剑下。”

独臂人冷冷地说：“我在一招间杀的人并不是只有卓飞一个。”

一招夺命，这是何等凌厉恶毒的剑法！

“可是你在一招间绝对杀不了那个人的，”老板娘说，“天下绝没有任何人能在一招间杀了他，也没有任何人能在一百一千一万招间杀了他。”

她轻轻地告诉这些人：“因为我记得他这一生中好像从未败过。”

独臂人悚然动容：“他究竟是谁？”

老板娘终于说出了这个人的名字，她说出的这个名字，就好像某种咒语一样，带着种不可思议的魔法，使得每个人的脸色都变了，每个人都闭上了嘴。

她说出的这个名字就是：“楚留香。”

# 第二章

## 纯丝手帕上的新月

高墙、巨宅、大院。

楚留香把焦林带到后宅的一个角门外，告诉焦林："你在这里等等我，千万不要走。"

焦林怔住。

因为这个奇怪的陌生人说完了这句话之后，就像是个鸢子般被一阵风吹入了高墙，忽然看不见了。

这个人做事的方法好像和别人完全不一样，焦林完全不了解他，甚至连他的姓名都不知道。

可是焦林信任他。

焦林从不相信任何人，但却信任他，连焦林自己都不明白自己为什么会如此信任他。

长夜已将尽，雨又停了，焦林并没有等多久，角门就开了。两个长得很可爱的垂髫童子，提着灯笼含笑迎宾。

焦林居然就跟他们走。

庭园深深，在灯笼的余光中依稀只可分辨出一些美如图画般的花木山石、湖亭楼阁，楚留香已经在一个有五间明轩的小院门外等着他，脸上的笑容开朗，屋里的灯光明亮，桌上已摆起了酒，每样事都足以让一个落拓江湖的流浪者从心里就开始觉得温暖。

焦林并不是个多嘴的人，到了这时候却不能不问。

“这里是什么地方？”

“是个可以让你住三个月的地方。”楚留香微笑回答，“其实你要多住些时候也行，可是我知道你不管耽在哪里，都不会超过三个月。”

“我为什么要在这里住三个月？”

“因为没有人能想得到你会住在这里，也没有人会来打扰你，三个月后，事过境迁，大概也就没有人会急着要找你了。”楚留香说，“每个人都只有一条命，没有命的人就没有酒喝了。”

焦林开始喝酒，冷酒渗入热血，酒也热了，血更热。

“我只不过是个日暮途穷的江湖人而已，我的手已经不稳、志气也已消磨，今日如果没有你，我恐怕已死在别人的剑下。”焦林黯然说，“我这个人可以说已经完了，你为什么还要这样对我？”

“我不为什么，”楚留香说，“我做事通常都没有什么特别好的理由。”

“你知不知道卖面的那夫妻两个人是谁？知不知道今夜他们为什么要把我们这些人找去？”

“我不知道，也不想知道。”

“为什么？”

“因为我的麻烦已经够多了。”楚留香摸着鼻子苦笑，“我可以保证，你随便去找八十个人来，把他们的麻烦加在一起，也没有我一半多。”

“可是你已经又惹上一个麻烦了。”

“哦？”

“刚才坐在那摊子上吃面的人，杀人之快，要价之高，当今江湖中能比得上他们的人并不多，能付得起他们那种价钱的人也不多。”焦林说，“你应该可能想得到他们做的一定是件极机密的大事。”

“我多少总能想到一点。”

“只要能想到一点的人，他们大概就不会放过。”焦林说，“要他们多杀一个人，他们是绝不会在乎的。”

楚留香微笑。

“这一点我也想到了，只不过他们对我也许会比较客气一点，多少总会给我一点面子的。”

“为什么？”

“因为他们其中有个人好像认得我。”

焦林一直低着头，凝视着杯中的酒，听到这句话才霍然抬头。

“现在我才明白他们为什么会放我走了。”他憔悴无神的眼睛里忽然发出了光，“长长黑竹竿，所下无活口，可是连他都没有动我。”

焦林举杯一饮而尽，纵声而笑：“现在我才明白他们怕的是谁了，我焦林已落拓如此，想不到居然还有福气能够见到你。”

他又连尽三杯，酒意上涌。

“我本来真是想得到那件差使，我知道他们出的价钱一定不会低，最少也够我过一两年舒服日子，我也知道他们要杀的人是谁，那个人本来就该死。”焦林说，“我这双手上虽然也带着血腥，却从未取过一文不义之财，我想要那件差使，只不过不想饿死而已。”焦林又大笑：“可是我今日能见到名满天下的楚香帅，我已死而无憾。”

“你不会死的。”楚留香说，“一个不该死的人，想死也不太容易。”

他忽然又开始在摸鼻子：“我有个朋友就是死不了，每个人都以为他要死了，可是他总是死不了。”

一提这位朋友，楚留香就好像忍不住要摸鼻子，而且还忍不住要叹气：“我已经有好几年没有看见他了，想不到忽然又有了他的消息。”

“什么消息？”

“他要我去找他，到一棵树上去找他。”

“你是说一棵树？”焦林尽量想办法掩饰住自己的惊讶，“一棵有树枝有叶子的那种树？”

“就是那种树。”

“你的那位朋友在一棵树上等你去找他？”

“他恐怕已经在那里等了很久。”楚留香说：“恐怕已经等了一二十天了。”

“一直都在树上等？”

“大概一直都在。”

“我不懂，我真的不懂。”焦林苦笑，“有时候我也喜欢到一棵树上去坐坐，弄一葫芦酒上去，摘几个果子吃吃。可是不管要我等什么人，我都不会在一棵树上等这么久的。”

可是楚留香只问了他一句话，他就懂了。

“如果你在那棵树上下不来呢？”

焦林立刻明白了。

“你那位朋友有危险，所以躲在那棵树上，等你去救他。”焦林说，“你们一定是老朋友了，那棵树一定在你们以前常去的地方，你们之间一定约好了一种在紧急时呼救的讯号，就算你不在附近，你的朋友看见了，也会想法子转告你。”

他说：“楚香帅交游满天下，到处都有朋友。这里的主人一定也是你的朋友，否则怎么肯收留我？”

说完了这句话，焦林赶快又喝了杯酒，因为他忽然发现自己非但没有喝醉，头脑还清醒无比，而且比大多数人都要聪明得多。

楚留香微笑。

“你说得简直好像比我自己说得还清楚，所以现在我只有跟你说两个字了。”

“哪两个字？”

“再见！”

“再见”这两个字是两个非常简单的字，其中的意思却往往复杂，有时是说：“很想再见面。”有时是说：“很快就要再见面。”有时也可能是说：“永远不要再见面了。”

只有一点是不会变的——当你说出这两个字的时候，不是在你自己要走的时候，就是在你要别人走的时候。

楚留香不想要焦林走，他自己要走。

他一向说走就走。可是这次焦林却让他留了下来，只说了五个字就让他留了下来。

“你走，我也走。”

看到楚留香已经快要被风吹出去的身子又站住，焦林才接着说。

“我知道你要去找的那个朋友一定是胡铁花，我也知道你为了他，什么事都可以暂时放到一边去。”焦林说，“可是我也要去找一个人，我跟这个人的关系，远比你跟胡铁花还深。”

“这个人是谁？”

“是我的女儿，亲生的女儿。”焦林说，“虽然我不知道她在哪里，可是我也要去找她的。”

“你连你自己的女儿在哪里都不知道？”

“我不知道。”焦林说，“可是我知道我有个女儿，你说我能不能不去找她？”

楚留香又在摸鼻子了，摸了半天才说：“你可以不去。”

他一向不是个不讲理的人，这句话却说得实在有点不讲道理，焦林当然忍不住要问他："为什么？"

"因为我刚救了你，实在不想你死。"楚留香说，"何况你自己也不知道你的女儿在哪里，怎么去找她？"

"我有我的法子。"

"只要你把你的法子告诉我，我就可以帮你去找她，所以你就可以不去。"楚留香说，"如果连我都找不到她，你一定也找不到的。"

没有人能否认这句话，楚留香毕竟还是很讲理的人。

焦林的眼睛立刻就亮了，立刻就像变戏法一样变出了一块纯丝手帕。

雪白的丝帕已经变黄了，上面用红丝线绣着一钩弯弯的新月。

"她的母亲还没有生下她就跟我分开了，我只知道她脖子下面有块这么样的胎记，就像这块手帕上绣的这弯新月一样。"焦林说，"可惜我不知道她的母亲离开我之后去了哪里，因为那已经是十八年前的事了。"

一块手帕，一个胎记，在脖子下面的胎记。"脖子下面"的意思通常就是在酥胸之上，一个十八岁的女孩子就算是个白痴，也不可能随便把这种地方露出来给别人看的。

楚留香傻了。

他看到焦林脸上的表情，接过这条手帕时，就已经知道他又跳上了一条贼船，而且是他自己心甘情愿要跳上去的。

焦林又说："我当然知道要这么样去找一个人实在很不容易，幸好我也知道楚留香这一生中还没有办不到的事，所以我放心得很。"

他当然放心得很，因为他已将这个他自己永远无法解决的难题，像抛一个热山芋一样抛给了别人，抛给了这个世界上唯一肯接下他这个热山芋的人。

楚留香看着他，看了半天，忽然笑了："你这个老狐狸，你为什么不要我到天上去摘这么样一个月亮下来给你？"

但是现在最让楚留香担心的，还不是远在天边的这一弯新月，而是附近深山中一棵大树上的一个狗窝，和一个躲在狗窝里的人。

一棵好大好大的树。好高好高。

那时他和胡铁花还是孩子，他们用和这棵树同样颜色的木头在这棵树上枝叶最浓密的枝丫间搭了一个小木屋，比鸟窝的规模当然要大一点，和原始人为了躲避野兽夜袭，在树上搭的那种屋子比起来就差不多了。

那时候他们是为了好玩，那时候他们的轻功已经很不错，所以才搭了这么样一间木屋。

胡铁花提议："我们就把这地方叫狗窝好不好？"

"为什么要叫狗窝？"楚留香不愿意，"只有老鹰大鹏才会在这种地方搭窝，我们既不是狗，狗又不会上树，我们为什么要把这里叫狗窝？"

"因为我喜欢狗。"胡铁花的回答通常总是让楚留香摸鼻子的，"而且以后我们说不定也有一天会被别人像野狗一样追得没地方可走的，那时候我们就可以躲到这里来了。"

所以这地方就定名为狗窝。

虽然他们并没有被别人追得像野狗一样到处乱跑，却还是到这里来过，带一葫芦酒，摘几个果子，喝得满树爬，把心里所有不能、不敢也不愿对别人说的话，全都说出来之后才走。

最后一次要走的时候他们还约定："只要我们有危险，就躲到这里来，不管先来的是谁，另外一个人一定要来救他。"

胡铁花还说："如果我要来，我一定会在你常去的每个地方都留下‘狗窝’两个字。别人虽然不明白那是什么意思，可是你一定明白的。”他告诉楚留香：“那时候我的情况一定很紧急了，所以你只要一看见，就一定要马上赶来。如果你看见我是用白粉写的字，那么来迟一步恐怕就得替我买口棺材来了。”

楚留香看到了这两个字。用白粉写的，在很多地方都看到过。

他看到的时候粉尘已脱落，以他的经验判断，胡铁花留字的时候距离他看到的时候最少已经有十五天到二十天了。

最近他虽然常在江南，常在这一带，可是这一带的范围还是很广阔，他能够在二十天之内看到他们在十年前约定的这两个字，已经算胡铁花的运气很不错。

可是二十天已经不算短了，在这二十天里面死的人，已经很可能比任何一个人活着时看到的蚂蚁都多，胡铁花很可能就是其中的一个。

胡铁花没有死，楚留香却快要被气死了。

他看到胡铁花的时候，胡铁花非但连点危险都没有，而且远比这个世界上大多数人都风流快活。

山还是那座山，树还是那棵树。

在这一片凄迷的云烟和苍郁的山色中看，好像什么都没有变。

而树上的那个狗窝已经变了。

它的外表也许还没有变，因为它是用一种最好的木头和两双最灵巧的手搭出来，所以经过多年风吹雨打后，还是原封不动。

可是它里面已经变了。

这个世界上已经没有任何一个人会认为这个地方是个狗窝。

就算它是个窝，那么不管它是安乐窝也好，是神仙窝也好，却绝不是狗窝。

胡铁花的样子看来也绝不像是条被人追得无路可走的野狗。

这个窝里本来应该只有一张小木桌、两张破草席、几个空酒坛和一个胡铁花的。

可是现在所有的一切全都变了。就好像曾经有一位神仙到这里来过，朗吟飞过洞庭湖之后顺便到这里来了一趟，用一根能够点石成金的手指头把这里每样东西都点了一点。

于是两张破草席忽然就变成了一满屋世上最柔软、最温暖、最昂贵的皮毛。

于是那些用干泥巴做成的空酒坛，也忽然都变成了白玉黄金樽，而且都盛满了从天下各地飞来的佳酿美酒。

于是一个落拓江湖，满脸胡子的胡铁花也变成了五个人——一个男人和四个女人。

女人当然都是可以让男人神魂颠倒，只要看过一眼就会连睡觉都睡不着的女人，一个娇小玲珑，一个温柔甜腻，一个健康结实，一个弱不胜衣。

男人当然是个很有资格配得上这些美女的男人，高大健壮而成熟，头发梳得光光亮亮，胡子刮得干干净净，看起来和那个经常一两个月不刮胡子，不洗脸，也不换衣裳的胡铁花简直是两个人，完全不同的两个人。

不幸的是，楚留香一眼就看出了这完全不同的两个人就是一个人。

胡铁花就算被烧成灰，楚留香还是一眼就可以把他认出来。

这个人怎么会变成这样子的？这个地方怎么会变成这样子的？

楚留香想不通。

如果这个世界上真的有这么样一位神仙下凡，真的有这么样一根可能化腐朽为神奇的手指，楚留香倒真的想把这根手指借来用一用，在这个已经不像是胡铁花的胡铁花身上点一点，把他变成一头猪。

# 第三章

## 怜香惜玉的人

人是不会变成猪的，可是胡铁花如果真的变成了一头猪，也不会让楚留香觉得更奇怪。

他实在连做梦都没有想到胡铁花会变成这样子。

胡铁花也在看着他，居然也好像第一次看见这个人一样，而且这个人脸上还长着一朵喇叭花。

“你是不是吃错了什么药？”胡铁花居然问他，“还是被人踩到了尾巴？”

“这个人有尾巴？”一个女孩子故意瞪大了她一双本来就很大的眼睛，“我怎么看不出他的尾巴在哪里？”

“一个人如果变成了老狐狸，就算有尾巴，别人也看不见的。”胡铁花一本正经地说，“可是你们看，他的样子是不是有点怪怪的？是不是好像刚把一只又胖又肥的大臭虫活活吞下去了？”

女孩们都吃吃地笑了起来，她们的笑声就像她们的人一样迷人。

楚留香在看着自己的手，实在很想把这只手握成拳头，送到胡铁花鼻子上去，把这小子的一个鼻子打成两个。

一个人的脸上如果长着两个鼻子的时候，大概就不会放这种狗屁了。

只可惜楚留香一向没有打朋友鼻子的习惯，所以只好把这只手摸到自己鼻子上去。

女孩子们笑得更开心，他居然也陪着她们笑起来，而且笑得比她们更开心。

“好玩好玩，真是好玩极了。”他问胡铁花，“你几时变得这么好玩的？我怎么一点都不知道。”

“难道你觉得不好玩？”胡铁花眨着眼，“难道你在生我的气？”

他居然一脸理直气壮的样子：“难道你一定要看到我已经被人打得鼻青脸肿，像野狗一样躲在这里，你才会高兴？”

小桌除了摆满各式各样的干果、蜜饯、糕饼、肉脯外，还有两坛酒。

胡铁花又问楚留香：“你看不看得出这是什么？”他拍着酒坛子：“这一坛是三十年的女儿红，这一坛是最好的泸州大曲。”

他又搂起了旁边一个细腰长腿的女孩子：“你的鼻子虽然不灵，眼光却一向不错，当然也应该看得出这几位小姑娘，每一个都比我们以前遇到的那些女孩子好看十八倍。”

胡铁花摇着头叹息：“一个人有了这么好的酒，这么好看的女孩子，居然还没有忘记把他的朋友找来分享，你说这个人是个多么够义气的朋友。”胡铁花叹着气说：“如果我有这么好的朋友，我简直要流着眼泪跪下去吻他的脚。”

楚留香笑了，这一次是真的笑了。

如果你交到这么一个朋友，你能对他怎么样？咬他一口？

那个大眼睛的小姑娘吃吃地笑道：“你放心，他不会真要你吻他的脚的，他只不过想你想得要命，所以才用了一点诡计把你骗来，只不过要你陪他喝杯酒而已。”

她跪在小桌前，用白玉杯替楚留香满满地倒了一杯女儿红，她的一双手比白玉还白，手上还戴着个碧绿的翡翠戒指。

楚留香也坐下来了，盯着她这双手，就好像一个标准的老色迷一样。

“你叫什么名字？”

少女笑得更甜，把酒杯送过去，送到楚留香面前：“你先喝光这杯酒，我就告诉你。”

“不行，喝一杯不行，”楚留香说，“我最少也要先喝十八杯。”

他伸出手，不去接酒杯，却握住了那双又白又嫩的手。

大眼睛的小姑娘娇笑着不依：“你坏死了，你真是个坏人。”

“我本来就是个坏人。”楚留香笑得有点不怀好意，“我可以保证，我绝对比你想象中还坏十倍。”

只听“咯”的一声响，这位小姑娘一双白玉般的小手已被他拗脱了节。

她手里白玉杯已被楚留香掷出去，打在那个细腰长腿少女的腰眼上。

她的翡翠戒指也已不知在什么时候被楚留香脱下来，以中指扣拇指弹出，击中了另一个女孩子左肩上的肩井穴。

大眼睛的小姑娘疼得叫出来的时候，她们已经不能动了。

三个女孩子都已被吓呆。

她们实在连做梦都想不到这个看起来好像很懂得怜香惜玉的人，居然会这样子对付她们。

她们之中看起来最柔、最弱、最娇小的一个，却忽然抽出一柄寒光四射的短刀，抵住了胡铁花的咽喉。

“楚留香，我佩服你，你的确有两下子，我实在不明白你怎么会看出这地方有破绽来的。”她恨恨地说，“可是你只要再动一动，我就割下他的脑袋！”

无论谁都看得出她不是在故意吓唬人。

这个世界上本来就有种女孩子，平时看起来好像比小猫咪还乖，可是只要有一点不对，她就会露出她的利爪来，不但会把你抓得皮破血流，就算把你活活抓死，她也不会眨一眨眼。

这个女孩子无疑就是这种人。

胡铁花虽然还在笑，脸色却有点发白了，楚留香却完全不在乎。

“你割吧，最好快点割，随便你要怎么割都行。”楚留香微笑，“那个脑袋又不是我的脑袋，你割下来我又不会痛。”

他居然又坐了下去，就好像准备要看戏一样，脸上居然还带着种很欣赏的表情。

“你割，我看，”楚留香笑得更愉快，“看你这么样一个漂漂亮亮的小姑娘割人的脑袋，一定是很有趣。”

胡铁花叫起来了：“有趣？你居然还说有趣？”他大叫：“你这种朋友是什么朋友？”

楚留香悠然微笑：“像我这样的朋友本来就少见得很，想见到一个都很不容易，今天被你们见到了，真是你们的福气。”

本来要割人脑袋的少女好像已经有点发慌了，一双本来充满杀机的眼睛里已经露出了害怕的表情。

她不是不敢割人的脑袋，可是割下了这个人的脑袋之后呢？她自己的脑袋是不是也会被人割下来？是不是还会遇到一些比脑袋被割下更可怕的事？

楚留香并没有说这种话，他一向不会说这种话。这种话本来就不是楚留香这种人能说得出来的。

可是他总有法子让别人自己去想象。

寒光四射的短刀依然架在胡铁花脖子上，拿着刀的手却好像已经开始在发抖了。

"如果你并不急着要割他的脑袋，我也不急。"楚留香悠然道，"在这里坐坐也很舒服，我也一向很有耐性。"

他又叹了口气："唯一的遗憾是，这里的酒都是绝对不能喝的，喝了之后一定就会变得像这位胡大爷一样，使不出力来了。"

拿刀的手抖得更厉害。

这么样耗下去要耗到几时？耗到最后会有什么样的结果？

她忽然发现这件事已经变得很不好玩了。

楚留香仿佛已经看出了她心里在想什么，忽然提议："如果你已经不想再这么玩下去，我们还有个法子可以解决这件事。"

"什么法子？"她立刻问。

"你让我把我们这位胡大爷带走，等我们走了，你们也可以走了，我绝不会碰你们。"楚留香说，"你应该知道我一向是个最懂得怜香惜玉的人。"

几乎毫不考虑的，拿刀的手立刻就离开了胡铁花的咽喉。

"好，我相信你。"她说，"我知道楚留香一向言而有信。"

两只手的手腕都已脱了臼的大眼睛本来一直忍住疼痛在掉眼泪，忽然大声问："我们并没有做错什么事，这位胡大爷也一直很听话，我们叫他怎么做，他就怎么做，楚留香怎么会知道酒里有迷药，发现我们的秘密？"

楚留香微笑着倒了杯酒给她："你先喝完这杯酒，我就告诉你。"

酒是不能喝的。

所以她们永远也猜不出楚留香怎么会发现她们的秘密。

高山、流水。

泉水自高山上流下，流到这里，集成一池，池水澄清。

胡铁花身上还是穿着那身花花大少的衣裳，穿得整整齐齐的。

他就这么样整整齐齐地穿着一身衣裳，泡在澄清的池水里。

因为楚留香坚持认定只有用这法子才能帮助他快一点解开药力，他想反对都不行。

他只有看着楚留香，像一只公鸡一样盯着楚留香看了半天，忽然长长叹了口气："你真行，你真了不起，不但英俊潇洒，而且聪明绝顶，像你这么伟大的天才，找遍天上地下也找不出第二个来。"他愈说声音愈大："如果你自己认为你只不过是天下第二个最伟大的人，绝对没有人敢认第一。"

楚留香躺在池水旁一块青石上，一脸很舒服、很愉快的样子。

"我喜欢听这一类的话，你最好再多说几句。"

"我当然会说的，只可惜我说的并不是你。"

"不是我？是谁？"

"是我自己。"胡铁花道，"我说的是我自己，因为我实在太聪明、太伟大，连自己都不能不佩服。"

楚留香躺着的时候是很少有人能让他站起来的，可是现在一下就跳起来了，就好像看见鬼一样看着胡铁花。

"你是不是在说你很佩服你自己？我有没有听错？"

"没有，你完全没有听错。"胡铁花说，"你的耳朵又不像你的鼻子那么差劲，怎么会听错！"

"我在那种要命的情况下把你救了出来，连别人都对我佩服得要命，你非但不感激我，也不佩服我，反而拼命往自己脸上贴金。"楚留香摇头叹气，"这一点连我都不能不佩服。"

"你当然也要佩服我。"胡铁花正经地说，"没有我，你怎么能把我救出来？"

楚留香愣住。

他一向知道胡铁花的脸皮很厚，却还是想不到居然厚到如此程度。

可是胡铁花也有胡铁花的道理。

“我们是老朋友了，已经快老掉了牙，我问你，你看我洗过几次澡？”

“好像没有几次。”楚留香在记忆中搜索，“好像只有一两次。”

“要我洗澡是不是件很困难的事？”

“也不算很困难，只不过比要狗不吃屎困难一点点而已。”

“要我不喝酒呢？”

“那就真的困难了。”楚留香叹口气，“那简直比要你不碰女人更困难。”

“那个狗窝里，有那么多好酒，那么多好看的女人，可是你看到我的时候，我却清醒无比，而且洗得比你刚出生时还干净，就算是头猪，也应该看得出情况不对了。”胡铁花咧开大嘴对楚留香笑了笑，“何况你最少比猪要聪明一点。”

楚留香说不出话来了。

他忽然发现胡铁花确实是有道理的，非常有道理。

唯一的问题是：“像你这么样一位伟大的天才，怎么会被四个小女孩制住了的？”

胡铁花的回答比这个问题更绝。

“就因为她们是四个小女孩，所以我才会被她们制住。”胡铁花说，“如果是四个老头子想要把我制住，谈都不要谈。”

“有理。”

“遇到那样四个女孩子，就算我明明知道她们给我喝的酒里有药，我也会喝下去的。”

胡铁花苦笑。

“只可惜一喝下去之后，我就一点力气都没有了。”

“在那种情况下，你怎么还能回到那个狗窝去？”

“当然是我要她们送我去的。”

“她们怎么肯送你去？”

“因为你。”

胡铁花说得很干脆：“我看得出她们也在找你，只可惜找不到而已。所以我就索性把这个法子教给她们了。”

“什么法子？”

“骗狗入狗窝的法子。”

楚留香苦笑：“现在我才知道你真是个好朋友，拖人下水的本事更是天下第一。”

“我不拖你下水拖谁下水？你不来救我谁来救我？”胡铁花瞪着大眼，完全是一副理直气壮的样子，“何况我这样做也是为了要让你高兴。”

“为了要让我高兴？”楚留香不懂，“我有什么好高兴的？”

“能够把我这么样一个好朋友从别人手里救出来，你心里难道还不高兴？”胡铁花说得振振有词，“如果我没有那么做，你怎么会找到狗窝去？怎么能把我救出来？”

楚留香摸着鼻子想了半天，终于不能不承认：“有道理。”他叹着气：“为什么你说的每句话都好像很有道理。”

他忽然又问胡铁花：“你有没有想到过，她们这样对你也许并没有恶意，只不过想把你招回去做女婿而已。”

楚留香自己替胡铁花回答了这个问题：“你一定想到过的，自我陶醉的本事，天下也很少有人能比得上你。”

“我不必自我陶醉。”胡铁花说，“像我这么样的一表人才，又英俊又聪明，又勇敢又成熟，本来就是她们那种黄毛丫头最喜欢的男人，只要我肯用一点小小的手段，她们不被我迷死才是怪事。”

“你为什么不能自己去迷死她们？为什么要我来救你？”

“因为现在我没空跟她们玩这种游戏。”胡铁花的表情忽然变得神秘而严肃，“现在正有件大事等着要我去做，而且非要我去做不可，否则天下就要大乱了，江湖中也不知道会有多少人要因此而死。”

他说得完全像真的一样，楚留香盯着他看了半天，也看不出他有一点开玩笑的样子。

“你要去做的是什么样的大事？”

胡铁花声音压得更低，一字字地说：“我要替我一个朋友把她的女儿送给一个人做老婆。”

楚留香简直快要气死了，活活地被他气死了：“这种事也能算是大事？”

“当然是大事。”胡铁花说，“如果你知道我说的那个朋友是谁，你就会明白这件事有多么重要。”

“你那位朋友是谁？”

“现在我还不能告诉你他是谁。”胡铁花正色道，“我只能告诉你，在江湖中，他也许没有你的名气大，可是他的身份和地位却远比你高得多。他的女儿不但是天下闻名的美人，而且还是位公主，当今天子御旨钦封的正牌公主，一点都不假。”

“你要把这位公主送去嫁给谁？”

“说起这个人，名气就未必比你小了。”胡铁花道，“我想你大概也听说过，近年来纵横七海威震天下的天正大帅史天王。”

楚留香的脸色忽然变了。

“江湖中好像有很多人都不赞成这门亲事，所以那位公主才要我来护送，而且是她府上的花总管亲自来邀请我的。”胡铁花道，“所以除非史天王暴毙，这门亲事谁也阻拦不了。”

楚留香眼睛里忽然发出了光，忽然大声道："我明白了，现在我总算明白那位姑奶奶找他们那些人去是干什么的了。"

"那位姑奶奶是谁？"胡铁花问，"他们那些人又是些什么人？"

"那位姑奶奶就是那个小面摊的老板娘。"楚留香说："那些人就是那天晚上专程赶到那个小面摊去吃面的人。"

胡铁花是个绝人，常常会说些很绝的话，有时候连楚留香都听不懂。

这一次情况却改变了。

这一次胡铁花竟会听不懂楚留香在说什么。

"你刚才在说什么？"他故意问，"是不是说你有位姑奶奶摆了个小面摊，生意好得造反，三更半夜都有人专程去吃面？"

胡铁花忍住笑，一本正经地说："你这位姑奶奶真有本事，我实在想不到你居然有个本事这么大的姑奶奶，居然还会卖牛肉面。"

"她卖的虽然不是牛肉面，但是她的本事倒是的确不小。"楚留香叹了口气，"如果她真是我的姑奶奶，我就太有面子了，只可惜她不是。"

"那么她是谁的姑奶奶？"

"她当然不是你的姑奶奶。"楚留香也一本正经地说，"她是你的妈。"

"我的妈呀！"胡铁花立刻就叫了起来，"你说的是不是那位要人老命的花姑妈？"

"难道你现在另外又多出几个妈了？我记得你本来好像只有她一个的。"

"我的妈呀！"胡铁花还在叫，"她不是已经找到了一个冤大头愿意娶她了么？好好的日子她不过，又跑出来干什么？"

楚留香看着他直笑："也许她想来想去还是觉得你这个儿子比那个冤大头好，所以又出来找你了。"

他的样子看起来就好像一个幸灾乐祸的人，看见了别人一脚踩到狗屎上。胡铁花的样子看起来就好像已经有人把那堆狗屎塞到他嘴里去了，连吐都吐不出来。

“千万拜托，你千万不能让她找到我。”胡铁花说，“我还要留着我这条老命多陪你喝几年酒。”

楚留香看着他愁眉苦脸的样子，忽然叹了口气：“你真以为你是个人见人爱的小白脸？天下的女人都爱死你了，如果没有你，一个个全都非死不可？”楚留香说：“只可惜人家这次出来虽然是为了要找人，找的却不是你。”

“不是我？”胡铁花简直不能相信！“她要找的不是我？是谁？”

“我也不知道她一共找了多少人，我只知道她已经找到三个。”

胡铁花又叫起来，叫的声音比刚才还大。

“一找就找三个！这个女人实在太过分了。”他又忍不住问楚留香，“她找到的是哪三个？”

“我只认得其中两个。”楚留香说：“一个是要价三万两的黄病夫，一个是要价十万两的黑竹竿。”

胡铁花忽然生气了：“我连一文钱都没有问她要过，他们凭什么问她要这么多？”

他当然不是真的在生气，虽然心里已经觉得有点酸酸的，甚至有点失望，却不是真的在生气。

因为他并不是个只会吃醋只会自我陶醉的笨蛋，这两个人是干什么的，花姑妈为什么要找他们，他也清楚得很。

找他们的人只有一个目的。

——要他们去杀人，杀一个很不容易被杀死的人。

在这种冷酷神秘而且非常古老的行业中，黄病夫和黑竹竿都是第一流的好手，所以他们要的价钱都特别高，尤其是黑竹竿，多年前就已经在这一行要价最高的十个人中名列第三。

因为他可靠。

他的信用可靠，嘴也可靠，绝不会泄露买主的秘密，就算被人砍下一条膀子来，也不会泄露一个字。

最可靠的，当然还是他那柄藏在黑竹竿里的剑，这柄剑杀人几乎没有失过手。

“可是我知道花姑妈一向没有钱的，她花钱比我还花得快。”

胡铁花终于开始说正经话了：“她就算要杀一个人，也花不起这么多钱去找黄病夫和黑竹竿。”

“花钱的也许并不是她，也许她只不过在替别人做事而已。”楚留香说，“做这一类的事，还有谁比她更适合？”

“还有一个人。”

“谁？”

“你。”

胡铁花又在笑了，让他生气懊恼悲伤失望的事，他总是很快就会忘记。

“有时候我也很喜欢她的。”他问楚留香，“你知不知道我为什么会喜欢她？”

“不知道。”

“因为她有很多地方都像你。”胡铁花笑得很愉快，“她有时聪明有时糊涂，有时候骗死人不赔命，有时候也会上别人的当，她认得的人比谁都多，管的闲事也比谁都多，有些时候我差一点就会把你当作了她，把她当作了你。”

楚留香的手，差一点就要到鼻子上去了——不是他自己的鼻子，是胡铁花的鼻子。

幸好还差一点，所以胡铁花的鼻子依旧安然无恙，鼻子既然没有被打断，所以嘴也没有停。

“可是她的脾气也跟你一样，就像茅坑里的石头一样又臭又硬，她怎么肯替别人去做事？”

“因为她不想让一个混蛋把一位公主送去嫁给一只猩猩。”

胡铁花又笑不出了，盯着楚留香看了很久，才用一种很慎重的口气问：“别人怎么想我都不在乎，我只问你，你赞不赞成这门亲事？”

楚留香也说得很慎重：“我只能告诉你，我一向都不赞成杀人的，可是这一次他们如果能杀了那个猩猩，我说不定真会去吻他们的脚。”

胡铁花又盯着他看了半天，忽然跳了起来，湿淋淋地从水里跳了出来。

“我们走。”

“走？”楚留香问，“走到哪里去？”

“去找那位公主的老子，我的那位朋友。”

“我为什么要去？”

“因为你要保护我，把我活生生地送到那里去，不要让我死在半路上。”胡铁花说，“因为我想让他自己跟你谈谈，谈过了之后，你的想法也许就会改变了。”

“如果我不想跟他去谈呢？”

胡铁花瞪大了眼睛，大声道：“我问你，你要到那个见鬼的大沙漠里去的时候，是谁陪你去的？每次你被别人围攻的时候，有谁站在你这一边？每次你半夜睡不着的时候，是谁在陪你喝酒喝到天亮？”

楚留香叹了口气：“好，走就走，只不过我也有条件。”

“什么条件？”

“我一定会送你去，可是在路上却要分开来走，不管在任何情况，你都不能揭穿我的身份。”楚留香板着脸，“如果你不答应，我就不去。如果你答应了之后却没有做到，你就会发现我已经忽然失踪了。”

# 第四章

## 胭脂·宫粉·刨花油

小镇，长街。

春天的太阳就像是小姑娘的脸一样，终于羞答答地从云层中露出来了，暖洋洋地照在这条很热闹的长街上。大姐姐小弟弟少奶奶老太太都脱下了棉袄，穿上了有红有绿的春天衣裳，在街上溜达着晒太阳，让别人看他们的新衣裳。

用三根鸡毛两个铜钱做成的毽子满街跳跃，各式各样五颜六色的风筝飞满在蓝天上，连老太爷的嘴里，都偷偷地含着一颗桂花糖。

漫长寒冷的冬天终于过去了，大家都准备好好地享受一下春天的欢乐。

胡铁花又变得很开心了，指着街边一家代卖蟹粉汤包生煎馒头和各色茶食点心的小茶馆说："我们到那里去坐坐好不好？"

"好。"楚留香立刻同意，"你去吧。"

"你呢？"

"我要先到对面那家铺子去一趟。"

对面有家门面很窄的小店铺，门口挂着的一块白木板上写着："崔大娘老店，专卖上好胭脂、宫粉、针线、刨花油。女客绞脸、梳头、穿耳孔，一律只收二十文。"

胡铁花看到楚留香真的走进这家铺子去，实在有点吃惊。

“这个老小子又在玩什么花样？”

更奇怪的是，楚留香非但走进了这家铺子，而且还走到后面一个挂着棉布帘的门里去了，一进去就没有再出来。

胡铁花吃了两笼汤包，二十个生煎馒头，又就着一碟麻糖喝了两壶茶，还没有看到楚留香出来。

可是里面却有个慈眉善目满脸和气的白胡子小老头，拄着根长拐杖走了出来，而且一直走到胡铁花面前，而且还老实不客气地在他旁边一张凳子上坐下，而且还叫了一大碗火腿干丝、二十个蟹壳黄小烧饼、两碟酥炸小麻花，吃得不亦乐乎。

胡铁花看呆了。

幸好他还不是个真的呆子，还能看得出这个小老头就是楚留香。

“你这个老王八蛋，为什么要把自己弄得像这种鬼样子？”

楚留香根本不理他，吃完了就站起来，抹了抹嘴就走。

胡铁花也赶紧站起来，准备跟他一起走了，忽然发现一个伙计提着大茶壶站在他面前，皮笑肉不笑地用一双斜眼看着他，打着一口扬州官话说：“老太爷，在我们这块吃东西的客人，都是付过账才走的。老太爷，你说对不对？”

当然对，吃东西当然要付账。

付账是要用银子付的，没有银子用铜钱也行，不幸我们这位胡老太爷一向没有带这种东西的习惯。

不付账就走当然也可以，就真有十个这样的伙计也拦不住他。

只可惜我们的这位老太爷脸皮还没有这么厚。

所以他只好又坐下去，只要不走，就用不着付账了。在这种茶馆里，客人爱坐多久就坐多久，从一清早坐到天黑打烊都行。

那个伙计拿他没法子，可是不管走到哪里，那双斜眼都在盯着他。

胡铁花正在发愁，忽然看见有个一定会帮他付账的人来了。

一个身材瘦瘦弱弱，长得标标致致的小姑娘，穿着一身用碎花棉布做的小袷袄，一张清水瓜子脸上不施脂粉，一对黑白分明的剪水双瞳里，仿佛带着种说不出的幽怨之意，看起来真是楚楚动人。

茶馆里的人眼睛都看得发了直，心里都看得有点痒痒的。

谁知道这么样一朵鲜花竟插到牛粪上去了。

她来找的不是别人，却是刚才那个吃过东西不付账就想溜之大吉的小赖皮。

胡铁花当然明白这些人心里在想什么，因为上一次他也是这么样上当的。一直等到她用刀尖逼住他咽喉的时候，他才知道这个又柔弱又文静的小姑娘其实比谁都狠毒。

小姑娘已经在他旁边坐下来，痴痴地看着他，眼里充满了幽怨和哀求，用别人听不到的声音对他说："我替你付账，你跟我走。"

她说的话和她的表情完全是两回事，胡铁花忍不住笑了。

"我不跟你走，你也一样要替我付账的。"他的声音也很低，他的脚已经在桌子下面踩住了她的脚，"这一次好像轮到你要听我的话了。"

小姑娘又痴痴地看了他半天，眼泪忽然像一大串断了线的珍珠般，一大颗一大颗地掉了出来。

"求求你，跟我回去吧！婆婆和孩子都病得那么重，你就不能回去看看他们么？你知不知道我找你找得有多苦？"

这一次她说话的声音虽然还是很低，却已经足够让附近每个人都听得很清楚。

这句话还没有说完，已经有几十双眼睛往胡铁花脸上盯了过来，每一双眼睛里都充满了轻视、厌恶与愤怒。

胡铁花忽然发现自己好像已经变成了一只又肥又大又脏又臭的过街老鼠。如果还不赶快走，恐怕就要被人打扁了。

一锭足够让他付账的银子已经从桌子下面塞到他手里。

长街上已经有一辆马车驰过来，停在这家茶馆的大门外。

胡铁花只有乖乖地跟她走了。

另外三位小姑娘已经在车厢里等着，胡铁花反而豁出去了，大马金刀往她们中间一坐，顺手就把刚才那个小姑娘的腰一把搂住。

“想不到你原来是我的老婆。”胡铁花笑嘻嘻地说，“亲爱的好老婆，你究竟想把我带到哪里去？”

四个小姑娘都沉下了脸，冷冷地看着他。

胡铁花也不在乎了。

他的气力已恢复，就凭他一个人，已经足够对付这四个黄毛丫头了。

何况楚留香一定不会走远的，如果说他现在就坐在这辆马车的车顶上，胡铁花也不会觉得奇怪，更不会不相信。他对楚留香一向有信心。

“其实不管你要把我带到哪里都没关系。”胡铁花说得像真的一样，“反正你已经是我的老婆，总不会谋杀亲夫的。”

小镇本来就临江不远，车马停下时，已经到了江岸边。

春草初生，野渡无人，江面上烟波荡漾，风帆点点，远处仿佛还有村姑在唱着山歌。

江南的三月，春意已经很浓了。

胡铁花迎着春风伸了个大懒腰，喃喃地说：“不知道从哪里才能弄点酒来喝喝，就算酒里有迷药，我也照样会喝下去。”

四个小姑娘铁青着脸，瞪着他。

“上次我们是用迷药把你逮到的，你落在我们手里，心里一定不服气。”

“在你那个狗窝里，那个又奸又鬼的楚留香趁我们不注意，占了我们一点便宜，你心里一定认为我们全是好欺负的人。”

“所以这一次我们就要凭真功夫跟你动手了，要你输得口服心服。”

“我们只问你，这一次你若败在我们手里，你准备怎么办？”

四个小姑娘都能说会道，胡铁花却听得连嘴巴都快要气歪了。

“如果你们一定要凭真功夫跟我动手，我也只好奉陪。”胡铁花笑道，“如果我输了，随便你们要怎么办就怎么办，我绝对没有第二句话说。”

无论谁都不能不承认，胡铁花绝对可以算是江湖中一等一的高手，他自己所独创的“蝴蝶穿花七十二式”，更是江湖中难得见到的绝技。

他当然不会败在这四个黄毛丫头手里，所以他笑得愉快极了。

这四位小姑娘却好像觉得他还不够愉快，居然又做出件让他更愉快的事。

她们忽然把自己身上大部分衣裳都脱了下来，露出了她们修长结实而富有弹性的腿，纤细灵活而善于扭动的腰。

她们的脸上虽然不施脂粉，身上却好像抹了一层可以使皮肤保持柔润的油。在阳光下看，她们的皮肤就像是用长丝织成的缎子一样细致光滑。

这时候她们已将兵刃亮了出来。她们用的是一把刀、一把剑、一双判官笔和一对分水峨眉刺，虽然也全都是用精钢打造的利器，却比一般人用的兵刃小了一半，看起来简直就像是小孩子玩的玩具一样。

胡铁花觉得好玩极了，甚至已经在暗中盼望，只盼望楚留香不要来得太快。

大眼睛的小姑娘好像已看出了他的心里在想什么，忽然冷冷道："如果你觉得这是件很好玩的事，那么我保证你很快就会觉得不好玩了。"

她说的居然是真话，胡铁花果然很快就觉得不好玩了，而且很不好玩。

她们用的兵器虽然又小又短，可是一寸短、一寸险，招招抢攻，招招都是险招，又快又准又狠。

她们的腰和腿都很灵活，转移扭动时，就好像水中的鱼。

鱼是不穿衣服的。

这四个小姑娘现在穿的也只不过比鱼多一点，很多不应该让人看到的地方都被人看到了，尤其是在扭动翻跃踢蹴的时候。

这种情况通常都会使男人的心跳加快，呼吸变急，很难再保持冷静。如果这个男人舒舒服服地坐在旁边看，必然会看得很愉快。

可是对一个随时都可能被一刀割断脖子、一剑刺穿心脏的男人来说，这种影响就非常可怕了。

尤其是胡铁花这种男人。

他也知道这种情况会对他产生多么不良的影响，可惜他就算不想去看都不行。

他一定要看着她们，对她们每一个动作都要看得很仔细，否则他的咽喉上很可能立刻会多一个洞。

她们手里拿着的并不是玩具，而是致命的武器。

这么样看下去，一定会让人看得受不了的，说不定会把人活活看死。

胡铁花又开始在盼望了，盼望楚留香快点来。

如果是楚留香在跟她们交手，如果他能站在旁边看，那就妙极了，就算要他看三天三夜，他也不会看厌的。

只可惜他左等右等，楚留香还是踪影不见。

“你不必等了。”大眼睛的小女孩说，“那个忽然变成了老头子的楚留香不会来的。”

“什么老头子？”胡铁花居然也会装糊涂，“哪个老头子？”

“你以为我们不知道？”

腰最细腿最长，让人看得最要命的一个女孩子冷笑着说：“我们正好亲眼看见他走进崔大娘的店里去，又正好亲眼看见那个老头走出来，跟你坐在一起吃包子。”她说，“难道你还以为我们看不出他就是楚留香？难道你以为我们都是猪？”

胡铁花希望她们说话，说得愈多愈好，无论谁在说话的时候，动作都会慢下来的。

所以他又问：“你们怎么知道那个老头子不会来？”

“因为我们早就准备好几个人去对付他了，如果现在他还没有死，运气已经很不错。”

“你们要他死？”胡铁花说，“万一他不是楚留香怎么办？”

“那么就算我们杀错了人。”最温柔的那个小姑娘说，“杀错个把人，也是很平常的事。”

“那实在太平常了，就算杀错七八十个人也没什么关系。”胡铁花叹着气说，“只不过以后你们想起这种事的时候，晚上也许会睡不着的，那些冤鬼说不定就会去拜访拜访你们。”

“你放心，我们晚上一向睡得很好。”

“就算你们睡着了，也说不定会梦见那些冤鬼在脱你们的裤子。”

“放你的屁。”

“放屁？谁在放屁？”胡铁花说，“如果有人在放屁，那个人绝对不是我，我从来都不会放屁的。”

“不可以，千万不可以。”

他们忽然听见一个人说：“一个大男人怎么可以骗小姑娘？你明明比谁都会放屁，怎么能说不会？你不会谁会？天下难道还有比你更会放屁的人？”

胡铁花笑了，大笑。

“我就知道你不会死的，我这一辈子都没有见过运气比你更好的人，你怎么会死！”

江岸旁有块石头，楚留香就站在这块石头上，手里还托着一摞帽子，最少也有六七顶。

刚才这块石头上明明还没有人的，忽然间他就已出现在这块石头上。

四个小姑娘的脸色都变了，忽然出手抢攻几招，然后就同时飞跃而起。

“快抓住一个。”楚留香大声说，“只要抓住一个就好。”

可惜胡铁花连一个都抓不住。

他本来已经抓住了腿最长的那一个，抓住了她的小腿，可惜一下子又被她从手里滑走。

这些小姑娘简直比鱼还滑溜。

水花四溅，水波流动，四个小姑娘都已跃入了江水。江水悠悠，连她们的影子都看不见了。

胡铁花只好看自己的手，他一手都是油。

“这么漂亮的小姑娘，为什么要把自己弄得像油鸡一样？为什么要把自己全身上下都抹上一层油？”胡铁花叹着气，“如果我将来娶了老婆，只要她身上有一点油，我就用大板子打她的屁股。”

“的确有个人该打屁股。”楚留香说，“唯一应该被打屁股的这个人就是你。”

“对，我应该打屁股，我连一个都没有抓住。”胡铁花生气了，“可是你呢？你是干什么的？你又不是没有手，你自己为什么不来抓？”

楚留香叹了口气：“你为什么不能用点脑筋想想，像我这么有身份的人，怎么能去抓女人的腿？”

胡铁花像只大公鸡一样瞪着他，瞪着他看了半天，忽然笑了，笑得连腰都直不起来。

“你还有件事更该打屁股。”楚留香说。

“什么事？”

“刚才你骗她们跟你说话的时候，你就有好几次机会可以把她们制住，最少也可以制住其中两个。”楚留香问，“她们的招式间明明已经有了破绽，你却像瞎子一样看不见。”

“我怎么会看不见？”胡铁花说，“只不过我虽然不像你这么有身份，多少也有一点身份，怎么能往一个光溜溜的大姑娘那种地方出手！”

他本来一直在笑的，忽然间就不笑了，又变成像是只大公鸡一样瞪着楚留香。

“你怎么知道那时候我有机会出手的？难道那时候你就已经来了？”

“如果我没有来，我怎么会看见？”楚留香悠然道，“如果我没有看见，我怎么会知道？”

胡铁花瞪着他，就好像一只大公鸡瞪着一条蜈蚣一样，而且还在不停地冷笑。

“好，好，好，好极了！原来你早就来了，早就躲在一边偷偷地看着。”胡铁花摇头、叹息、生气，“你的好朋友随时都可能被人一刀割断脖子，你却躲在那里偷看女人的大腿，你惭愧不惭愧？”

“我惭愧，我本来实在非常惭愧。”楚留香说，“可是我忽然想到如果你是我，恐怕现在还在看，还没有出来。”

他很愉快地说：“一想到这一点，我就连一点惭愧的意思都没有了。”

胡铁花又在叹气了：“你怎么这么了解我？难道你是我肚子里的蛔虫？”

车马早就走了，带着她们脱下来的衣服走了。

这四个小姑娘是什么来历？是谁指使她们来的？看她们的身手和机智，一定从小就受到极严格的专门训练，训练她们来做这一类的事，能够把这些十五六岁的小姑娘训练得如此出色的人，当然也是个极厉害的角色。

在她们的幕后，无疑还有个实力极庞大的组织在支持她们、指挥她们。

在这种情况下，她们如果找上了一个人，是绝不会就此罢手的。

胡铁花叹了口气：“老实说，我自己也觉得我实在应该打屁股，居然会让她们全都溜了。”他问楚留香：“可是你呢？你为什么不把刚才对付你的那些人抓住一两个？却把他们的帽子带了回来，难道你能从这几顶帽子上看出他们的来历？”

“我根本用不着盘问他们的来历。”

“为什么？”

“因为我本来就认得他们。”楚留香说，“他们都是铁剑先生在上一次清理门户时被逐出的弟子，在江湖中流落了几年，志气渐渐消磨，渐渐变得什么事都肯做了。这次他们只不过是被那四位小姑娘花了一万两银子雇来对付一个白胡子老头的，而且刚刚才把这笔生意接下，根本也不知道他们的雇主是谁。”

“他们知不知道这个白胡子老头是楚香帅？”

“大概也不会知道，否则他们恐怕就不会接这笔生意了。”

“就在你走出崔大娘的老店，坐下来吃东西的时候，她们就能找到人来对付你！”胡铁花叹息，“这四个小丫头的本事倒真不小。”

“也许她们自己并没有这么大的本事，可是这附近一带一定有她们的人。”楚留香说，“这些人的神通一定都不小，所以她们无论要干什么都方便得很。”

他拍了拍胡铁花的肩：“所以我们还是应该分开来走，而且我还要先走一步。”

“为什么？”

“因为这个白胡子老头已经被认出来了，已经没法子再混下去。”

“所以你又要去找那位崔大娘？”胡铁花说，“难道她也是位精于易容的高手，我怎么从来都没有听说过？”

“你没有听说过的事本来就多得很。”

“这次你准备要她把你变成什么样子？”

“我不能告诉你。”楚留香说，“也许还是个小老头，也许是个大腹贾，也许是条山东大汉，也许是个文弱书生，总之是个你从未见过的人，甚至连我自己都没有见过，只不过我一定会在你附近的。”

他又说：“我这么做，都是为了你的安全，如果连你都不知道那个人是我，别人当然更看不出来了，这样子我才好保护你。”他叹了口气：“我对你实在比你对你的妈还要好得多。”

胡铁花一直在摸鼻子。

他摸鼻子的动作和神态，和楚留香简直完全是一个样子。

只不过楚留香摸鼻子的时候通常都不会笑的，他却忽然笑了，又笑得弯下了腰。

“你笑什么？”

“我忽然想到了一件非常好笑的事。”胡铁花说，“我忽然想到你如果要扮成一个大姑娘，说不定有很多男人都会看上你的，如果其中有个采花大盗，那就更好玩了。”

## 第五章

# 富贵客栈

天黑了，富贵客栈里灯火通明，照得客栈里每个角落都亮如白昼。

他们不在乎这一点灯油蜡烛钱。

这家客栈的名字取得绝不是没有道理的，他们的价钱愈来愈贵，他们的老板当然就愈来愈富了，所以才叫作富贵客栈。

这么样一家客栈怎么会在乎这么样一点小钱?

富贵客栈里最好的一间房就是“富”字号房，这天晚上胡铁花就住在这间房里。

他的气派一向都大得很，有谁会想到这位大爷身上连一个铜钱都没有?

这一类的事连胡大爷自己都常常会忘记，别人怎么会想得到?

先把好酒好菜都叫进房里来，摆满了一桌子，一个人喝酒虽然无趣，他还是喝了不少。

——楚留香这小子现在不知道已经变成什么样子了？这小子难道真的以为我会认不出他来？就算他烧成灰，我也认得出的。

房里有一面磨得很好的铜镜，胡铁花对着镜子笑了。

为了表示他对自己的佩服，他又敬了自己一大杯。

就在这时候，他忽然嗅到了一股药香。

胡铁花的酒量也是连他自己都非常佩服的。

现在他虽然已经有点酒意，距离喝醉却还差得很远。

他的鼻子也不像楚留香的鼻子，他的鼻子一向灵得很，如果他有个朋友在五里之外喝酒，他立刻就能嗅到。

只可惜药香根本就不香。

那是个很奇怪的味道，是好几种很特别的药草混合成的味道。

这几种药草都是治疗外伤的，如果一个人要把这些药草都配在一起，配成一帖药来治伤，那么这个人受的伤一定不轻。

煎药的地方好像就在隔壁一间房里。

如果一个人受了重伤之后还要把药罐子带回自己房里去煎，那么这个人一定有不少很可怕的对头，而且可能连一个朋友都没有。

受了重伤已经是件很可怜的事了，没有朋友更可怜。

胡铁花忽然觉得很同情这个人，很想过去陪陪他，陪他喝喝酒聊聊天，如果他的对头来了，说不定还会帮他抵挡一阵。

幸好胡大爷的酒还没有喝到这么冲动的时候，还没有忘记现在是绝不能再惹上任何麻烦的。

不幸的是，就在这时候他忽然听到隔壁房里传来“啵”的一声响，好像有个药罐子被打破了。

药香更浓烈。

胡铁花居然还没有冲动，居然还能忍耐住，没有冲过去。

他也不必再冲过去了。

因为隔壁的那间房已经先冲了过来，不是房里的人冲了过来，而是整个一间房都冲了过来。“轰”的一声大震，两间房中间的墙已经被冲破了一个很大很大的洞，一个人忽然从洞里飞进，两间房，忽然就变成了一间。

胡铁花第一眼看见的就是一根竹竿。

一根黑色的竹竿。

这根黑色的竹竿被一个人用一只青筋凸起的大手紧紧握住，这个人却已经不能算是一个人了，最多只能算半个。

他的右臂早已被齐肩斩断，右眼已经瞎了，眼上还留着“十”字形的伤疤。

现在他的左腿也断了，是从膝盖上面被砍断的，而且好像是被他自己砍断的。

因为被砍下来的那半截腿，此刻还在，他倚着墙坐在床上，这半截腿就在他身旁，黝黑枯瘦而且特别长的大半截腿，已因伤势化脓而腐烂。

他左肩上的伤势也同样恶劣，伤口里已隐隐发出恶臭，刺伤他的那个人用的也不知是兵刃还是暗器，不但出手毒辣，而且一定有毒。

想不到他还是硬撑了下来，而且一直撑到现在，宁愿再把自己一条腿砍断，还要继续撑下去。

这个人虽然已经只剩半个人了，却还是一条硬汉。

现在他又已被四个人用六件武器围住。四个冷静而残酷的人，六件在一瞬间就可以夺人性命的武器，一个人用蛇鞭、一个人用长剑、一个人用一双薄薄的雁翎刀、一个人用一对分水峨眉刺。

在如此危急的情况下，他还是很硬，还是紧紧地握住他的黑竹竿，昂然连一点害怕的样子都没有。

刚才来的本来有五个人，第五个人本来是第一个拥上去的，却被他用他手里的那根黑竹竿顶了回来，一下子撞在墙上。

“富贵”和“坚强”本来就是完全不同的两回事，所以富贵客栈的这道墙一下子就被他撞破了一个大洞。

胡铁花并没有想到这个人就是黑竹竿，也没有去想黑竹竿是个怎么样的人。

他用眼睛的时候通常都要比用脑筋的时候多一点。

他只看见了这个已经只剩下半个人的人还是这么样一条硬汉。

他平生最喜欢的就是这种硬汉。

所以他忍耐不住了，顺手就把一个酒坛子摔了出去。

“你们四个人对付人家半个人，”胡铁花大吼，“你们要不要脸？”

一个酒坛子摔出去，六件兵刃中就已经有五件往他身上攻了过来，攻的都是他的要害。

“你问我们要不要脸？你要不要命？”

分水峨眉刺虽然是在水中才能发挥最大威力的武器，不在水中也一样犀利。

蛇鞭如毒蛇，雁翎刀翻飞如雁。

这些人的武功竟远比胡铁花预料中强得多，胡铁花也不一定会败在他们手里，可是他已经在叫了。

“姓楚的，你说你一定会在我附近的，你在哪里？”

“姓楚的？是不是楚留香？”蛇鞭冷笑，“你是不是想用楚留香来吓人？”

“我吓什么人？”胡铁花也在冷笑，“你们根本连一个像人的都没有，我吓你们个鬼。”

还没有说完这句话，他自己几乎就已经变成了鬼，蛇鞭差一点就缠住了他的脖子，旁边的一把雁翎刀差一点就割断了他的咽喉。

只差那么一点点。

这个世界上有很多事都是连一点都不能差的，就算只差一点点都不行。

所以胡铁花还活着，不但活着，而且活得非常愉快。

因为他已经看见楚留香了。

没有车，没有马，连轿子、驴子、骡子都没有，胡铁花只有走路。

从那边江岸走到这家客栈，他看见了很多人，其中当然有几个比较特别的。

一个满面红光的老公公、一个肚子并不太大的大腹贾、一条满脸络腮胡子的大汉、一位文质彬彬的文弱书生。

这四个人恰巧和楚留香自己说的那四种形象一样，所以胡铁花早就在注意他们了。

虽然他也看不出这四个人里面哪一个是楚留香，可是其中最少有一个人是的。

现在他果然看到了一个。

一个斯斯文文秀秀气气的白面书生，手里轻轻地摇着一把折扇，忽然间就已出现在门外。

胡铁花笑了，很愉快地笑了。

“我就知道这一次你一定会来得比较快，因为这四个人绝对没有上一次那四个小姑娘那么好看。”

白面书生也带着微笑，轻摇着折扇，施施然从门外走进来。

他的这把折扇无疑就是他的武器。

不管是什么样子的东西，只要到了楚留香手里就是武器，致命的武器。

胡铁花看得出他立刻就要出手了，只要他一出手，这四个人之中最少也要有两个会倒下去，何况黑竹竿还在硬撑着，一直盯着他的那个人也一直紧握着掌中长剑，丝毫不敢有一点大意。

所以胡铁花笑得更愉快！

“其实你就算不来，我也一样可以把这四个龟孙全都摆平，可是你既然来了，我最少也得留一两个给你。”胡铁花很大方地说，“随便你挑一两个吧，剩下来的全归我。”

“你真客气，我真要谢谢你。”

白面书生也笑得很愉快，甚至比胡铁花更愉快，因为他手里的折扇已风车般旋转飞出，刀轮般向胡铁花辗了过去。

胡铁花刚闪开这个刀轮，已经有六件武器逼到了他身上六处要害的方寸间。

这六件武器中最可怕的既不是蛇鞭，也不是峨眉刺和雁翎刀，而是一根手指。

就在折扇离手的这一瞬间，白面书生就已经到了胡铁花面前，用左手的一根食指对准了胡铁花脑门上的天灵穴。

胡铁花动都不能动了。

虽然对方的人比他多，而且都是一流高手，他本来也不会这么容易就被人制住的。

可惜他做梦也想不到这个楚留香居然不是楚留香。

“我姓白，就是白面书生的那个白，也就是白雪、白云、白玉的那个白。我的名字就叫作白云生。”这位斯斯文文的书生说，“阁下若是把我当作了别人，就是阁下的错了。”

胡铁花忽然大声说：“我实在不应该把你当作那个人的，那个人简直不是人，根本就不是人，是个缩头乌龟，一直躲到现在还不出来。”

他在这里一骂，外面果然就有人搭腔了。

一个人坐在窗户对面的屋脊上，用一种故意装出来的声音说：“胡铁花，你急什么？我保证他们绝不会动你一根寒毛的，你若死了，还有谁肯把那位公主护送到史天王那里去？”

白面书生皱了皱眉，上上下下打量了胡铁花两眼，态度更温和。

“阁下就是胡铁花胡大侠？”

“大概是的。”

白面书生微笑：“那么这件事大概是个误会了，实在抱歉得很。”

他说话的时候，身子已经在往后退，一直旋转不息的折扇，直到此时才慢下来，他伸手一招，这柄折扇就到了他的手里。

“看在胡大侠面上，我们今天绝不动这里任何人一根毫发。”白面书生微笑鞠躬，“今天我们就此告辞了，他日后会有期。”

然后他这个人就倒退着轻飘飘地飞起来，转瞬间就已没入夜色中。

另外四个人的身法也极快，身形一闪间，也已全都退走，连刚才一头撞入胡铁花房里的那个人都一起走了。

再看对面屋上的那个人，也已经站在外面的院子里，身材高高的，用青布包着头，居然是个长得好像还不错的大姑娘。

胡铁花走到门口，瞪大了眼睛，吃惊地看着她，摸着鼻子苦笑道：“楚留香，这一次我真的是佩服你了，想不到你居然真的扮成了个大姑娘。”

这句话还没有说完，他脸上已经挨了一耳光。

好大的一个大耳光。

胡铁花被打得怔住了，怔了半天才看清楚这位大姑娘，立刻叫了起来：“我的妈呀！你是花姑妈。”

花姑妈用两只手叉着腰，虽然故意装出一副很凶很生气的样子，眼中却已带着笑：“你这个小王八蛋，居然直到现在才认出我是你的妈，你说你该不该打？”

“我的妈呀，你怎么瘦了这么多？”胡铁花还在叫，“你身上那些肥肉到哪里去了？”

“有了这么样一个宝贝儿子，你的妈怎么会不变？”花姑妈用一双笑眯眯的媚眼瞅着他，却故意叹着气说，“你为什么从来都不知道对你的妈好一点！”

胡铁花的样子看来就好像马上就要晕过去了。

他没有晕过去，真正晕过去的是刚才已将力气用竭的黑竹竿。

胡铁花立刻赶过去扶着他躺下，看到他的伤，连胡铁花脸上都变了颜色：“好家伙，真是条硬汉，受了这么重的伤，还能够撑到现在。”

花姑妈却又在生气了：“我看你不管对什么人都比对你的妈好得多，如果是我受了伤，我看你大概一点也不会心疼。”

“我的妈呀，这种时候你还在吃什么干醋？”胡铁花说，“你能不能先去弄一点治伤的药来？”

花姑妈盯着他，连动都不动，只不过慢吞吞地伸出一只手。

伤药已经在她手里了，而且是最好的一种。

胡铁花长长地吐出口气：“这个女人还是有些可爱的地方，最少总比那个缩头乌龟可爱一点。”

敷了药之后，黑竹竿就昏昏沉沉地睡着，胡铁花刚松了一口气，花姑妈已经在盯着他问。

“你这个小王八蛋，你刚才是不是说我只比乌龟可爱一点？”

胡铁花赶紧否认：“我不是说你只比乌龟可爱一点，我说的那个乌龟也是一个人。”胡铁花说：“其实这个人平时也蛮可爱的，我实在想不到今天他怎么会忽然变成了个缩头乌龟。”

他的确觉得很奇怪，甚至有点担心。

楚留香应该在附近的，因为他说过他一定会在胡铁花的附近。在胡铁花危急时，他绝不会躲着不敢出来。

他绝不是那种把说话当放屁的人。

奇怪的是，今天他连影子都没有出现过。

——难道他自己有了危难？也在等着别人去救他？

“我知道你说的是楚留香，每次你快要死的时候，他都会来救你。”花姑妈说，“今天他没有来，只因为今天你绝对死不了的。”

“我为什么死不了？”胡铁花大声说，“只要有那个姓白的一个人，就已经足够要我的老命了，我怎么会死不了？”

花姑妈甜甜地问他：“现在你死了没有？”

胡铁花怔住。

他还没有死，还活得好好的，他想不通那些人为什么会忽然放过他，而且还变得对他那么客气。

“那位白相公的确是个很可怕的人，连我都很怕他，而且怕得要命。”花姑妈说，“以他的武功如果要杀人，简直比刀切豆腐还容易，可是他绝不会杀你。”

“为什么？”

“因为你是胡铁花，因为他也知道要把玉剑公主送去给史天王做老婆的人就是你这位胡大侠。”花姑妈的声音已经不甜了，“像你这么好的人，他怎么舍得杀你？他恰巧又是史天王的干儿子。”

胡铁花不说话了，一直在昏睡中的黑竹竿却忽然呻吟着低语：“把我的腿拿给我，现在就拿给我。”

这就是黑竹竿清醒后说的第一句话，别人听见这句话，一定以为他还没有清醒。

每个人的腿都在自己身上，他为什么要别人把他的腿拿给他？

幸好胡铁花明白他的意思，立刻就把被他自己砍下来的那半条腿拿过来。

腿上有脚，脚上有靴子。

黑竹竿挣扎着，用他唯一剩下来的一只手，从靴筒里掏出张银票。

一张十万两的银票，南七北六十三省都可以通用的“大通”银票。

“这是你付给我的，现在我还给你。”黑竹竿对花姑妈说，“虽然这是我第一次退钱给别人，可是我也知道既然收了人家的钱就不该退，要退就得付点利息。”

花姑妈很喜欢笑，该笑的时候她当然笑，不该笑的时候她也会笑。

因为她知道大多数男人都觉得她笑起来的样子很能让人着迷。

可是现在她笑不出了。

“我低估了史天王，所以才会收你的钱，这是我的错，我应该付利息给你，如果你认为我所付的还不够，不妨把我这条命也拿去。”黑竹竿说，“因为我没有钱付给你，你也应该知道，像我这样的人常常都会把钱莫名其妙地花出去。”

“你知不知道你赚的是卖命的钱？”

“我知道。”黑竹竿冷冷地说，“就因为我知道，所以更要花得快些。”

胡铁花忽然把头扭了过去，很用力地扭了过去，就好像这个头已经不是他的头了。

因为他不想再看下去。

他知道银子是可以花的，十万两银子更可以把一个人花得晕头转向，连自己的贵姓大名都忘记，他也知道拿出这十万两银子来的人并不是花姑妈。

可是他实在不想看到花姑妈从黑竹竿手上把这张十万两的银票收回去。

他只听见黑竹竿又在对花姑妈说："我收你十万两，因为我值十万两，如果我不行，别人更不行，除了我之外，别的人根本近不了他的身，黄病夫还没有踏入大厅就已死在阶下，我看见他死的时候，连我自己都不信他会死得那么快。"

他的声音早已经带着种兔死狐悲的哀伤。

"我要你十万两，因为我值十万两，如果我不行，别人更不行。"黑竹竿说，"我劝你绝对不要再找人刺杀史天王。"

"你为什么要劝我？"

"因为不管你去找谁都没有用的，天下绝对没有人能伤他毫发。"黑竹竿黯然道，"我亲眼看见这次跟我去的人一个个全都惨死，实在不想再让我的同行死在他手里。"

胡铁花心里忽然也觉得很不好受。

他能够了解黑竹竿的心情，一个像黑竹竿这样的硬汉，本来是绝不会说出这种话来的。

但是现在他的血已流得太多，看见别人流的血也太多。

他这一生就好像是无数个噩梦串起来的，这样的人生是多么悲伤！

胡铁花心里在叹息，眼睛里却忽然发出了光。

因为他忽然看到了一条飞掠的人影，流星般在他眼前飞过，一瞬间就已消逝。

这个人的身形和面貌胡铁花都看不清，却已经想出他是谁了。

因为这个人飞掠时的身法、速度，和那种飞扬灵动巧妙潇洒的姿态，都是没有第二个人能比得上的。

胡铁花没有追上去，因为他也知道这个世界上没有人能追得上楚留香。

"原来他并不是个缩头乌龟。"胡铁花很愉快地叹着气说，"在外面看着我喝酒，自己却没有酒喝，这种事他怎么受得了，不赶快去找点酒喝怎么行？”

他喃喃地说：“只可惜今天我不能陪你喝了，只希望你能遇到个漂亮的女人陪你。”

他却不知道楚留香今天晚上不但已经遇到了一个漂亮的女人，而且遇到的还不止一个。

富贵客栈是家很大的客栈，除了正楼的上房外，后面还有很多个跨院。每个跨院里都有好几间房，是特地为一些携家带幼的客商官眷们准备的，偶尔也会有一些成群结党的武师镖客来投宿。

今天晚上就有一大票已经卸了货交了镖的镖师把最后面两个跨院都包下了，担了一路的风险之后，他们当然要轻松轻松。

他们这种人是从来也不怕你价钱要得贵的，在江湖人的眼中看来，钱财本来就是身外物，谁也没想要把一文钱带进棺材去。

楚留香跟在胡铁花后面到这里来的时候，这两个跨院里已经热闹得很。熏鸡、烤鸭、烧鹅一只只往里面送，打扮得花枝招展的女孩子不时像穿花蝴蝶般走出走进，再加上一阵阵随风传来的酒香，已经让楚留香心里觉得有点痒痒的，实在很想进去参加一份。

这些镖师都是常胜镖局里的，凭一杆“胜”字镖旗走遍大江南北，都是很慷慨、很豪爽的男子汉，其中有好几个都跟楚留香有点交情，如果楚香帅真的会去加入他们，这些人一定开心得要命。

可惜楚留香不能去，就算去了，他们也不会认得出，这个又俗又土的小商人就是楚留香。

所以他只有带着一坛酒，躺在屋脊后，嗅着他们的肉香，听着那些小姑娘弹词唱曲，虽然感到很不是滋味，却也聊胜于无。

胡铁花来的时候已经很晚了，他开始在房里喝酒的时候，楚留香也在喝，躺在屋顶上喝，屋脊的阴影恰好把他挡住。

所以他可以看到一个穿着紧身黑衣的人从外面飞掠而来，这个人却没有看见他。

这个人的身材很瘦小，穿着一身样子非常奇怪的夜行衣，连头带脸都用黑巾包住，只露出了一双猫一般的大眼睛在夜色中闪闪发光。

他的轻功也极高，身法姿态却非常奇特，有时居然会用手帮助他的脚来增加速度，看来就像是只猫一样，也有四条腿。

但是他行动时不但速度极快，而且绝没有发出一点声音，使人非但不会觉得他的姿态可笑，反而会觉得说不出的诡秘可怖。

楚留香无疑也有这种感觉。

因为他已经看出了这个人是个“忍者”，来自东瀛扶桑国伊贺山谷中的忍者，他所施展的身法，正是忍术中的一种“猫遁”。

他们都是见不得天日的人，从年纪极幼小时就开始接受极严格艰苦的训练，过的也是一种极不人道的团体生活！既不能有家，也不能有妻子儿女，因为忍者的生命本来就不是属于自己的，只要生为忍者，一生的命运就已被注定。

等到他们长成时，他们就要开始接受别人的命令，把自己完全出卖给别人，无论多艰苦危险的任务都不能不接受。

他们的任务通常只有三种：偷窃、刺探和谋杀。

——一个东瀛的忍者，为什么会到江南来？这一次他的任务是什么？

## 第六章

# 梁上君子

猫一般的忍者也是到这家客栈来的，好像就住在最左边的一个跨院里，因为他对这个跨院的安全显得十分关心。

他已经把这个院子前后、左右、四面都查看了一遍，而且看得非常仔细。

跨院里有三明两暗五间房，只有一间房里没有点灯，这间房的窗子正好对着客栈的边门。窗子里既没有灯光也没有人声。

楚留香决定要赌一赌了，赌他自己是不是看得准，他的运气很不错。因为这位忍者好像忽然听到了什么动静，又绕到院子的另外一边去。

楚留香的身子也飞掠而出，平平地贴着屋顶飞了出去，从这个屋脊的阴影掠入了另一个屋脊的阴影，再轻轻一翻身，就已到了那个没有灯的窗口。

窗子是从里面闩起来的。

楚留香只用一弹指间的工夫，就把这扇窗户打开了。

又一弹指间，窗户已经又从里面闩好，他的人已经到了这间房的横梁上。

就在这时候，刚被他闩好的那扇窗户忽然又被人打开，一个人猫一样蹿了进来。

楚留香对自己觉得很满意。

这间房果然是这个神秘忍者的宿处，他没有看错，而且现在已经完全准备好了，他的身体已完全进入一种假死的状态，只靠皮肤上毛孔的呼吸来保持机能的活力和脑袋的清醒，仍然在一瞬间就可以发挥出最大能力。

要成为一个忍者并不容易，成为一个忍者后要活下去更不容易。

在忍者的生命中，随时都可能遇到致命的危机，所以他们的感觉和反应都必须特别灵敏。

但是楚留香相信，无论在任何情况下，都绝对没有任何人会发现他的。

只可惜这个世界上还是经常会发生一些他完全预料不到的事。

富贵客栈里每间房的设备都很好，尤其是这种特别为官家眷属们准备的私室，除了器用更精美外，还有个特别大的穿衣铜镜，房里最少有一半地方可以从镜子里看到。

楚留香跃上横梁时，已经发现了这一点，所以他躺下去的时候，已经选了个最好的角度，刚好能让他看到这面镜子。

所以现在他才会看到这件让他十足大吃了一惊的事。

这个神秘的忍者居然是个女人。

灯已燃起。

她站到镜子前面，扯下了蒙面的头巾，一头光滑柔软的黑发立刻就轻轻地滑了下来，镜子里立刻就出现了一张轮廓极柔美的脸，带着极动人的异国风情。

忍者中并不是没有女人，但是出来负责行动的却极少。

在忍者群中，女人生来就是完全没有地位的，女人唯一的任务就是生育。

他们一向不尊重女人，也不信任女人，就算有一件任务非要女人去做不可，他们也宁愿要男人去做，因为忍术中还有种“女术”，可以使一个男人的男性特征完全消失，变成一个非常女性化的女人。

这个神秘的忍者究竟是男是女？楚留香还没有把握能断定。

可是她已经为自己证明了这一点。

她已经开始在脱衣服了。

梁上君子通常都不是君子。

楚留香从来都没有说过自己是君子，可是就算是他的仇敌也不会说他是小人。

他的身子虽然不能动，至少总可以把眼睛闭起来。

他没有把眼睛闭起来。

因为他虽然不是君子，也不是伪君子，如果他要做一件事，就一定要做到底。

这个全身上下都带着东洋风味的人无疑是从扶桑来的。

她为什么要潜来江南？是为什么而来的？

她究竟是男是女？

她确实是个女人。

她的胸、她的腰、她的腿，都证实了这一点。

因为她已完全赤裸裸地出现在镜中，只要不是瞎子就应该可以看得出她绝不是个男人。

就算在女人里面，有她这种身材的也不多。

扶桑国的女孩子通常都有种先天的缺陷，她们的腿通常都比较粗一点，比较短一点。

她却是例外。

她的腿又直又长，浑圆结实，线条柔美，连一点瑕疵都没有。

楚留香差一点就要从梁上掉下来了，却不是因为他看到了这双腿，而是因为他忽然听见她用一种特别温柔的声音说：“我是不是很好看？你看够了没有？”

楚留香实在想不通她怎么会发现他在看她的。

他当然想不通，因为她根本没有发现他在看她。

“我还没有看够，我还想再看看，再看得清楚一点，你这样的女人并不是时常都能看到的。”

这句话也不是楚留香说的，他不会说这种话，说话的人在窗户外面。

“你要看，为什么不进来看？”她的声音更温柔，“外面那么冷，你也不怕着了凉？”

窗子居然没有关，轻轻一推就开了，灯花闪了闪，这个人已经在窗子里面了，穿一身银白色的，用缎子做成的夜行衣，苍白而英俊的脸上，带着种又轻佻又傲慢的表情，双眉斜飞入鬓，眼角高高地挑起，眼中带着种又邪恶又冷酷的笑意。

“你故意不把窗子闩好，就是为了要我进来看你？”

她转过身，面对着他：“像你这样的美男子，也不是时常都能遇得到的，是不是？”

她赤裸裸地面对着这个人，就好像身上穿着好几层衣裳一样，一点都不害羞，一点都不紧张。

楚留香却已经替她紧张了。

这位扶桑姑娘一定不知道这个男人是谁，也没有听说过这一身独一无二的夜行衣，她毕竟是从异国来的。

楚留香却认得他，而且对他非常了解。

一个女人用这种态度对付别人，也许是种很有效的战略，用来对付他就很危险了，比一个小孩子玩火还危险。

银白色的夜行衣在灯下闪闪发光，夜行人的眼睛也在发光。

“你知道我是谁？”

“我没有见过你，可是我知道江湖中只有一个人穿这种夜行衣，也只有一个配穿。”

“哦？”

“因为这个人虽然骄傲，却的确很有本事，轻功之高，更没有人能比得上。”她说，“这种夜行衣穿在身上就好像是个箭靶子一样，就好像生怕别人看不见他，除了银箭公子外，有谁配穿？”

“你认为我就是银箭薛穿心？”

“如果你不是，你就看不到我这么好看的女人了。”她的笑声中也充满了撩人的异国风情：“因为你不是他，现在最少已经死过七八十次。”

薛穿心看着她，从每个男人都想去看的地方，看到每个男人都不想去看的地方。

“你叫什么名字？”

“我叫樱子。”她说，“你有没有看过樱花？在我的家乡，一到了春天，杜鹃还没有谢，樱花就已经开了，开得漫山遍野都变成一片花海，人们就躺在樱花下，弹着古老的三弦，唱着古老的情歌，喝着又酸又甜的淡米酒，把人世间一切烦恼全都抛在脑后。”

这里没有樱花，也没有酒，她却仿佛已经醉了，仿佛已将倒入他的怀抱。

夜色如此温柔，她全身上下连一个可以藏得住一根针的地方都没有，当然更不会有什么武器。

所以无论谁抱住她都安全得很，就好像躺在棺材里又被埋入地下那么安全。

曾经抱过她的男人，现在大概都已经很安全地躺在地下了。

可是在一个如此温柔的春夜里，有这么样一个女人来投怀送抱，这个世界上有几个男人能拒绝呢？

楚留香知道最少也有两个人。除了他自己之外，还有一个。

因为他已经看见这位樱子姑娘忽然飞了起来，被这位薛公子反手一巴掌打得飞了起来。

他本来一直都在让她勾引他，用尽一切法子来勾引他，而且对她用的每一种法子都觉得很欣赏、很满意。

她也感觉到这一点了，他的反应已经很强烈，所以她做梦也想不到他居然会在这种时候一巴掌打在她脸上。

“我对你这么好，你为什么要打我？”

“你为什么要趁人家洗澡的时候，把她装在箱子里偷走？”薛穿心叹息道，“这种事本来只有我这种男人才会做得出来，你为什么要跟我抢生意？”

“你也是为了她来的？”樱子姑娘好像比刚才挨揍的时候还生气，“我有什么地方比不上她？”

“只有一点比不上。”

“哪一点？”

“她刚洗过澡，她比你干净。”

楚留香已经渐渐明白这是怎么回事了。

薛穿心是为了另外一个女人来找她的，这个女人是在洗澡的时候被装在一口箱子里偷来的。

这位樱子姑娘为什么要不远千里从扶桑赶到江南来偷一个洗澡的

大姑娘？

楚留香又想不通了。

就因为想不通，所以觉得更有趣。

——一件事如果能让楚留香想不通，这种事通常都是非常有趣的。

他实在很想看看这里是不是真的有这么样一口箱子，箱子里是不是真的有这么样一个刚洗过澡的大姑娘，这位姑娘究竟有什么地方值得别人冒险去偷她。

他同意薛穿心说的话。

把一个正在洗澡的大姑娘装在箱子里偷走，这种事的确不是一个女人应该做的，甚至连薛穿心那样的男人都不会时常去做。

这种事实在不能算是什么有面子的事，很少有人能做得出来的。

令人想不到的是，一向最有面子的楚香帅居然也做出来了。

他的运气一向不错，这一次也不例外。

他很快就看到了这口箱子，箱子里果然有个刚洗过澡的大姑娘。

他居然也把这口箱子偷走了，连箱子带大姑娘一起偷走了。

楚留香怎么会做这种事？箱子里这位大姑娘究竟有什么特别的地方？

楚留香本来是看不到这口箱子的，樱子却帮了他一个忙。

她忽然改变了一种方法来对付薛穿心。

“你说得不错，她的确比我干净，可是天知道现在她是不是还像以前那么干净。”她抚着耳边被打肿的脸，“如果你再碰我一下，等你找到她时，她很可能已经变成天下最脏的女人。”

薛穿心冷冷地看着她，她的眼色比他更冷。

“如果你杀了我，我可以保证，你找到的一定是个天下最脏的死女人。”

看到薛穿心脸上的表情，楚留香就知道她的方法用对了。

对薛穿心这种男人，哀求、欺骗、诱惑、反抗都没有用的，你一定要先抓住他的弱点，把他压倒。

这个来自扶桑的女人竟仿佛天生就有种能够了解男人的本能，就好像野兽对猎人的反应一样，大部分女人穷极一生之力也追求不到。

薛穿心的态度果然改变了：“两个死女人大概无论对谁都不会有什么好处的。”他微笑：“我只希望你们两个都能太太平平、干干净净地活到八十岁。”

微笑使他的脸看来更有吸引力，樱子的态度也改变了：“你是不是想要我带你去找她？”

“是。”

“找到了之后呢？”

薛穿心的微笑忽然变得说不出来的邪恶，忽然搂住了樱子的腰，在她耳边轻轻地说：“那时候，我就会要你知道我是个什么样的男人了。”

樱子不是笨蛋，也不是那种一看见美男子就会着迷的小姑娘，就凭这么样一句话，她当然不会带他去的。

只有她才知道箱子在哪里，这是她唯一可以对付薛穿心的利器。

她当然还需要更可靠的保证，还要提出很多条件来，等他完全答应后才会带他去。

可是她没有。

什么条件都没有，什么保证都没有。听到这句话，她就像是着了迷一样，如果胡铁花在这里，说不定立刻就会跳下去给她两耳光，让她清醒清醒。

幸好楚留香不是胡铁花。

就在樱子穿衣服的时候，他已经明白了她的意思，她这么做，只不过是为了要把薛穿心骗出去而已。

——她为什么要花费这么多心机把薛穿心骗出去？是不是因为她不愿意让他再留在这间房里？

她走出去的时候，甚至连房门都没有关好。

看着她走出去，楚留香眼睛里忽然发出了光，“那口箱子一定就在这间房里”，如果有人敢跟他赌，随便要赌什么他都答应。

如果真的有人来跟他赌，随便赌什么他都赢了。

箱子果然在，就在床后面。

一张有四根木柱的大床，挂着雪白的纱帐，床后面还有两尺空地，除了摆一个金漆马桶外，刚好还可以摆得下一口大樟木箱。

箱子里果然有个刚洗过澡的大姑娘，年轻、香艳，还在晕迷中，身上只裹着条粉红色的丝浴巾，把大部分足以让任何男人看见都会心跳的胴体都露了出来。

楚留香的心也跳得至少比平常快了两倍。他心跳并不是因为她清纯美艳的脸，也不是因为她那圆润柔滑的肩，更不是因为她那双被浴巾半遮半掩着的腿。

他根本没有注意去看这些地方。因为他第一眼就看见了一样把他注意力完全吸引着的事。

他第一眼就看见了一钩新月。

一钩弯弯的新月，就像是朱砂一样，印在这位姑娘雪白的胸膛上。

楚留香立刻想到了焦林，想到了焦林交给他的那块丝帕，想到丝帕上那一钩用红丝线绣出来的新月。

他立刻就把箱子关上。

一转眼之后，这口箱子就已经不在这间房里了。

一口又大又重的樟木箱，箱子里还有个半晕半迷半裸的大姑娘，他能够把它带到哪里去？

更要命的是，他已经听到胡铁花那边有麻烦了。

他不能不管胡铁花，也不能不管这个大姑娘，他要去对付胡铁花的对头，又要对付樱子和薛穿心。

别人在这种情况下，一定不知道应该怎么办才好。

幸好他不是别人，别人没有办法，他有。

他是楚留香。

——真该死，他为什么不是别人，偏偏要是楚留香？

用黑丝线绣在金色缎子上的“胜”字镖旗迎风飞卷，常胜镖局的镖师中，最冷静、最清醒的一个也已有了五六分酒意。

一个人有了五六分酒意的时候，正是他最清醒的时候。

最少也是他自己觉得最清醒的时候。

所以他第一个看见有个人扛着一口大箱子从外面冲了进来。

——这个人是不是疯了？是不是有什么毛病？

他正想跳起来，先把这个人一脚踢到桌子下面去再说，谁知道这个看起来老老实实的生意人用一只手在脸上一扯之后，就忽然变成了一个他平生最佩服最喜欢的朋友。

“香帅，是你。”他叫了起来，“你怎么来了！”

楚留香没有解释。

他已经用最直接而且最快的一种方法说明了自己的身份。

他一把将这个镖师拖入一间没有人的房里，把箱子交给他，把那丝帕也交给他。

“如果箱子里的人醒了，你就把这块手帕给她看，告诉她你是焦林的朋友，焦林就是她亲生的爸爸，所以她一定要在这里等着，等我回来。”

这个本来一直认为自己很清醒的镖师忽然发觉自己一点都不清醒。因为他根本不懂这是怎么回事，也听不懂楚留香在说什么。

唯一能够让他相信的是，这个人的确是楚留香，楚留香要他做的事总不会错的。

所以他立刻答应：“好，我等你回来，我就坐在这口箱子上等你回来。”他说：“可是你一定要快点回来，我们兄弟都想陪你喝杯酒。”

楚留香果然很快就回来了。

一看到白云生退走，花姑妈出现，他就回来了。但是他回来的时候，这地方已经没有人能陪他喝酒了。

这个世界上有很多人喝酒，也有很多人不喝，有些人不喝酒是因为他们根本不喜欢喝、不愿意喝、不高兴喝、不想喝。

也有些人不喝酒是因为他们不敢喝，喝了之后会生病，会发风疹，会被朋友怪、亲人怨、老婆骂，甚至会把自己的脑袋往石头上撞。

这些事都是很不愉快的，等到第二天酒醒后一定会后悔得要命，以后也就渐渐不敢喝酒了。

可是真正不喝酒的只有两种人，因为他们根本不能喝。

死人当然是不能喝酒的。

另外一种人，就是已经喝得快要死的人，已经喝得像死人一样睡在地上，抬也抬不动，叫也叫不醒，打他两巴掌也没有感觉，就算踢他两脚都没有用，这种人连人参大补鸡炖的汤都喝不下去了，怎么还能喝酒？

楚留香回来的时候，这个跨院里已经只剩下这两种人了。

不管是死是醉，也不管是怎么醉的，每个人都已经像死人一样躺在地上不能动了。

只有一个人例外。只有这唯一的一个人还没有躺下去。

箱子仍在。

这个人仍然端端正正地坐在这口箱子上。只可惜已经不是那个要坐在箱子上，死守着楚留香回来喝酒的朋友了。

楚留香一看见他那身银白色的夜行衣，一颗心就已经沉了下去。

他不怕这个人，可是他也不喜欢碰到这个人，非常不喜欢，就好像他不喜欢碰到一只刺猬一样。

薛穿心却好像很高兴见到他。

“果然是你，你果然来了。”他微笑着，“这次我总算没有猜错。”

“你早已想到是我了？”

“一出房门，我就已想到箱子很可能就在房里，可是等我转回去时，箱子已经不在了。”薛穿心说，“除了楚香帅外，谁有这么快的身手？”

他笑得更愉快：“幸好我也知道香帅和常胜镖局的交情一向不错，所以才会找到这里来，否则今日恐怕就要和香帅失之交臂了。”

楚留香苦笑：“以后你再遇到这一类的事，能不能偶尔把我忘记一两次？”

“以后我一定会尽力这么去做。”薛穿心说得很诚恳，“只可惜有些人总是会让人常常记在心里，想要把他忘记都不行。”

他忽然叹了口气：“尤其是常胜镖局的朋友，此后恐怕夜夜都要将你牢记在心。”

“为什么？”

“为什么？你真的不知道为什么？”薛穿心淡淡地说，“如果不是你把这口箱子送来，他们此刻一定还在开怀畅饮，怎么会惨遭别人的毒手？”

“是别人下的毒手？不是你？”

“我来的时候，该醉的已经醉了，该死的也都已经死了。”薛穿心又在叹息，“出手的这个人，手脚也快得很，幸好我知道楚留香是从来不杀人的，否则恐怕连我都要认为这是你的杰作了。”

楚留香没有摸鼻子。

他的鼻尖冰冷，指尖也已冰冷。

薛穿心忽然又问他：“你想不想看看箱子里的人？”

“箱子里的人怎么了？”

“也没有怎么样，只不过不明不白地把一条命送掉了而已。”

楚留香冰冷的鼻尖上忽然沁出了一滴冷汗，连脸色都变了，就连他最老的朋友，也很少看到他脸上会有这么强烈的变化，就算是他自己面临已将绝望的生死关头时，他也不会变成这样子。

可是他想到了焦林，想到那个几乎已经一无所有的朋友，对他那么信任尊敬，如果他让这样一个朋友的女儿因为他而死在一口箱子里，他这一生中所做的每一件事都只不过是一堆垃圾而已。

薛穿心站起，箱子开了。

楚留香第一眼看见的，就是那块已经变色发黄的纯丝手帕。

那一钩弯弯的新月仍然红得像鲜血一样，旁边还多了两行鲜红的血字：

楚留香多管闲事

何玉林死不瞑目

何玉林就是那个替他死守在箱子上，等着他回来喝酒的朋友。

现在死在箱子里的人并不是焦林的女儿，而是何玉林。

焦林的女儿到哪里去了？

薛穿心慢慢地盖上箱子，用一种很同情的态度看着楚留香。

“喜欢管闲事并不是坏事，能够管闲事的人通常都是有本事的人，只不过闲事管得太多，有时候就会变得害人害己了。”

他拍了拍衣服，伸了个懒腰。

“这件闲事现在你大概已经没法再管下去，我相信你也跟我一样，也不知道这里刚才究竟发生了什么事。”薛穿心说，“如果你喜欢这口箱子，你就拿去，箱子里的人也归你，我们后会有期。”

他对楚留香笑了笑，身子已银箭般穿出了窗户，连一点准备的动作都没有，就已到了窗外的院子里。

等他落到地上时，忽然发现楚留香的人也已经在院子里。

薛穿心叹了口气：“今天我既不想陪你喝酒，也不想跟你打架，你跟着我干什么？”

“我只想问你，本来在箱子里的那位姑娘是被樱子从什么地方劫来的？”楚留香说，“她姓什么？叫什么？最近住在哪里？在做什么事？为什么会引起这么多人争夺？甚至连远在扶桑的忍者都想要她这个人。”

薛穿心显得很惊讶。

“这些事你都不知道？”他问楚留香，“你连她是谁都不知道？”

“我不知道。”

“那么你为什么要来管这件闲事？”

“我只不过碰巧认出了她是我一个朋友已失散了多年的女儿。”

薛穿心吃惊地看着楚留香，过了很久才说：“你问我的，我都可以告诉你，可是你一定要先告诉我，你那个朋友是谁？”

“他只不过是个落拓潦倒的江湖人而已。”楚留香道，“就算我说出他的名字，你也不会知道。”

薛穿心又沉默了很久，忽然问：“你说的这个人是不是焦林？”

这次轮到楚留香吃惊了：“你怎么知道我说的是焦林？你也认得他？”

薛穿心笑了。

他好像也是个很喜欢笑的人，他的微笑不管是对男人还是对女人都很有吸引力。

就在他开始微笑的时候，他银色腰带的环扣上已经有一蓬银线飞出，他的身子也跟着扑起，以左掌反切楚留香的咽喉，以右拳猛击楚留香的软肋。

这三招都是致命的杀手，几乎都是在同一刹那间发动的。

一个人只有在对付自己势难两立的强仇大敌时，出手才会如此狠毒。

但是他跟楚留香并没有这么深的仇恨，为什么忽然变得非要让楚留香死在这里不可？

楚留香已经倒了下去，笔笔直直地倒了下去，却没有完全倒在地上。

就在他背脊离地还有三寸的时候，他的身子已贴地蹿出。

十三支只比绣花针大一点的银箭都打空了，薛穿心的拳掌双杀手也打空了。

可是楚留香也快要一头撞在墙上。

院子不大，后面就是一道墙，他的去势又太急，像楚留香这一类的人，当然也不会练油头贯顶那一类死功夫，这一头若是真的撞到墙上，也不是好玩的。

他当然不会真的撞上去。

他的身体里就好像有某种机关一样，可以随时发动，把他的身子弹了起来，忽然间他就已坐在墙头上了。

薛穿心忽然变得面如死灰，忽然解开了他腰带上的环扣，从腰带里拔出一柄银光闪闪的软剑。

银光闪动间，这柄剑已毒蛇般噬向咽喉。

他自己的咽喉。

可惜这一次他可比楚留香慢了一步，只听“嗤”的一声响，他的这条手臂就软了下去。

急风破空声响起，已经有一粒石子打在他这条手臂的关节上。

然后他就听见楚留香在问他：“你为什么要做这种事？为什么要死？”

“因为我也想要你死。”薛穿心的声音还是那么冷漠、那么骄傲！“要别人死，自己就得准备死。”

“可是你的手里还有剑，为什么不再试一试？”

“胜就是胜，败就是败，既然败了，又何必再试？”薛穿心傲然道，“我一生纵横江湖，享尽人间艳福，活也活够了，又何必再厚着脸皮为自己挣命？我生平杀人无算，自己为什么不能死一次？”

“如果我一定要你活下去呢？”

薛穿心冷笑：“楚留香，我知道你很行，很有本事，只不过你要是真的以为天下没有你办不到的事，你就错了。”他厉声说：“这件事你就办不到。”

他的右臂已经不能动了，可是他还有另外一只手。这只手里居然也有件致命的武器。

一根三寸三分长的毒针。

他的左手握紧时，这根毒针就从他无名指上戴着的一个白银戒指里弹了出来，就像是杀人蜂的毒刺。

“楚留香，你要救人，去救别人吧，我们再见了。”

他的手一抬起，这根毒刺就已到了他的眉心前三分处。可是到了这里之后，他的手就再也没法子移动半分。

因为他这只手的脉门忽然又被扣住，用一种极巧妙的方法扣住。

一种除了楚留香之外，还没有第二个人能了解其中巧妙的方法。

薛穿心吃惊地看着楚留香，全身都已弓弦般绷紧，厉声问：“我不是你的朋友，如果我比你强，刚才就已杀了你。”他问楚留香：“你为什么不让我死？”

“我也不知道是为了什么。”楚留香淡淡地说，“大概是因为我已经开始有点喜欢你。”

“你是不是一定不让我死？”

“大概是的。”

薛穿心忽然叹了口气，用一种非常奇怪的声调说：“那么你自己大概就快要死了。”

就在他开始叹气的时候，就忽然有股轻烟随着他的叹息声从他嘴里喷出来，喷在楚留香脸上。

楚留香的瞳孔立刻收缩，脸上的肌肉也开始痉挛扭曲。

他看着薛穿心，好像还想说什么，却连一个字都说不出来。

薛穿心冷冷地看着他的手松开，冷冷地看着他倒下去，脸上全无表情。

“我并没有要你来救我，这是你自己心甘情愿的。”他冷冷地说，“所以我并不欠你。”

# 第七章

## 出价最高的人

花姑妈一直在笑，看着胡铁花笑，甜甜地笑，笑声如银铃。

她笑得又好看、又好听。

花姑妈的笑一直是很有名的，非常有名，虽然不能倾国倾城，可是要把满满一屋子人都笑得七倒八歪却绝对没有问题。

现在一屋子里除了她之外，只有一个人。

墙上的破洞她已经用一块木板堵住，隔壁房里的黑竹竿已晕迷睡着，桌上还有酒有菜，胡铁花已经被她笑得七荤八素，连坐都坐不住了。

可是他也不能躺下去。

如果他不幸躺了下去，问题更严重，所以他一定要打起精神来。

“你为什么要叫黑竹竿他们去刺杀史天王？”胡铁花故意一本正经地问，“是谁叫你做这件事的？你为什么要做？”

“因为我不想让人把一朵鲜花去插在狗屎上。”

“难道你也不赞成这门婚事？”

胡铁花显得有点吃惊了：“请我护送玉剑公主的那位花总管，明明告诉我他是你的二哥，他请我来接新娘子，你为什么要叫人去杀新郎官？”

“因为新郎官如果忽然死了，这门亲事也就吹了，那才真是天下太平，皆大欢喜。”

胡铁花皱起了眉，又问花姑妈：“你二哥是玉剑山庄的总管，你呢？你是不是杜先生门下的人？”

“也可以算是，也可以算不是。”

“你究竟是谁的人？”

“这句话你不该问的，你应该知道我是谁的人。”花姑妈甜甜地笑着说，“我是你的人，我一直都是你的人。”

胡铁花简直快要喊救命了。

他知道楚留香一定在附近，他刚才亲眼看见的，他希望楚留香能够忽然良心发现，大发慈悲，到这里来跟他们一起坐坐，一起喝两杯，那就真是救了他的一条小命。

因为他也知道这位要命的花姑妈喝了几杯酒之后，是什么事都做得出来的。

“我的妈呀！”胡铁花终于叫了起来，“君子动口不动手，你怎么可以这样子？”

“我本来就不是君子，我是你的妈。”花姑妈吃吃地笑，“你是不是我的乖宝宝？”

“他不是。”

楚留香总算还有点天良，总算来救他了。

这个人的声音听起来虽然不像楚留香，可是楚留香的声音本来就随时会改变的，就好像妓女改变她对嫖客的脸色那么容易。

这个人的样子看起来当然也不像楚留香。

他穿着一身银色的紧身衣，苍白英俊的脸上带着种又轻佻又傲慢的表情，就好像把自己当作了天下第一个美男子，就好像天下的女人都要爬着来求他，让她们替他洗脚一样。

这么样一个人，手里却托着一个特大号的樟木箱子，看样子分量还很不轻。

胡铁花在心里叹息。

他实在想不通楚留香这一次为什么要把自己扮成这种讨人厌的样子。

花姑妈也在叹气："该来的时候不来，不该来的时候你反而来了。"她摇着头苦笑："你这一辈子难道就不能为别人做一次好事？"

"我现在就是在做好事。"这个人笑道，"我相信这里一定有人会感激我的。"

胡铁花直着眼睛瞪着他，忽然跳了起来："不对，这个人不是楚留香，绝不是。"

"谁说他是楚留香？他本来就不是。"花姑妈说，"如果他是楚留香，我就是杨贵妃了。"

"他是谁？"

"我姓薛。"薛穿心说，"阁下虽然不认得我，我却早已久仰胡大侠的大名了。"

"你认得我？"

"胡大侠光明磊落，豪气干云，江湖中谁不知道？"

薛穿心又露出了他的微笑："胡大侠的酒量之好，也是天下闻名的，所以我才特地赶来陪胡大侠喝两杯。"

胡铁花忽然觉得这个人并没有刚才看起来那么讨厌了，甚至已经有一点点可爱的样子。

"你找人喝酒的时候，总是带着这么样一口大箱子？"胡铁花还是忍不住问，"箱子里装的是什么？是吃的还是喝的？"

"如果一定要吃，加点酱油作料炖一炖，勉强也可以吃得下去。"

"能不能用来下酒？好不好吃？"

“那就要看情形了。”薛穿心说，“看你是不是喜欢吃人。”

胡铁花吓了一跳：“箱子里装着一个人？”他问薛穿心：“是死人还是活人？”

“暂时还没有完全死，可是也不能算是活的。”薛穿心说，“最多也只不过算半死不活而已。”

“你为什么要把他装在箱子里？”

“因为我找不到别的东西能把这么大一个人装下去。”

胡铁花又在摸鼻子了，摸了半天鼻子，忽然歪着头笑了起来：“我知道这里的厨房里有口特大号的锅子，我们就把这个人拿去炖来下酒好不好？”

薛穿心也笑了，笑得比胡铁花更邪气：“如果你知道箱子里这个人是谁，你就不会说这种话了。”

胡铁花当然不是真的想吃人。

他唯一能够吃得下去的一种人，就是那种用麦芽糖捏出来的小糖人。

他只不过时常喜欢开开别人的玩笑而已，尤其是在那个人说出了一句很绝的话之后，他一定也要想出一句很绝的话来对抵一下，否则他晚上连觉都睡不着。

可是现在这个人说的这句话里竟仿佛别有含意，胡铁花如果不问清楚，也是一样睡不着的。

“箱子里这个人是谁？难道是个我认得的人？”

“你们不但认得，而且很熟。”薛穿心说，“不但很熟，而且是好朋友。”

他说得好像真有其事，胡铁花不能不问了：“我的朋友不少，你说的是谁？”

"你最好的朋友是谁？"

"当然是楚留香。"

"那么我说的这个人就是楚留香。"

胡铁花怔住："你是不是说，箱子里的这个人就是楚留香？是不是说楚留香已经被你装在这口箱子里了？"

薛穿心叹了口气："我本来想杀了他的，又觉得有点不忍，要是放了他，又觉得有点不甘心，所以只有把他装在箱子里带回去，如果有人想用他来下酒也没关系，无论清炖还是红烧我都赞成。"

胡铁花瞪着他，用一双比牛铃还大的眼睛瞪着他，忽然大笑："有趣有趣，你这个人真他妈的有趣极了。"他大笑道："我实在想不到世上居然还有人吹牛的本事比我还大。"

薛穿心也笑了："吹牛能吹得让人相信的确不是件容易的事。"

"只可惜你这次的牛皮吹得实在太大了一点。"胡铁花说，"楚留香会被你装在一口箱子里？哈哈，这种事有谁会相信？"

薛穿心又叹了口气："我也知道这种事绝对没有人会相信。"

胡铁花忽然板起了脸："可是你既然知道楚留香是我的好朋友，怎么能这样子开他的玩笑？"他沉着脸说："你在我面前开这种玩笑，实在一点都不好玩。"

"你说得对。"薛穿心承认了："这种玩笑的确不好玩。"

"你们两个人都不好玩。"花姑妈也板起脸，"如果你们还不赶快陪我喝酒，我就把你们两个全都用扫把赶走。"

被人用扫把赶走也是很不好玩的，所以大家开始喝酒。

只可惜酒已不多，夜却已深。

花姑妈摇了摇酒坛，叹了口气："看样子我们每个人最多只能再喝三杯了。"她叹着气道："喝完了这三杯，我们就各奔前程，找地方睡觉去吧，难得清醒一天也蛮不错的。”

“错了错了，简直大错特错。”胡铁花拍着桌子，“喝到这种时候就不喝了，那简直比杀头还要命。”

“我也知道这种滋味很不好受，可是现在这种时候还有什么地方能找得到酒？”

“当然有地方。”

“还有什么地方？谁能找得到？”

“我。”

遇到这一类的事，胡铁花一向是当仁不让的。

事实也如此，如果这个世界上只剩下最后一坛酒了，能找到这坛酒的人一定就是他。

花姑妈又吃吃地笑了：“要是你真的能找到酒回来，我就承认你是天下最孝顺的乖儿子。”

乖儿子不能做，酒却是一定要喝的。

所以胡铁花走了，走得比后面有人拿着一把刀要砍他的时候还快。

他的人影消失在黑暗中时，花姑妈脸上的笑容也已消失，瞪着薛穿心问：“这口箱子里装的究竟是什么？”

薛穿心根本不理她，就好像根本没听见她说的这句话，反而问了她一个现在根本已经不应该再问的问题：“你说我刚才开的那个玩笑好不好玩？”

“不好玩。”

“我也觉得不好玩，胡铁花也跟我们一样。”薛穿心说，“可是，还有一个人一定比我们觉得更不好玩。”

“这个人是谁？”

“楚留香。”薛穿心说，“觉得这个玩笑最不好玩的一个人就是楚留香。”

“为什么？”

“因为箱子里的人就是他。”

花姑妈看着薛穿心，就好像这个人忽然长出了十八个脑袋三十六只角一样。

“你真的把楚留香装在这口箱子里了？”

“大概是真的。”

“你为什么要做这种事？”

“因为他好像知道了一些他不该知道的事。”薛穿心说，“而且他好像还跟焦林有点关系。”

花姑妈的脸色立刻变了，压低声音问：“这件事他究竟知道了多少？”

“我不知道，可是我不敢冒险。”薛穿心说，“我不能让这件事毁在他手里。”

“那么你准备怎么办？”

“我准备把他带回去，关起来，等到这件事过去之后再说。”

“你能把他关多久？你能保证他不会逃出去？”花姑妈说，“连苍蝇都飞不出去的地方，他都能出得去，只要他活着，谁有把握能关得住他？”

“你的意思呢？”

“要关住他只有一个法子。”花姑妈说，“只有死人是永远逃不走的。”

“你要我杀了他？”

“一不做，二不休，你反正已经这么样做了，为什么不做得更彻底些？”

薛穿心看着她，叹息摇头苦笑说："天下最毒妇人心，这句话说得可真是一点也不错。只可惜我做不到。"

花姑妈冷笑："你做不到，难道你是个好人？"

"我不是好人，我这个人又阴险又奸诈，而且心狠手辣，翻脸无情。"薛穿心傲然说，"可是这种事我还做不出。"

"为什么？"

"你知不知道他是怎么会落在我手里的？"薛穿心说，"他是为了要救我，才中了我的计，如果他要杀我，我恐怕早就死在他手里了。他既然没有杀我，我怎么能杀他？我薛穿心虽然阴险毒辣，却不是这种卑鄙无耻的小人。"

花姑妈叹了口气："好，我承认你是个有原则的人，是条男子汉，幸好我不是。"花姑妈说："你做不出这种事，我做得出。"

"我保证你也做不出。"薛穿心冷冷地说，"因为我绝不会让你做的。"

"如果我一定要做，你能怎么样？"

"我也不能怎么样。"薛穿心脸上又露出了温柔的微笑，"我能对你怎么样？"

他微笑着道："我最多也只不过能砍断你一双手而已。只要你去碰一碰那口箱子，我会把你这双又白又嫩的小手轻轻地砍下来，装在一个很漂亮的匣子里，带回去做纪念。"

花姑妈的脸色已经发白，瞪着他看了半天，居然又甜甜地笑了起来。

"你放心，我不会去动这口箱子的。楚留香是什么样的人，怎么会被你装进一口箱子里？"她吃吃地笑道，"箱子里的人也许只不过是个被你骗得晕了头的小姑娘而已。"

薛穿心忽然一拍巴掌："这下子你才说对了，箱子里也许根本就没有人，也许只不过是一堆破砖头而已，连一文都不值。”他笑得像是只狐狸：“可是箱子里也说不定真的有个楚留香。”

他盯着花姑妈，笑眼里闪着光：“你想不想知道箱子里究竟是什么？”

“想。”

“那么你就不妨出个价钱，把这口箱子买下来。”薛穿心说，“那时不管你要把这口箱子怎么样，都不关我的事了。”

花姑妈也在盯着他，盯着他那如狡狐般的笑眼：“你要我出多少？”

“十万两。”薛穿心说，“我知道你身上现在最少也有十万两。”

花姑妈吓了一跳：“十万两，你叫我花十万两买一口箱子？”

“可是箱子里如果真的有个楚留香，十万两并不算贵。”

“如果箱子里只不过是堆破砖头呢？”花姑妈说，“你要我怎么回去对杜先生交账？”

薛穿心笑得更愉快：“那就是你家的事了，跟我也没有半点关系。”

花姑妈又盯着他看了半天，忽然也学他一拍巴掌：“好，我买了，我就出十万两。”

可是这笔交易还没有谈成，因为薛穿心还没有收下她那张银票时，院子里忽然有个人大声说：“我出十一万。”

樱子姑娘居然没有死，居然又出现了，穿着一身像开着樱花的衣裳出现了，看来居然比没有穿衣裳的时候更美。

花姑妈对女人一向是没有对男人那么客气的，尤其是对比她年轻、比她好看的女人。

所以她连看都不去看一眼，只问薛穿心：“这个东洋女人是从哪里来的？”

“东洋女人当然是从东洋来的。”

“她算什么东西？”

“她不能算什么东西，她只能算是个女人，跟你一样的女人。”薛穿心在笑，“而且好像还比你大方一点。”

“她只比我多出了一万两，你就把箱子卖给她？”

“一万两银子也是银子，可以买好多好多东西的。有时候甚至可以买好多个女人。”薛穿心说，“有时候甚至还可以买好多个男人。”

樱子银铃般笑了。

谁也不知道她是用什么方法从薛穿心手里逃走的，可见一个练过十七年忍术的美丽女人，不管要从什么样的男人手里逃走，都不是件困难的事。

何况薛穿心的目标并不是她。

花姑妈终于转过脸，瞪着她：“你为什么要花十一万两银子买一口箱子？”

樱子也不理她，只问薛穿心：“薛公子，我可不可以说老实话？这位老太太听了会不会生气？”

“她不会生气。”薛穿心忍住笑，“老太太怎么会生小孩子的气？”

“那么就请薛公子告诉她，我肯出十一万两买这口箱子，有三点原因。”

“哪三点？”

“第一，因为我有钱；第二，因为我高兴；第三，因为她管不着。”

薛穿心大笑。

外面也有个人在大笑，笑的声音比他还大。胡铁花已经提着两坛酒回来了，而且好像已经在外面偷听了很久。

他是个酒鬼，却不是那种除了喝酒之外，什么都不管的酒鬼。

如果他是那种酒鬼，现在他早已变成了鬼。

“现在我总算明白了，这口箱子里很可能真的有个楚留香，也可能什么都没有，所以要买这口箱子的人，就得赌一赌自己的运气了。”胡铁花笑道，“谁的赌注大，谁出的价钱高，这口箱子就是谁的。只不过，花了十多万两银子后买回来的如果是口空箱子，那就冤死了。”

“你呢？”薛穿心问他，“你是不是想赌一赌？”

“我碰巧不但是个酒鬼，也是个赌鬼。”

“现在已经有人出十一万了，你出多少？”

“我当然要多出一点。”胡铁花连眼睛都没有眨一眨：“我出二十万。”

“二十万？”薛穿心打量着他，“你身上有二十万两银子？”

“我没有，我连一两银子都没有，我只有这两坛酒。”胡铁花居然面不改色，“可是在这种时候，一坛酒价值十万两已经算便宜的了，如果到了那个鸡不飞狗不跳连兔子都不撒尿的大沙漠里，你就算花一百万两，也休想买到这么一坛酒。”

“有理。”

花姑妈居然还没有被气死，反而笑得更甜：“如果有人不答应，我就替你出这二十万两。”

樱子眼珠转了转，居然也同意：“现在已经这么晚了，一坛酒估价十万两也是应该的。”她很温柔地说，“薛公子，我们就把它算作二十万两好不好？”

“好。”薛穿心微笑，“你说好就好。”

“还能不能再多算一点？”

“大概不能了。”

樱子的声音更温柔：“如果我马上就可以拿出银子来，是不是还可以再多出一点呢？”

“当然可以。”薛穿心笑得实在愉快极了，“不管你出多少，我都绝不会反对的。”

“我出三十万两好不好？”

“好，好极了！”薛穿心大笑，“简直好得不得了。”

银子是要立刻拿出来的，没有银子，银票也可以，当然要十足兑现，到处都有信用的银票。

花姑妈看看胡铁花，胡铁花看看花姑妈，两个人都拿不出来。

就算他们心里已经另有打算，也只有看着薛穿心把这口箱子卖给别人。

可是这笔交易还没有谈成，因为樱子还不是出价最高的人，还有人出的价钱比她更高，高得多。

“不行，三十万两还不行。”

他们忽然听见一个人说：“要买楚留香，三十万两怎么够？就算三百万两也不够的。”

大家还没有听出他的声音是从什么地方发出来的，他们要买的这口箱子却忽然被打开来了。

被箱子里面的人打开的。

一个人慢慢吞吞地从箱子里站了起来，用他自己的一根手指头摸着他自己的鼻子，慢慢吞吞地说：“我出三千万两。”

薛穿心绝不是那种时常会将喜怒之色表现在脸上的人，甚至有人说他，就算眼看着他的老婆掉进河里去，脸上也不会有一点表情。

可是现在他脸上的表情却好像有人用一把刀将他的耳朵割了下来，而且还要他自己吃下去。

楚留香明明已经中了从他嘴里含着的一根吹管中喷出来的迷香，

而且还被他亲手点住了三处穴道，在三天之内应该是动也动不了的。

他对他用的那种独门迷香和他的点穴手法一向都很有信心。

可是现在楚留香居然从箱子里站起来了，就好像一个人刚洗过澡从浴池里站起来，显得又干净、又精神、又愉快，而且清醒无比。

那种要花三百多两银子才能配成半钱的迷药，和他苦练了十七八年的点穴手法，用在楚留香身上，居然连一点用都没有。

楚留香刚从箱子里站起来，已经有一个酒坛子飞过去。

他拍开了坛口的泥封，用两只手捧着酒坛，仰起了脖子就往嘴里倒，一下子就倒下去两三斤。

胡铁花大笑：“我还以为这小子真的已经变得半死不活了，想不到他喝起酒来还是像饿狗吃屎一样，一下子就喝掉我好几万两，也不怕我看着心疼。”

楚留香也大笑：“不喝白不喝，十万两银子一坛的酒毕竟不是常常都能喝得到的。”

“那么你就喝吧，我就让你喝死算了。”

他们笑得愈开心，别人愈笑不出，非但笑不出，连哭都哭不出来。

“只不过我还是不明白。”胡铁花问楚留香，“你放着好好的日子不过，为什么要让人把你装进箱子里去？”

“因为有些事我还不明白，我一定要想法子弄清楚才行。”

“我知道这些事薛公子一定不肯告诉我的，可是一个人如果已经被装进箱子里去，别人就不会提防他了。”楚留香笑道，“被装在箱子里的人常常都可以听到很多别人本来不愿告诉他的事。”

“你听到些什么？”胡铁花又问他，“那些你本来不明白的事，现在是不是都已经明白了？”

“最少已经明白了好几成。”

他看着薛穿心微笑：“最少，我现在已经明白你和花姑妈都是杜先生的人，正在为杜先生筹划一件大事，这件事的关键人物就是焦林的女儿，就因为我看见了她，而且知道她的来历，所以你才会对付我。”

薛穿心虽然还是笑不出，却忍不住问：“就为了想要知道这些事，所以你才故意被我迷倒？”他问楚留香：“如果我不把你装进箱子，当时就一刀杀了你，你死得岂非冤枉？”

“我知道你不会杀我的，你还做不出这种事来。”楚留香说，“就算你要杀我，我大概也死不了。”

他又在摸他的鼻子：“用迷香来对付我，就像是用小牛腰肉去打狗一样，非但没有用，而且简直是种浪费。”

“难道你也不怕别人点你的穴道？难道你根本没有穴道？”

“我当然也有穴道，而且连一个都不少。”楚留香说，“只不过我碰巧偶尔可以把穴道中气血流动的位置移开一点点而已。”

就好像受了传染一样，薛穿心也开始在摸鼻子了。

“遇到了你这种人，大概是我上辈子缺了德，这辈子也没有做好事。”薛穿心苦笑，“现在我只想要你帮我一个忙。”

“帮你什么忙？”

“把我装进这口箱子，然后再把箱子丢到河里去。”

薛穿心当然不是真的要楚留香帮他这个忙，他无论要把谁装进一口箱子都不必别人帮忙，就算要把他自己装进去也一样。

这种事绝不是件很困难的事。

箱子是开着的，他的腿一抬，就已经到了箱子里。

想不到这口用上好樟木做成的箱子竟忽然一片片碎开，变成了一堆碎木头。

“看来我已经不能帮你这个了。”楚留香微笑，“现在大概已经没有人能把你装进这口箱子了。”

“这一定又是你做的事，你刚才一定已经在这口箱子上动了手脚。”薛穿心看着楚留香苦笑，“你为什么要这么做？”

“因为我忽然发现被人关在箱子里一点都不好玩。”楚留香说，“我觉得不好玩，别人一定也觉得不好玩，我为什么要别人做不好玩的事？”

他拍了拍薛穿心的肩：“如果你觉得对我有点不好意思，等一下也可以帮我一个忙。”

薛穿心苦笑：“你要我帮你什么忙？我能帮你什么忙？”

“等一下你就会知道。”

樱子姑娘早就想溜了，却一直没有溜。

她看得出无论谁想要在这些人面前溜走都很不容易，她只希望楚留香赶快把薛穿心关到箱子里去，她一直在等这个机会。

除了薛穿心之外，谁也不知道她的来历，更不会知道她跟这件事有什么关系。薛穿心进了箱子，她就可以像鸟一样飞出这个笼子了，现在她何必急着溜走？

想不到楚留香居然放过了薛穿心。

——中国人真奇怪，为什么会如此轻易地就放过曾经苛毒陷害过他的人？

在她的国家里，这种事是绝不会发生的，有时候他们甚至连自己都不能原谅，为了一点小事，就会用长刀剖开自己的肚子，要他们宽恕别人，那简直是绝无可能的事。

她想不通这种事，可是她已经发现楚留香在对她笑了。

那么愉快的笑容，那么开朗，那么亲切。

可是楚留香说的话却让她吃惊。

“我看过樱花。”楚留香说，“在你们那里，一到了春天，樱花就开了，我也曾经躺在樱花下，听一位姑娘弹着三弦，唱着情歌。”

他带着微笑叹息：“只可惜那位姑娘没有樱花那么美，也不叫樱子。”

樱子傻了。

这些话有些是她自己说的，当时在场的只有她和薛穿心两个人，怎么会被第三个人听到？而且还知道她的名字。

她当然也知道楚留香的名字，远在多年前她就听说过中土武林中，有这么样一个充满浪漫和神秘色彩的传奇人物。

但她却还是想不到他竟是个如此不可思议的人，也想不到他居然还这么年轻。

她已经发现如果用对付别的男人那种手段来对付这个人，只有自讨无趣。

在这种人面前，还是老实一点好。

所以她什么话都不说，只笑，笑总是不会错的，不说话也不会错。

聪明的女人都知道应该在什么时候闭上自己的嘴。

不幸的是，楚留香一向最会对付这种聪明的女人，遇到又丑又笨的，他反而没法子了。

“刚才我好像听说樱子姑娘要出三十万两买这口箱子。”楚留香问，“不知道我有没有听错？”

“你没有听错。”

“那就好极了。”楚留香微笑，“这口箱子现在已经是你的了。”

原来他是要她花三十万两买一堆破木头回去，现在她才明白他的意思。

她知道楚留香厉害，可是她也不是个好欺负的女人。

“这一次香帅好像弄错了，箱子不是我的，是你的。”樱子带着点异国口音的语声听来柔若春水，“我记得香帅刚才好像出过三千万两，不知道我有没有听错？”

“你也没有听错。”楚留香说，“可是你看我这个人像不像有三千万两的样子？”

“我看不出。”

“那么我告诉你，我没有。所以我出的那个价钱根本就不能算数。”楚留香笑得更愉快：“所以箱子还是应该卖给你。”

樱子静静地看着他，看了很久。

她欣赏这种男人，不但欣赏，而且有点害怕，只不过她也不会这么容易就被他压倒的。

“我相信樱子姑娘一定随时都可以拿出三十万两来。”楚留香说，“我绝对相信。”

“我确实有三十万，我也愿意拿出来。”樱子轻轻地叹了口气，“只可惜现在箱子已经没有了。”

楚留香好像觉得很吃惊。

“箱子没有了，箱子怎么会没有呢？”他看着那堆破木头又说，“这不是箱子是什么？难道是一块肥猪肉？”

“这当然是箱子。”花姑妈忽然甜笑，“箱子就是箱子，猪肉就是猪肉，就算已经被剁得烂烂的，做成了红烧狮子头，也没有人能说它不是猪肉。”

楚留香大笑。

“花姑妈果然是明白人，说的话真是中肯极了。”

樱子也在笑，笑得还是那么温柔，连一点生气的样子都没有。

“现在我才看出来，这的确是口箱子，而且正是我刚才要买的那一口。”她的样子也很愉快，“我能够买到这么好的一口箱子，真是我的运气。”

她居然真的立刻就拿出一大摞银票来，好厚好厚的一大摞，除了银票外，还有一袋子珍珠。

她用双手把银票和珍珠都放在桌上，风姿温柔而优雅。

“银票是十三万五千两，不够的数目，这一袋珍珠大概可以补得过。”

然后她就伏在地上，把那堆破木头一片片捡起来，用一块上面绣着樱花的包袱包了起来，连一点碎木片都没有留下。

然后她又向大家恭敬地行礼，动作不但优雅，还带着唐时的古风。

“那么，”樱子说，“现在我就要告退了，谢谢各位对我的关照，我永远不会忘记的。”

胡铁花一直在喝酒，不停地喝，直等到这位樱子姑娘带着一大包用三十万两买来的破木头走出去，他忽然用力一拍桌子。

“好，好极了，现在我才知道这个世界上真有脸皮这么厚的人，居然有脸当着这么多人来欺负一个小女孩。”

他红着眼，瞪着楚留香，一副随时准备要打架的神气，甚至连袖子都卷了起来。

“我问你，你是不是已经穷得连脸都不要了，为什么硬要拿人家这三十万两银子？你知不知道你简直把我的人都丢光了？”

他是真的在生气。

我们这位胡大爷一生中最看不惯的就是这种事，为了这一类的事，也不知道跟别人打过多少次架了，不管对方是谁，都要打个明白，就算是楚留香也不例外。

楚留香却不理他，却对薛穿心说：“现在我就要请你帮我那个忙了。”

“你要我怎么做？”

“我要你把三十万两银子拿去。”

薛穿心怔住：“银子是你的，你为什么要给我？”

“银子不是我的，我也不会给你。”楚留香说，“我只不过请你拿去替我分给常胜镖局那些死者的遗族和黑竹竿。”

胡铁花也怔住。

他心里那一股本来已经要像火山般爆发出来的脾气，忽然间就变得好像是一团刚从阴沟里捞出来的烂泥巴，本来他已经准备好好打一架的，现在他唯一想打的人就是他自己。

“黑竹竿已经尽了他的本分，所以他有权分到他应得的一份，我只怕他不肯收下来而已。”楚留香叹息，“我很了解他这种人，他们的脾气通常都要比别人硬一点的。”

薛穿心看着他，过了很久，才冷冷地说：“这种事你不该要我做的，何况我也不是做这种事的人。”他说：“我这一生中，只懂得拈花惹草，持刀杀人，从来也没有做过好事。”

他的声音还是那么骄傲而冷酷，他的眼睛还是像钉子一样盯着楚留香。

“可是为了你，这一次我就破例一次。”薛穿心说，“只此一次，下不为例。”

胡铁花又开始在喝酒，花姑妈又在笑了，不但在笑，还在鼓掌：“好，做得漂亮，这件事你真是做得漂亮极了，除了楚香帅之外，天下大概再也找不出第二个人能做得出这种事来。”她笑得比平时更甜：“只可惜我还是有点不懂。”

花姑妈问楚留香：“那位东洋姑娘又精又鬼，又能受气，而且随随便便就可以从身上拿出三十万两银子来，别人一辈子都没有见过这么多银子，她却连眼睛都不眨一眨就拿出来给你了。”花姑妈说：“像这么样一个小姑娘，从东洋赶到江南来，大概总不会是为了要买那堆破木头的。你为什么不把她留下来，问问她究竟想来干什么？”

“因为今天晚上死的人已经够多，我不想再多添一个。”

“你一问她就会死？”

“非死不可。”

“为什么？”

楚留香笑了笑，反问花姑妈：“如果史天王抓住了你，一定要问你为什么要找人去刺杀他，你是不是也非死不可？”

花姑妈笑不出来了。

胡铁花忽然用力一拍桌子：“姓楚的，楚留香，你为什么不痛痛快快地揍我一顿？”他大声说：“你难道听不出我刚才骂的是你？而且把你骂得像龟孙子一样。”

“我是不是你骂的那种龟孙子？”

“你不是。”胡铁花不能不承认，“是我骂错了人。”

“你既然知道你自己骂错了人，心里一定会觉得难受得很，如果我真的揍你一顿，你反而会觉得舒服些。”楚留香微笑，“你说对不对？”

胡铁花用一双已经喝得像兔子一样的红眼睛瞪着他看了半天，忽然大笑：“你这个老臭虫，你真不是个好东西。从我认识你那一天，我就知道你不是好东西，只不过有时候你倒真他娘的是个好人。”

花姑妈好像也准备想溜了，想不到楚留香的目标又转向她：“我能不能请你帮我一个忙？”

“你要我做什么？”花姑妈有点惊讶了。

楚留香叹了口气：“你是胡铁花的妈，我能要你干什么？我只不过想要你替我准备一辆车子而已。”

这个要求听起来的确一点都不过分，大多数人都能办得到的。

花姑妈总算松了一口气，脸上又露出了甜笑：“你要什么样的车子？”

“我要一辆由叶财记特别监工制造的马车，要车厢比普通马车宽三尺，车轮比普通车轮宽三寸，行走起来特别平稳的那种。”楚留香说，“我要你在车厢里替我准备两坛真正二十年陈的女儿红，两坛兑酒用的新绍，七样时鲜水果，七种上好的蜜饯，七品下酒的小菜，而且一定要用苏州雪宜斋的七巧食盒装来。”

他说：“因为我想好好地喝点酒，喝完了好好地睡一觉。”

花姑妈虽然还在笑，笑得已经和哭差不多，想不到楚留香还有下文：“我还要用四匹每个时辰可以走一百五十里以上的好马来拉这辆马车，要用快马堂训练出的马夫来赶车，每隔八百里就要换一次马，马夫当然也要先准备好替换的。”楚留香说，“我要你在一个时辰之内替我准备好这些事，因为我相信你一定能办得到的。”

“如果办不到呢？”

楚留香又笑了笑：“那么我就要问你，为什么一定要杀我灭口了，而且一定非要问清楚不可。”

花姑妈又笑不出来了。

“我要你这么做，只因为我要在一觉睡醒时，就已经到了一个地方，而且立刻可以看到一个人。”楚留香说，“这个地方当然是你知道的，这个人你当然也认得。”

“什么地方？”花姑妈问，“什么人？”

“玉剑山庄，杜先生。”

# 第八章

## 神秘的杜先生

山坡下的一片杜鹃已经开花了，远处的青山被春雨洗得青翠如玉，一双蝴蝶飞入花丛，又飞出来，庭园寂寂，仿佛已在红尘外。

楚留香盘起了一条腿，坐在长廊外的石阶上，几乎不能相信自己真的已经到了玉剑山庄。

没有人能轻易到这里来，就算是那些身怀绝技，自视绝高的高手们，也没有人敢妄越雷池一步。近年来玉剑山庄的威名之盛，几乎已超越了江南武林的三大门派、四大世家。

可是现在他坐在这里，看到的却只是一片明媚淡雅的春光，完全不带一点剑拔弩张的肃杀之气，更没有警卫森严的样子。

楚留香用一根手指摸着鼻子，心里已经不能不承认玉剑山庄的这位主人确实有他了不起的地方。

杜先生确实是这样子的。

他是非常神秘的人，就像是奇迹一样忽然崛起于江湖，从来也没有人知道他的往事和来历，除了他的亲信外，也没有人能见到他。

但是每个人都知道，他在暗中统率着一股极可怕的势力。他的下属中有很多都是久已未在江湖中出现的绝顶高手，他们跟着他，就好像一个痴情的少女跟着她痴恋的情郎一样，随时都可以为他去做任何事，随时都可以为他去死。

——这位神秘的杜先生是个什么样的人？究竟有什么神秘的魔力？

楚留香已经在这里等了很久了，只有他一个人在等，没有胡铁花。

因为杜先生只答应见他一个人。

长廊尽头，终于传来一阵轻缓的跫音，一位穿着曳地长裙的妇人，用一种非凡优雅的风姿走了过来。

她的年华虽已逝去，却绝不愿用脂粉来掩饰她眼角的皱纹。

她的清丽与淡雅就像是远山外那一朵悠悠的白云，可是她的眼睛里却带着一种阳光般明朗的自信。

楚留香仿佛忽然变得痴了。

他从未见过这样的女人，也从未想到一个女人在青春消逝后还能保持这种非凡的美丽。

“楚香帅。”

她带着微笑看着他，她的声音也同样优雅。

“前夕雨才停，香帅今天就来了，正好赶上了花开的时候。”

只可惜楚留香不是来赏花的。

“我知道杜先生一向很少见人，可是他已经答应见我。”楚留香绝不让自己去看她的眼睛，“我相信杜先生绝不会是个言而无信的人。”

“我也相信他不会。”她嫣然而笑：“因为现在你已经看到他了。”

楚留香抬起头，吃惊地看着她。

“你就是杜先生？”

"我就是。"她微笑，"现在你总应该相信我至少还不是个言而无信的人。"

光滑的桧木地板上摆着一张古风的低几，瓶中斜插着三五朵白色的山茶，已经开出有八片瓣的茶花。

楚留香没有看花。

他在看着坐在他对面锦墩上的这个神奇、优雅而美丽的女人。

现在他就算用尽所有的力量不让自己去看都不行了，就算要他的眼睛离开她一下子都困难得很。

"我知道你一定觉得很奇怪，其实一个女人被称作先生也不能算是件奇怪的事，男人有时也会被称为夫人的。"杜先生说，"战国时就有位铸剑的大师叫作徐夫人。"

楚留香又盯着她看了半天，忽然问："你从来不愿见人，是不是因为你不愿让人知道你是个女人？"

"也许是的。"杜先生淡淡地微笑，"也许只不过因为我不愿意让别人像你这么样看着我而已。"

楚留香没有笑，也没有摸鼻子，可是他的脸却居然红了起来。

如果胡铁花看到他现在的样子，一定会大吃一惊。

要楚留香脸红绝不是件容易的事，简直就好像要拉一匹骆驼穿过针眼那么不容易。

幸好杜先生并没有再继续讨论这问题，她只问楚留香："我也知道你一直忙得很，这次为什么一定要来见我？是不是为了史天王和玉剑公主的婚事？"

"不是。"

楚留香决心要把自己的大男人气概表现一点出来了，所以立刻大声说："你就是要把八十个公主嫁给史天王，也跟我完全没有关系。"

"什么事跟你有关系？"

“我只想帮我一个朋友找到他的女儿，一个曾经被人装在箱子里偷走的女孩子。”楚留香说，“我相信她一定在这里。”

廊外的春风温柔如水，春水般温柔的暮色也已渐渐降临。

杜先生静静地看着瓶中白色的山茶花，她的脸色看来也好像那一朵朵有八片瓣的茶花一样，纯雅、清丽、苍白，一片片、一瓣瓣、一重重叠在一起。

花瓣忽然散开了。

她的手指忽然轻轻一弹，花瓣就散开了，花雨缤纷，散乱在楚留香眼前，散乱了楚留香的眼。

她的两根手指间已拈起了一根花枝，花枝一抖，刺向楚留香的双眼。

没有人能形容她在这一瞬间使出的手法。

无法形容的轻巧，无法形容的优雅，无法形容的毒辣！

一种几乎已接近完美的毒辣。

人间天上，或许也只有这么样一个女人才能使得出这种手法来。

楚留香的眼睛如果被刺瞎，也应该毫无怨尤了。

因为他已经看见了这么样的一个女人，他这一生看见的已够多。

白瓷的酒坛上用彩釉绘着二十朵牡丹。

这是真正的花雕，二十年陈的绝顶花雕，胡铁花已尽一坛。

一坛已尽，还有一坛。

“你为什么不再喝？”花姑妈问他，“你也应该知道能喝到这种酒是很难得的。”

“好酒难得，好友更难得。”

胡铁花敞开了衣襟，大马金刀地坐在一个花棚下一张石桌前的一个石凳上。

"要是那个老臭虫知道有这么样两坛好酒都被我喝光了，不活活地气死才怪，老臭虫变成死臭虫就不好玩了。"

"你要留一坛给他喝？"

"不是给他喝，是陪他喝，他喝酒虽然比倒酒还快，我也不慢，他喝半坛，我也不会少喝一点。"胡铁花开怀大笑，"所以他喝下半坛时，我已经喝了一坛半。"

花姑妈用一种很奇怪的眼神看他，又用一种很特别的声音问："可是你怎么知道他一定会来呢？"

"他为什么不会来？"

本来已经有了几分醉意的胡铁花忽然又清醒了，一双眼睛忽然又瞪得比牛铃还大。

"我肯替你们做这件事，因为我知道这件不是坏事，要是我不能在五月初五之前把公主送到史天王那里，那个狗屎天王就一定会杀过来，就算你们能击退他，这一路上的老百姓的血也要流成河了。"

胡铁花厉声道："可是你们只要敢动楚留香，我就先要把你们这个地方变成一条河，一条血流出来的河。"

花姑妈没有说话。

她很少有不说话的时候，现在居然没有说话，因为远方忽然有一阵缥缥缈缈、幽幽柔柔的琴声传了过来，一种无论任何人听见，都会变得暂时说不出话的琴声。

——一朵花开放时是不是也有声音？有谁能听得出那是什么声音？

——花落时是不是也有声音？

花落无声，肠断亦无声。

有声即是无声，无声又何尝不是有声？只不过通常都没有人能听得清而已。

花落时的声音，有时岂非也像是肠断时一样？

琴声断肠。

八重瓣的白色山茶花一片片飘落，飘落在光亮如镜的桧木地板上，飘落在楚留香膝畔。

剑一般的花枝已刺在他的眉睫间，这一刺已是剑术中的精髓。

所有无法无相无情无义无命的剑法中的精髓。

这一剑已经是禅。

禅无情，禅无理，禅亦非禅。非禅也是禅，非剑也是剑。

到了某一种境界时，非禅的禅可以令人悟道，非剑的剑也可以将人刺杀于一刹那间。

楚留香却好像完全不明白。

他连动都没有动，连眼睛都没有眨，就好像完全不知道这根花枝能将他刺杀于刹那间。

一弹指间就已是六十刹那。

如果这根花枝刺下去，那么在一弹指间楚留香就已经死了六十次。

琴声断肠，天色渐暗。

花姑妈看胡铁花，神情忽然变得异常温柔，真的温柔，从来都没有人看见过的那么温柔。

“你醉了，你喝的本来就是醉人的酒，你本来就应该知道你会醉的。”

一阵风吹过，一瓣花飘落。

“花会开也会落，有花开时，就应该知道有花落时，因为花就是花，既然不能不开，就不能不落。”花姑妈幽幽地说，“这就好像我们这些人一样。应该醉的，就非醉不可，应该死的，也非死不可。”

胡铁花忽然觉得自己好像真的醉了。

也不知道是因为琴声，还是花姑妈的声音，也不知道是因为酒，还是酒中某一种醉人的秘密，竟在这个他既不能醉也不会醉的时候让他醉了。

可是他还能听到花姑妈说的话。

“花开花落，人聚人散，都是无可奈何的事。”

她的声音中确实有种无可奈何的悲哀：“人在江湖，就好像花在枝头一样，要开要落，要聚要散，往往都是身不由己的。”

一刹那的时间虽然短暂，可是在某一个奇妙的刹那间，一个人忽然就会化为万劫不复的飞灰，落花也会化作香泥。

现在天色已渐渐暗了，落花已走，千千万万的刹那已过去，剑一般的花枝，却仍停留在楚留香的眉睫间，居然还没有刺下去。

忽然间，又有一阵风吹过，落花忽然化作了飞灰，飞散入渐暗渐浓的暮色里，那一根随时可以将他刺杀于飞灰中的花枝，也一寸寸断落在他眼前。

这不是奇迹。

这是一个人在经过无数次危难后所得到的智慧与力量的结晶。

八重瓣的山茶花飘散飞起时，它的枝与瓣就已经被楚留香的内力变成了有形而无质的“相”。虽然仍有相，却已无力。

杜先生的神色没有变。没有一点惊惶，也没有一点恐惧。

因为她知道宝剑有双锋，每当她认为自己可以散乱对方的心神与眼神时，她自己的心神与眼神也同样可能被对方散乱。

这其间的差别往往只不过在毫厘之间。如果是她对了，她胜；如果是她败了，她也甘心。

“我败了！”杜先生对楚留香说，“这是我第一次败给一个男人。”

无论是胜是败，她的风姿都是不会变的。

“既然我已经败在你手里，随便你要怎么样对我都没关系。”

楚留香静静地看着她，静静地看了她很久，忽然站起来，大步走了出去。

庭园寂寂，夜凉如水。

也不知道是在什么时候，夜色已笼罩了大地，但空中已有一弯银钩般的新月升起。

等到楚留香再回过头去看她时，她已经不在了。

可是琴声仍在。

幽柔断肠的琴声，就好像忽然变成了一个新月般的钓鱼钩。

楚留香就好像忽然变成了一条鱼。

——杜先生为什么要杀他？为什么不让他见焦林的女儿？这其中究竟隐藏着什么秘密？

他看得出杜先生对他并没有恶意，可是在那一瞬间，却下决心要将他置于死地。

在她发现自己已惨败时，甚至不惜用自己的身体来阻止楚留香：“随便你要对我怎么样都没关系。”说出这句话的时候，她的确已准备承受一切。她的眼睛已经很明白地告诉了楚留香。

一个中年女人克制已久的情欲，已经在那一瞬间毫无保留地表露出来，惨败的刺激就好像是把快刀，已经剖开了她外表的硬壳。

在那一刻间，楚留香也不知道多少次想伸出手，去解她的衣襟。

衣襟下的躯体已不知道有多久未经男人触摸了。

苍白的胴体，苍白柔弱甜蜜如处子，却又充满了中年女人的激情。

楚留香对自己坦白地承认，在他第一眼看到她时，心里已经有了这种秘密的幻想和欲望。

可是每当他要伸出手来时，他心里就会升起一种充满了罪恶与不祥的凶兆，就好像在告诉他：如果他这么样做了，必将后悔终生。

这是为了什么？难道是因为这一阵阵始终纠缠在他耳畔的琴声？

直到现在，楚留香才能肯定地告诉自己："是的，就是因为这琴声。"

幽柔的琴声一直在重复弹奏着同一个调子。

在扬州的勾栏院中，在秦淮河旁，楚留香曾经听过这种调子。

它的曲牌就叫作"新月"。

柔美的新月调，就像是无数根柔丝，已经在不知不觉中把楚留香绑住了。

奏琴的人身上是不是也有一弯新月？

琴声来自一座小楼，小楼上的纱窗里灯影朦胧，人影也朦胧。

楼下的门是虚掩着的，仿佛本来就在等着人来推门登楼。

楚留香推门登楼。

春风从纱窗里吹进来，小楼上充满了花香和来自远山的木叶芬芳。梳着宫装的高髻，穿一身织锦的华裳，坐在灯下奏琴的，正是那个曾经被人装在箱子里的"新月"。

"你果然来了。"

琴声断了，她冷冷地看着楚留香，冷得也像是天畔的新月。

"你知道我会来？"楚留香问她。

"我当然知道。"她说，"只要你还活着，就一定会来。"

琴弦又一弹："自命风流的楚香帅应该听得出我奏的是什么调子。"她冷冷地说："我只不过想不到你能活得这么长而已。"

楚留香苦笑："这一点连我自己都想不到，为了不让我见你，每个人好像都不惜用尽千方百计来要我的命，你自己好像也一直在逃避我。"他问她："可是现在你为什么又要引我来？"

天上的新月无声，灯下的新月也无语。

灯光虽然和月光同样淡，楚留香还是能看得到她，而且看得很清楚。

这不是他第一次看到她，但是在那家客栈的房中，在那个神秘的箱子里，在那种匆忙的情况下，楚留香注意到的只不过是她胸膛上的那一弯新月。

现在他才注意到她的脸，她的脸色也是苍白的，带着种无法形容的优雅与高贵，她的眼睛却像是阳光般明朗，充满了决心与自信。

她长得实在像极了一个人。

"我明白了！"

楚留香的声音忽然变得嘶哑："你要我来，只因为你不愿让我再和杜先生在一起，因为你已经想到她可能会做出来的事，这一次她没有阻止我来见你，也是因为她已经明白你的意思。"

要把这一类的事这么直接地说出来，通常都会令人相当痛苦的。

她却替楚留香说了下去，而且说得更直接："不错，杜先生的意思我明白，我的意思她也明白，因为她就是我的母亲，我就是她要送去给史天王的玉剑公主。"

楚留香忽然觉得很冷，很想喝酒。没有酒。

远处却隐隐有春雷响起，那个一弯银钩般的新月已不知在何时被乌云隐没。

她的声音也仿佛远在乌云中："史天王要的是一位公主，不是一个落拓刺客的女儿。”她说：“每个人都知道我是一位公主，和那些落拓江湖的流浪人连一点关系都没有，我要嫁给史天王，不但是我母亲的意思，也是我自己心甘情愿的，无论谁要来破坏这种事，时时刻刻都会有人去要他的命。”

她冷冷地问楚留香：“我要你来，就是为了要告诉你这一点。现在你是不是已经明白了？”

“是的。”

“那么你就赶快走吧！永远不要再来见我，我也永远不要再见你。”

胡铁花梦见自己在飞。

能够飞是件多么奇妙的事，像鸟一样自由自在地飞来飞去，飞过一重重山岳，飞过一重重屋脊，飞过手里总是拿着把戒尺的私塾先生的家，飞过那条拼了命也游不过去的小河，醒来时虽然还是软绵绵地躺在床上，那种会飞的感觉却还是像刚吃了糖一样，甜甜地留在心里。

很多人小时候都做过这种梦，胡铁花也一样。

只不过这一次他梦醒时，忽然发现自己真的在飞。

不是他自己在飞，是一个人用一条手臂架着他在飞，冷风扑面吹来，他的头还是痛得要命，四下一片黑暗，什么都看不见，只听见一个人说：“谢天谢地，你总算醒了，能把你弄醒真不容易。”

这个人当然就是楚留香。

胡铁花喝醉了的时候，除了楚留香之外，还有谁能想得出什么法子弄醒他？要让一个死人复活也许还比较容易一点。

“你这是什么意思？”胡铁花的火大了，“我明明好好地睡在床上，你把我弄起来干什么，你是个乌龟还是个王八？”

一个人喝醉了之后，如果能舒舒服服地睡到第二天下午，这种人才是有福气的人，如果三更半夜就被人弄醒，就难怪他会火冒三丈了。

楚留香也喝醉过，这种心情当然明白，所以就不声不响地让他骂，让他骂个痛快。

能够这么样骂楚留香实在是非常过瘾，非常好玩的。

不好玩的是，这个老乌龟挨了骂之后，速度反而更快了，不但比乌龟快，也比兔子快，甚至比十只兔子在狐狸追逐下奔跑的速度加起来还快。

这个世界上大概已经找不出第二个这么快的人。

胡铁花吃不消了，口气也软了，骂人的话也全都从那颗已经痛得快要裂开的脑袋里，飞到九霄云外，只能呻吟着问："你究竟想干什么？"

"我什么都不想干。"楚留香说，"只不过想有个人陪我散散步而已。"

"散步？"胡铁花大叫了起来，"难道我们现在是在散步？"

他的声音就好像一个垂死的人在惨叫："我的妈呀，我的老天，像你这么样散步，我这条老命非被你散掉不可。"他问楚留香："我们能不能不要再散步了？能不能坐下来谈谈话，聊聊天？"

"能。"

楚留香往前冲的时候虽然好像是一根离了弦的箭，可是说停就停。

他停下来的地方刚好有一棵树，树枝上虽然没有啼声乱人好梦要被人打起来的黄莺儿，树下却刚好有一片春草。

胡铁花一下子就躺在草地上，除非有一根大棒子打下去，他是绝不会起来的了。

"你是要聊天，还是要睡觉？"楚留香说，"要不然我们再去散散步也行。"

“谁要睡觉？王八蛋才要睡觉。”

胡铁花就好像真的挨了一棒子，一骨碌就从地上坐了起来：“你要谈什么？谈谈杜先生好不好？你有没有见到他？有没有见到焦林的女儿？”

“都见到了。”

“那位焦姑娘怎么样？长得是不是很美？”

“不但美，而且聪明。”楚留香凝视远方黑暗的苍穹，“焦林一定想不到他有这么样一个好女儿。”

“然后呢？”

“然后我就走了。”

胡铁花叹了口气：“你为什么不陪她多聊聊？为什么急着要走？”

“不是我要走，是她要我走的。”

“她要你走你就走了？”胡铁花故意叹气，“你几时变得这么听话的？”

“就在我开始明白了的时候。”

“明白了什么？”

“应该明白的事，我大概都明白了。”楚留香说，“连不应该明白的事我都明白了。

“近年来东南沿海一带常有倭寇海盗侵掠骚扰，得手后就立刻呼啸而去，不知行踪，下一次也不知道是在什么时候会有，如果等大军来镇压，军饷粮草都是问题，而且难免扰民，何况那些流窜不定的盗贼，也未必是正统军旅所能对付的。

“所以朝廷就派出了一位特使，以江湖人的身份，联络四方豪杰，来对付这些流寇。

“这个人的权力极大，责任也极重，身份更要保持秘密，但是为了与官府来往时的方便，又不能不让人知道他是个身份很尊贵的人。

“在这种情况下，朝廷只有假借一个理由，赐给他一种恩典，将他的女儿册封为公主。虽然是名义上的公主，却已足够让人对他们另眼相看了。”

听到这里，胡铁花才忍不住问：“你已经知道这个人就是杜先生？”

“是的，我已经知道了。”楚留香反问，“可是你知道这位杜先生是谁么？”

“他是谁？”

“杜先生就是焦林以前的妻子，玉剑公主就是焦林的女儿。”

胡铁花的手已经摸到鼻子上了。

楚留香又接着说：“她实在是个很了不起的女人，我虽然不明白她离开焦林后，怎么会跟大内皇族有了来往，可是朝廷能重用她，绝不是没有理由的。

“沿海的流寇渐渐被她压制，渐渐不能生存，这时候东南海上忽然出现了一个远比昔年‘紫鲸帮’的海阔天更有霸才的枭雄，于是这些已无法独立生存的小股流寇，就只有投靠到他的旗下。”

楚留香叹息：“宝剑有双锋，凡事有其利必有其弊。杜先生虽然肃清了岸上的游民流寇，却造成了史天王海上的霸业。

“现在他的力量已经渐渐不是杜先生所能对付的了，为了安抚他，杜先生只有答应他，把自己的女儿玉剑公主作为休兵的条件，这当然也是逼不得已的一时权宜之计。”

“这道理我也明白。”胡铁花也在叹着气，“所以我才肯做这件事。”

“可是有些人却不明白，不但那些热血沸腾的江湖豪杰会挺身而出，史天王的属下中一定也有些人会来阻止。”

“为什么？”

“因为他们早就想杀上岸来大捞一笔了，史天王如果要了玉剑公主，他们还有什么机会？”楚留香接着说：“东洋的倭寇们也早就想让史天王与杜先生火并一场，等到双方两败俱伤时，他们才好坐收渔利，当然也不会让这门亲事成功的。”

“你早已看出那个东洋姑娘就是他们派来的人？”胡铁花问。

“本来我还不能完全明白其中的关键，可是现在我已经想通了。”

楚留香苦笑：“杜先生要将我置之死地，也只不过是为了生怕我泄露玉剑公主身世的秘密，破坏了这门婚事。玉剑公主为了顾全大局，不惜牺牲自己，我既然已经明白了这些事，还能有什么话说？”

“所以她要你走，你就只有走？”

“是的。”楚留香淡淡地说，“她要我走，我只有走，她不要我走，我也会走。”

“是不是因为你已经不想再管这件事？也不管她了？”

楚留香淡淡地笑了笑：“你要我怎么管？难道要我代替她去嫁给史天王？”

胡铁花瞪着他，摇头叹息：“你这个人实在愈来愈不好玩了，以前你不是这样子的，不管遇到多困难的事，你都不会退缩，不管遇到多可怕的对手，你都会去拼一拼。”他冷笑：“想不到现在你居然变成了个缩头乌龟。”

楚留香居然一点都不生气：“幸好你还没有变，一定还是会去做好你答应了别人的事。”

“我当然会去做。”胡铁花大声道，“你也用不着管我，要走就快点走。”

“临走之前，我们能不能再喝一次酒？”楚留香笑得仿佛也有点凄凉，“我恰巧知道这附近有几坛好酒。”

酒已经喝得不少了，一个人一坛，坐在一栋高楼的屋顶上，用嘴对着坛子喝。

平时喝了点酒之后，胡铁花的话比谁都多，今天却只喝酒，不说话。

他好像已经懒得跟楚留香这种人说话。

楚留香却显得很愉快的样子，话也比平时说得要多得多。

胡铁花板着脸听了半天，才板着脸问："你说完了没有？"

"还没有。"

"你想说什么？"

楚留香仰起脖子，灌了几大口烈酒进去，忽然用一种奇怪的声音说："我还想告诉你一件事，一件别人都不太明白的事，我也从来没有跟你说起过。"

"每个人都知道我们是好朋友，都认为我对你好极了，你出了问题，我总会为你解决，连你自己说不定都会这么样想。"楚留香笑了笑，"只有我自己心里明白，情况并不是这样子的。"

他又捧起酒坛喝了几大口，喝得比平时还快。

"其实你对我比我对你好得多。你处处都在让我，有好酒好菜好看的女人，你绝不会跟我争，我们一起去做了一件轰轰烈烈的大事，成名露脸的总是我，其实你也跟我一样是去拼了命的。"楚留香说，"只不过拼完命之后你就溜了，溜到一家没人知道的小酒铺去，随便找一个女人，还要强迫自己承认你爱她爱得要死。"

胡铁花开始大口喝酒了，拼命地喝。

"你这么做，只不过因为我是楚留香，胡铁花怎么能比得上楚留香？风头当然应该让楚留香去出。"

他用一双喝过酒之后看来比平时更亮的眼睛瞪着胡铁花："可是现

在我要告诉你，你错了，大错而特错。”楚留香的声音也变大了：“现在我一定要让你知道，胡铁花绝对没有一点比不上楚留香的地方，没有楚留香，胡铁花的问题一样可以解决，一样可以活下去，而且活得要比以前好得多。”

他的眼睛瞪得更大：“如果你不明白这一点，你就不是人，你就是头猪，死猪。”

酒坛已经空了。

胡铁花忽然站起来，用力把酒坛子远远地摔出去，瞪着楚留香大骂：“放你的屁，你说的话全是放屁，比野狗放的屁还臭一百倍。”

他骂得虽然凶，眼睛里却仿佛已有热泪将要夺眶而出：“现在我也要告诉你，如果你以为我不明白你放这些屁是什么意思，你也错了。”

“你明白我的意思？”楚留香冷笑，“你明白个鬼。”

“我不明白谁明白？”胡铁花说，“你故意装作漠不关心的样子，不过是想瞒着我，一个人去找史天王去拼老命。”

他握紧双拳，忍住热泪：“你承不承认？要是你不承认，我就一拳打死你。”

楚留香也跳了起来，用力甩出了酒坛子，握紧双拳，瞪着他：“就算我要去，跟你也没有关系，我去做我的事，你去做你的事，你乱发什么狗熊脾气！”

两个人你瞪着我，我瞪着你，拳头全部握得紧紧的，好像真的准备要拼命的样子。

也不知道过了多久，也不知道是在什么时候，这两对铁打的拳头已经握在一起。

“你真不是个东西。”

“我本来就不是东西，你也不是，我们都是人。”

“你不是人，你是我肚子里的蛔虫，否则你怎么会知道我要去干什么？”

“因为我了解你。”胡铁花说，“我简直比你老子还了解你。”

说完了这句话，他自己先笑了，两个人全都笑了，连一里外的人都被他们的笑声吵醒。

他们要笑的时候就拼命地笑，要喝的时候就拼命地喝。

真的要去拼命时，也毫无犹豫。

“好。你去拼你的命，我去拼我的。只不过真的有人想把我们这条命拼掉，大概还不太容易。”

“你的命拼掉，还有我的。我的命拼掉，还有你的。谁能拼得了？”

“谁都不行。”

# 第九章

## 暴雨中的杀机

霹雳一声，春雷又响起。倾盆的暴雨就像是积郁在胸中已久的怒气，终于落了下来。

一道道闪电撕裂了黝黑的苍穹，一颗颗雨点珍珠般闪着银光，然后就变成了一片银色的光幕，笼罩了黑暗的土地。

现在本来已经应该是日出的时候了，可是在没有闪电的时候，天地间却更黑暗。

楚留香站在暴雨下，让一粒粒冰雹般的雨点打在他身上，打得真痛快。

他已经闲得太久了，这两年来，除了品茶饮酒看月赏花踏雪外，他几乎没有做过别的事。

这个世界上好像已经没有能够让他觉得刺激、值得他冒险去做的事，也不再有那种能够让他掌心冒汗的人。

可是现在有了。

现在他的对手是纵横七海，不可一世的史天王，是个从来没有被任何人击败过的人。

想到将要去面对这么样一个人时的兴奋与刺激，楚留香胸中就有一股熟悉的热意升起，至于成败胜负生死，他根本就没有放在心上。

冒险并不是他的喜好，而是他的天性，就好像他血管里流着的血一样。

雨势更大，楚留香撒开大步往前走，走出了城，走上了山坡下无人的泥泞小径。

他故意走到这里来的。因为他刚才忽然感觉到一种强烈的杀气。

他看不见、嗅不出，也摸不到，可是他感觉得到，他的感觉就像是一头豹子嗅到血腥时那么灵敏正确。

血腥气能被暴雨冲淡，杀气也一样。

奇怪的是，这一次他感觉到的杀机在暴风雨中反而显得更强烈。

这一次他无疑又遇到一个极奇怪而可怕的对手了，正窥伺在暗中，等着要他的命。

他不知道这个人是谁，也不知道为什么要杀他，他只知道这个人只要一出手，发出的必定是致命的一击，很可能是他无法闪避抵挡的。

可是他非但没有退缩恐惧，精神反而更振奋。

他等着这个人出现，就仿佛一个少女在等着要见她初次约会的情人。

现在他已经走上了无人的山坡，山坡上黑暗的树木和狰狞的岩石都是一个暗杀者最好的掩护。

他所感觉到的杀机也更强烈了，可是他在等的人却还没有出现。

这个人还在等什么？

这个世界上有种人好像天生就是杀人的人。

他们是人，不是野兽，但他们的天性中却有熊的沉着、狼的残暴、豹子的敏捷、狐狸的狡黠与耐性。

这个人无疑就是这种人。

他还在等，只因为他要等最好的机会。

楚留香就给了他这么样一次机会。

雷霆和闪电的间歇是有定时的，楚留香已经算准了这其间的差距。

所以他忽然滑倒了。

就在这一瞬间，闪电又亮起，黑暗的林木中忽然蝙蝠般飞出了一条黑色的人影。

闪电过处，霹雳击下。

从撕裂的乌云中漏出的闪电余光里，刚好可以看见一道醒目的刀光，随着这一声霹雳春雷凌空下击，挟带着天地之威，斩向楚留香的头颅。

这是必胜必杀的一刀。

这一刀仿佛已经和这一声震动天地的春雷融为了一体。

不幸的是，楚留香并没有真的滑倒，只不过看起来像是滑倒了的样子而已。

这种样子并不是容易装得出来的。

就好像某些武功中某些诱敌的招式一样，这一滑中也蕴藏着一种无懈可击的守势，一种可进可退的先机。

所以这一刀斩空了。

天地又恢复一片黑暗，无边无际的黑暗中，楚留香又看不见这个人了。

可是这个人也同样看不见楚留香。

就算他能够像最高级的忍者一样，能在黑暗中看到很多别人看不见的事，可是他也已看不见楚留香。

因为楚留香闪过了这一刀之后，就忽然奇迹般失去了踪迹。

电光又一闪。

一个以黑巾蒙面的黑衣人站在山坡上，黑巾上露出的双眼中带着一种冷酷而妖异的光芒，以双手握着柄奇形的长刀，刀尖下垂，动也不动地站着，可是全身上下无一处不在伺机而动。

只要楚留香一出手，他势必又将发出凌厉无匹的一击。

楚留香没有出现。

闪电又亮起，一闪，再闪。

这个人还是动也不动地站在那里，保持着同样的姿势。

他不能动，也不敢动。

因为现在情况已经改变了，他的对手已经取代了他刚才的优势，就好像他刚才一样在暗中窥伺着他，随时都可能对他发出致命的一击。

只要他一动，他这种几乎已接近完美无瑕的姿势就会被破坏。

那一瞬之间，就是他生死胜负间的关键。

他不敢冒这种险。

雨势忽然弱了，天色忽然亮了，他虽然还是动也没有动，可是他那双冷酷而镇定的眼睛却已在动摇。

他的精力已经消耗得太多。

面对着一个看不见的对手，面临着一种随时都可能会发生但却无法预料的情况，他的精气与体力远比他在挥刀斩杀时消耗得更大。

更可怕的是，他的精神也已渐渐接近崩溃。

他无法承受这种压力，没有人能承受这种压力，他的眼神已散乱，他手里那柄刀尖指向大地，也如大地般安然不动的长刀忽然高举。

就在这时候，暗林中忽然传出一声长长的叹息："你死了，你已经死了。"

一个人用一种充满了哀伤和感叹的声音说："如果楚香帅也跟你一样是个杀人的人，那么你现在就已经是个死人了。"他叹息着道："我实在想不到号称无敌的伊贺第一忍者春雷伊次，这一次居然败得这么惨，楚香帅还没有出手，你就已败在他手里，实在太可惜。”

说到最后一句话时，这个人的声音已去远。

伊贺春雷忽然坐了下去，坐在泥泞里，忽然从腰带上抽出另一柄短刀，一刀刺入了他自己的肚子。

暗林中却有个撑着把鲜红油纸伞的姑娘轻轻巧巧地走了出来，穿着件绣满了樱花的小坎肩。

刀锋自左向右在划动，鲜血箭一般喷出。

这位樱子姑娘却连看都没有去看一眼，却向远远的一棵大树上盈盈一笑，盈盈一礼：“楚香帅，今夜掌灯时，有人会在忘情馆的情姑娘那里恭候香帅的大驾，我也希望香帅能去，却不知道香帅敢不敢去？”

晶亮的水晶杯，精美的七弦琴，粉壁上悬着的一副对联也不知出自哪一位才人的手笔。

何以遣此；

谁能忘情？

一个枯瘦矮小的白发老人，用一种温和高雅而有礼的态度向楚留香举杯为敬。

“在下石田斋彦左卫门，虽然久居东瀛小国，却也久慕香帅的侠名。”老人说，“今日凌晨，在下更有幸能目睹香帅以无声无形无影的不动之剑，战胜了伊次势如春雷的刀法，使在下领悟了以静制动，以不变应万变的武艺妙谛，也使在下大开了眼界。”

他已经很老了，身体已经很衰弱，说话的口音也很生涩。可是一个来自异国的老人能够说出这样的汉语已经很不容易。

听他的说话，就可以听出他对汉学和武道的修养都极深，看他那一双炯炯有神的眸子，也可以看出他那衰弱的身体里，还是有极坚强的意志，和一种不可侵犯的尊严和信心。

楚留香微笑：“石田斋先生真是太客气了，只可惜我是个不太会客气的人，而且有种病。”

“香帅也有病？”老人问，“什么病？”

“头痛病。”楚留香说，“我一听见别人说客气话，就会头痛得要命！”

老人也笑了。

“那么我就有话直说。”石田斋问楚留香，“你知不知道是谁要伊次去杀你的？”

“我知道，是你。”

“我为什么要他去杀你呢？”

老人自己回答了这个问题：“因为我要知道你是不是真有传说中那么大的本事。”

“你为什么要知道这一点？”

“因为我要你替我去杀一个人。”

“杀谁？”

“史天王。”

“你为什么要杀他？”楚留香问，“为什么不留着他来对付我们？”

“我要杀他，只不过是我跟他私人之间的一点点恩怨而已。”老人说话的态度还是那么温和，“我已经活得太久了，现在我活着唯一的愿望，就是希望能看到他比我先死。”

他用一双炯炯有神的眼睛凝视着楚留香。

“要他死当然很不容易，唯一能做到这件事的人，可能就是你。”石田斋说，“但是我也知道要你做这件事也同样不容易。”

他忽然拍了拍手，樱子姑娘立刻捧着口箱子进来了。

“我知道她用三十万两买了口箱子。”老人说，“可是我相信这口箱子大概还不止三十万两。”

他打开箱子，里面是满满一箱明珠碧玉。

楚留香叹了口气：“这口箱子大概最少也要值一百五十万两。就算这是贼赃，拿去卖给收赃的人，也可以卖七八十万两。”

老人抚掌而笑：“香帅的眼光果然高明极了，只不过我估价的方法却和香帅有一点不一样。”

“哪一点不一样？”

“我是用人来估价的。我一向喜欢以人来估价。”石田斋说，“我估计这口箱子大概已足够买到三千个黄花处子的贞操，也足够能买到同样多的勇士去替我拼命了。”

箱子里的珠光宝气在灯光下看来更辉煌，连楚留香都仿佛已看得痴了。

石田斋眯起了眼，看着楚留香。

“现在这口箱子已经是你的。”老人说，“如果你办成了我要你去办的那件事，另外还有一口同样的箱子也是你的。”

楚留香笑了，忽然也拍了拍手：“小情，你在哪里？你能不能进来一下？”

小情当然能进来。

如果她不在这里，这里怎么会叫忘情馆？如果这里没有小情，还有谁会到这里来？

小情其实并不能算太美，她的眼睛不算大，嘴也不算小，而且显得太瘦了一点。

可是她总是能让人忘不了她。

因为无论谁看见她，都会觉得她好像有一点特别的地方，和任何女人都不同的地方，和任何女人都不一样。

她当然也有些地方和别的女人一样，看见了珠宝，她的眼睛也一样会发亮。

“这口箱子里的东西最少值一百五十万两。”楚留香说，“要是这位老先生肯把这口箱子给你，你肯不肯陪他睡觉？”

“我怎么会不肯？”

小情声音柔柔的，软软的。

“我做的本来就是这种事，做我们这种事的女人，一辈子都赚不了这么多，如果一天晚上就能赚这么多，不管叫我干什么都行。”她柔柔地叹了口气，“只可惜今天晚上我恐怕没法子赚了。”

小情软软地靠在楚留香身上，用一根软软的手指替他摸着他的鼻子：“因为今天晚上有你在，我要陪你。”

石田斋的脸色忽然变得煞白，因为他已经明白楚留香的意思。

楚留香已经用一根硬硬的手指把这口箱子推了过去，推到他面前。

“看起来，今天晚上你好像已经没有希望了，不管你是要找人陪你睡觉，还是要找人替你拼命，都没有希望了。”

他的笑容也同样温和文雅而有礼。

“所以你最好还是走吧！带着你这口箱子走，而且最好快一点走。”楚留香带着笑说，“因为我可以保证，明天晚上你恐怕也一样没有希望的。”

还不到三更，楚留香就已经睡着了，不是睡在小情的床上，是睡在一辆马车上。

他喜欢在车上睡觉，一觉醒来，已经到了另一个地方，说不定是个他从未到过的陌生地方，这种感觉也是很有趣的。

坐车和睡觉本来都是很浪费时间的事，而且很无聊，经过他这么样一混合之后，就变得有趣了。

世界上有很多事都是这样子的，生命中本来就有很多不如意、不好玩的事会发生，谁都无法避免，可是一个真正懂得享受生命的人，总会想法子去改变它。

车轻马健，走得很快，楚留香却还是睡得很熟。

忽然间，车窗被轻轻推开，一个人如蛇般从车顶上滑了进来。腰肢纤细柔软而灵活，一双修长结实的腿充满了弹力，轻轻巧巧地在楚留香对面坐下，用一双黑白分明的大眼睛看着他，已经看了很久。

楚留香却好像完全不知道。

他睡得就像是只懒猫，要把一只睡着了的懒猫叫醒实在很不容易，可是我们这位阴魂不散的樱子姑娘总是有她的法子的。

她决心要先让这只懒猫嗅到一点鱼腥味。

一只猫嗅到鱼腥的时候还不会醒，那么这只猫就不是懒猫，是死猫了。

这里又没有鱼，哪里来的鱼腥味?

樱子只有先把自己变成一条鱼，一条像楚留香这种懒猫最喜欢的鱼。

楚留香果然很快就已经开始受不了了。

他的眼睛虽然还是闭着的，可是他的手已经捉住了她的手。

“不可以这样子，我会打你屁股的。”

樱子吃吃地笑了：“我就知道你没有真的睡着，可是你如果再不睁开眼睛来，我说不定就要把你吃下去了。”

猫吃鱼，鱼有时也会吃猫，不但会吃猫，还会吃人。

楚留香叹了口气，总算睁开了眼睛，而且已经开始在摸鼻子：“你能不能告诉我，为什么一定要把我吵醒？为什么不能让我睡一觉？”

“我睡不着，你也不能睡。”

“你为什么睡不着？”

“我有心事。”

“你也有心事？”楚留香好像觉得很奇怪，“你怎么会有心事？”

“因为我听到了一些本来不应该听到的话。”樱子说，“你本来也不会让我听到这些话的，只可惜那天晚上你坐在屋顶上喝酒的时候，喝得太痛快了，竟忘了附近有个学过十七年忍术的女人，也跟你一样，是个偷听别人说话的专家。”

楚留香苦笑：“那天我们说的话你全都听见了？”

“就因为我听见了，所以才奇怪。”樱子说，“你自己明明已决心要去找史天王，石田斋要你去的时候，你为什么反而要拒绝他？那是一百五十万两银子，可不是一百五十两，你为什么不收下来？难道你认为他的人太好了，不忍心拿他的银子？”

“也许是的。”

“那你为什么又硬要从我这个可怜的女人身上弄走三十万两呢？”

“因为你不但要偷看别人洗澡，而且还要把别人装到箱子里去。”

樱子盯着他看了半天，才轻轻叹了口气：“我知道你说的不是真话，你不肯收石田斋的银子，只不过因为你讨厌他那种人，不愿意替他做事而已。”樱子说：“如果你讨厌一个人，就算他把银子堆在你的面前，堆得比山还高，你也不会去看一眼的。”

楚留香笑了：“这么样说来，我既然肯要你的银子，当然是因为我喜欢你了。”

樱子又盯着他看了很久，忽然说：“我也喜欢你，我比谁都喜欢你，当然也比那位公主更喜欢你，我也知道你喜欢我是假的，我喜欢你却一点不假。”

她抓住楚留香的手，不让楚留香去摸鼻子。

“可是我实在不明白你是个什么样的人。”樱子说，“石田斋要对付史天王，只因为史天王抢去了他的爱妾豹姬。你呢？你为的是什么，难道真的是为了那位公主？”

楚留香不回答，却反问：“史天王抢走了石田斋的爱妾，所以他才要你去偷史天王的公主，可是玉剑山庄里高手如云，你怎么能把她装进箱子偷走的？”

“三个月前我就想法子接替了香儿的差使。”樱子又解释道，“香儿就是专门伺候公主洗澡的丫头。”

她眨着眼笑道：“你大概也知道那位公主是个很喜欢干净的人。换下来的衣服很少再穿第二次，常常要我把一箱子一箱子的旧衣服拿出去送人。这已经不是第一次了。”

“只不过这一次你拿出来的那口箱子里装的不是旧衣服，而是穿衣服的人。”楚留香叹了口气，“听你说起来，这件事好像简单得很。”

“本来就简单得很。”樱子说，“世上有很多看起来很复杂困难的事，其实都是这么简单的。”

她的表情忽然变得很严肃：“只不过如果有人想混上史天王那条名字叫作‘天王号’的大海船，那就没有这么简单了，就算是无所不能的楚留香，恐怕也一样办不到。”

“哦！”

“一个月里，他总有二十多天住在那条船上，如果你上不了那条船，就根本见不到他的人，如果你根本不知道船在哪里，怎么能上得了船？”

“有理。”楚留香承认，“要做到这件事实在不简单。”

樱子却又笑了，笑得就像是朵盛开的樱花。

"幸好问题还是可以解决的。"她说,"不管多困难的事,总有法子可以解决。"

"怎么解决?"

"你只要能找到一个有办法的人帮你的忙,问题就解决了。"

"谁是这个有办法的人?"

"我!"

樱子用一根白白柔柔细细的手指,指着她那个玲珑小巧的鼻子:"这个有办法的人就是我。"

楚留香也笑了,笑得比樱子还愉快。

"这么样看起来,我的运气好像还不错,居然能遇到你这么一个有办法的人。"

"我早就听说你的运气一向都好得很。"

"可是你为什么要帮我这个忙?"

"第一,因为我高兴;第二,因为我愿意。"樱子用一双仿佛已将漫出水来的笑眼看着楚留香,"第三,因为我喜欢你。"

"你怎么会忽然变得这么喜欢我的?"楚留香还是笑得很愉快,"是不是那位石田斋先生又花了几十万两银子要你来喜欢我?"

"你怎么能这样子说话?"樱子有点生气了,"你为什么总是要把我看成一个无情无义的女人?"

"我知道你又有情,又有义;我也知道,如果没有你,这件事我是绝对办不成的。"楚留香柔声道,"可是你知不知道现在我最想做的一件事是什么事?"

"我不知道。"樱子眨着眼,声音比蜜糖还甜,"我真的不知道。"

"我相信。"楚留香的声音更温柔,"我相信你非但不知道,而且连想都想不到。"

樱子媚眼如丝："也许我知道呢？我早就想到了呢！"

她没有想到。

因为她这句话刚说完，楚留香就已经推开车门，把她从车厢里像抛球一样抛了出去。

## 第十章

# 事如春梦了无痕

这是条精美的三桅船，洁白的帆、狭长的船身，坚实而光润的木质给人一种安定迅速而华丽的感觉。

阳光灿烂，海水湛蓝，海鸥轻巧地自船桅间滑过，远处的海岸已经只剩一片朦胧的灰影，船舱下不时传来娇美的笑声。

这是他自己的世界，绝不会有他厌恶的访客。

他已经回来了，正舒舒服服地躺在甲板上，喝着用海水镇过的冰冷的葡萄酒。

只可惜这时候车马忽然停下，他的梦又醒了。

楚留香叹了口气，懒洋洋地坐起来，车窗外仍是一片黑暗，距离天亮的时候还早得很。

——车马为什么要在这时候停下？难道前面又出了什么事？

楚留香已经发现有点不对了，就在这时，车厢的门忽然被人从外面拉开。一条黑凛凛的大汉铁塔似的站在车门外，赤膊、秃顶、左耳上挂着个闪亮的金环，身上的肌肉一块块凸起，黑铁般的胸膛上刺着条人立而起的灰熊，大汉的肌肉弹动，灰熊也仿佛在作势扑人。

三更半夜，荒郊野地，骤然看到这么样一条凶神恶煞的大汉，实在很不好玩。

楚留香又叹了口气："老兄，你这是什么意思？要是我的胆子小一点，岂非要被你活活吓死？"

大汉也不说话，只是用一双铜铃般的大眼瞪着他。

楚留香只有再问他："你是不是来找我的？"

大汉点了点头，却还是一声不响。

"你知道我是谁？来找我干什么？"楚留香又问，"你能不能开一开你的尊口说句话？"

大汉忽然对他咧嘴一笑，终于把嘴张开了，露出了一嘴野兽般的森森白牙，就好像要把楚留香连皮带骨一口吞下去。

楚留香吓了一跳，倒不是因为他的样子可怕而吓一跳。

就算他真的要吃人，楚留香也不是这么容易就会被吃掉的人。

楚留香之所以被他吓了一跳，只不过因为他忽然发现这条大汉的嘴里少了样东西，而且是样最不能少的东西。

这条大汉的嘴里居然只有牙齿，没有舌头。

他的舌头已经被人齐根割掉了。

楚留香苦笑："老兄，你既然不能说话，我又不知道你想干什么，你说怎么办？"

大汉又咧开嘴笑了笑，看起来对楚留香好像没有恶意，而且好像还在尽量表现出很友善的样子，但却忽然伸出一双比熊掌还大的大手去抓楚留香。

原来这条四肢发达的大汉头脑也不简单，居然还懂得使诈。

可是楚留香当然不会被他抓住了，这一点小小的花样怎么能骗得过聪明绝顶的楚香帅？

就算他的手再大十倍，也休想沾到楚留香一点边，就算有十双这么大的手来抓他，楚留香也依然可以从容游走，挥手而去。

令人想不到的是，轻功天下无双的楚香帅，居然一下子就被他抓住了。

这双手就好像是凶神的魔掌，随便什么人都能抓得住，一抓住就再也不会放松。

密林里有个小湖，湖旁有个水阁，碧纱窗里居然还有灯光亮着，而且还有人。

这个人居然就是楚留香。

布置精雅的水阁里，每一样东西都是经过细心挑选的，窗外水声潺潺，从两盏粉红纱灯里照出来的灯光幽美而柔和。

一张仿佛是来自波斯宫廷的小桌上，还摆着六碟精致的小菜和一壶酒。

杯筷有两副，人却只有一个。

楚留香正坐在一张和小桌有同样风味的椅子上，看着桌上的酒菜发怔。

他一把就被那大汉抓住，只因为他看得出那大汉对他并没有恶意，抓的也不是他的要害。

他当然也有把握随时能从那大汉的掌握中安然脱走。

最重要的一点还是，他实在很想看看那大汉究竟要对他怎么样。

但是直到现在，他还是不明白那大汉究竟是什么意思。

他把楚留香架在肩上，送到这里来，替楚留香扯直了衣服，拿了张椅子让楚留香坐下，又对楚留香咧嘴一笑，用最支吾的态度拍了拍楚留香的肩，然后就走了。

——他这是什么意思，是谁要他把楚留香送到这里来的？

——这地方的主人是谁？人在哪里？

楚留香连一点头绪都没有。

碧纱窗外星光朦胧，他推开窗户，湖上水波粼粼，满天星光仿佛都已落入湖水中。

天地间悄然无声，他身后却传来了一阵轻轻的足音。

楚留香回过头，就看到了一弯足以让满天星光都失却颜色的新月。

“是你？”楚留香尽量不让自己显得太惊讶，“你怎么会到这里来的？”

新月的眼波也如新月。

“我常到这里来。”她幽幽地说，“每当我心情不好的时候，就会到这里来。”

她忽然笑了笑，笑容中带着种说不出的寂寞。

“车子的轮轴常常都需要加一点油，人也一样，往往也需要一个人静下来想一想。”她说，“有时候，寂寞就像是加在车轴上的那种油，可以让人心转动起来轻快得多。”

她的样子看起来好像有点怪怪的，说出来的话也有点怪怪的，好像已经不是楚留香那天在箱子里看见的那女孩，和那个冷淡而华贵的玉剑公主更好像是完全不同的两个人。

“只可惜今天晚上你好像已经没法子一个人静下来了。”楚留香故意说，“因为我暂时还不想走。”

“就算你要走，我也不会让你走。”新月说，“我好不容易才把你请来，怎么会让你走？”

“是你请我来的？”楚留香苦笑，“用那种法子请客，我好像还没有听说过。”

新月眨着眼笑了。

“就因为你是个特别的人，所以我才会用那种特别的法子请你。”她说，“如果不是因为你又动了好奇心，谁能把你请来？”

楚留香也笑了。

“不管怎么样，能找到那么样一个人来替你请客，也算你真有本事。”楚留香说，“我第一眼看见他的时候，还以为是看到了一头熊。”

“他本来就叫作老熊。”

“他的舌头是怎么回事？”楚留香忍不住问，“是谁有那么大的本事，能把那么样一条大汉的舌头割下来？”

“是他自己。”

楚留香又怔住：“他自己为什么要把自己的舌头割下来？”

“因为他生怕自己会说出一些不该说的话。”

新月淡淡地说：“你也应该知道，我这个人经常都有一些不能让别人知道的秘密。”

楚留香又开始在摸鼻子：“今天你找我来，也是个秘密？”

“是的。”

新月用一种很奇怪的眼神看着楚留香：“直到现在为止，除了我们自己之外，绝不会有别人知道你来过这里。”

“以后呢？”

“以后？”新月的声音也很奇怪，“以后恐怕就没有人知道了，连我们自己都不知道。”

“为什么？”

“因为我们一定会把这件事忘记的。”

说完了这句话，她又做了件更奇怪的事。

她忽然拉开了衣带，让身上穿着的一件轻袍自肩头滑落，让柔和的灯光洒满她全身。

于是楚留香又看到了她那一弯赤红的新月。

新月落入怀中。

她的胴体柔软光滑而温暖。

“我只要你记住，”她在他耳边低语，“你是我第一个男人，在我心里，以后恐怕也不会再有第二个人了。”

“你为什么要这样做？”

“你要为我去找史天王，而且明明知道这一去很可能就永远回不来了。”她问楚留香，“这种事你以前会不会做？”

“大概不会。”

“像今天我做的这种事，我本来也不会做的。”她柔声说，“可是你既然能做，我为什么不能？”

水波荡漾，水波上已有一层轻纱般的晨雾升起，掩没了一湖星光。

夜已将去，人也已将去。

“我见过我父亲一次。”新月忽然说，“那还是在我很小很小的时候，我母亲叫我一个奶妈带着我去的，现在我还记得他那时候的样子。”

此时此刻，她忽然提起了她的父母，实在是件让人想不到的事。

楚留香本来有很多事想问她的。

——你的母亲自己为什么不去见他？他们为什么要分手？

他还没有问，新月又接着说：“我还记得他是个很英俊的男人，笑起来的时候样子更好看，我实在很想要他抱一抱我。”

新月的声音很平静：“可是他的手一直都在握着他的剑，握得好紧好紧，吓得我一直都不敢开口。”

“他也一直都没有抱你？”

“他没有。”

楚留香什么事都不再问了。

一个流落在天涯的浪子，剑锋上可能还带着仇人的血，忽然看到自己亲生的女儿已经长得那么大了，那么纯洁、那么可爱，他怎么忍心让她为了惦记着他而终生痛苦？他怎么能伸出他的手？

这是有情，还是无情？就让人认为无情又何妨？

一个流落在天涯的江湖人，又有谁能了解他心里的孤独和寂寞？

他又何尝要别人去了解他？

晨雾如烟，往事也如烟。

“从此我就没有再见到过他，以后我恐怕也不会再见到他了。”新月说，“我只希望你能告诉他，我一直都活得很好。”

楚留香沉默着，沉默了很久：“以后我恐怕也未必能见到他。”

“是的，以后你也未必能见到他了。”新月幽幽地说，“以后你恐怕也不会再见到我。”

长江，野渡。

野渡的人，却没有空舟，人就像空舟一样横卧在渡头边，仰望着天上一朵悠悠的白云。

白云去来。

白云去了，还有白云会来。

人呢？

“睡在那里的人是不是楚香帅？”

一条江船顺流而下，一个白衣童子站在船头上，远远地就在放声大呼。

“船上有个人想见楚香帅，楚香帅一定也很想见他的。”童子的嗓子清亮，“楚香帅，你要见就请上船来，否则你一定会后悔的。”

可是这条船并没有停下来迎客上船的意思，仰卧在渡头上的人也没有动。

江水滔滔，一去不返。

这条船眼看着也将要随着水浪而去了。

人却已飞起，忽然间飞起，掠过了四丈江流，凌空翻身，足尖踢起了一大片水花。

然后他的人就已经落在船头上，看着那个已经吓呆了的白衣童子微笑。

“我就是楚留香，你叫我上船，我就上来了。”他说，“可是船上如果没有我想见的人，你最好就自己先脱下裤子，等着我来打你的屁股。”

他笑得似乎有点不怀好意。

“樱子姑娘，你自己也应该知道，我完全没有一点想要见你的意思。”

船舱里一片雪白，一尘不染，舱板上铺着雪白的草席。

白发如云的石田斋彦左卫门盘膝坐在一张很低矮的紫檀木桌前，态度还是那么温和高雅而有礼。

“能够再见到香帅，实在是在下的幸运。”老人说，“在下特地为香帅准备了敝国的无上佳酿——菊正宗，但愿能与香帅共谋一醉。”

带着淡香的酒，盛在精致的浅盏里，酒色澄清，全无浑浊。

他自己先尽一盏，让跪侍在旁边的侍女将酒器斟满，再以双手奉给楚留香。

这是他们最尊敬的待客之礼。

“在下是希望香帅能明白，樱子上次去找香帅，绝不是在下的意思。”

“不是？”

“香帅风流倜傥，当世无双，世上也不知有多少女子愿意献身以进，又岂是别人的主意？”老人微笑，“这一点香帅想必也应该能明白的。”

他的态度虽然温和有礼，一双笑眼中却仿佛另有深意。

楚留香凝视着他，忽然问：“你怎么知道我会在这里？怎么能找到我的？”

石田斋的目光闪动。

“实不相瞒，在下对香帅这两天的行踪确实清楚得很。”

“有多清楚？”

“也许比香帅想象中更清楚。”

楚留香霍然站起，又慢慢地坐下，将一盏酒慢慢地喝了下去，脸上也露出了笑容。

“此酒清而不涩，甜而不腻，淡中另有真味，果然是好酒。”

他也让侍女将酒器斟满，奉送给老人，忽然改变了话题：“你知道我想见的人是谁？这个人此刻也在这里？”

石田斋却不回答，只是静静地望着窗外的滚滚江流，过了很久之后，忽然轻轻叹息：“你看这江水奔流，终日不停，就算有人将万两黄金整个丢下去，也只不过会溅起一片水花而已。等到水花消失时，江流还是不改，就好像什么事都没有发生过一样。”老人说：“不管你投入的是万两黄金，还是百斤废铁，结果都是这样子的。”

楚留香也在看着窗外的江水，仿佛也看得痴了。又过了很久，老人才接着道：“世事本就如此，这个世界上本来就有很多无可奈何的事，一过去之后，便如春梦般了无痕迹可寻。”

石田斋的叹息声中的确像是充满了悲伤。

“事如春梦了无痕，此情只能成追忆，让人根本没有选择的余地。”

他的笑眼中忽然射出了利刃般的精光，逼视着楚留香！

“可是你有。”石田斋说，“别人虽然没有，可是你有。”

“我有什么？”

“你可以选择，是要成全别人，让此情永成追忆，还是要成全你自己？”

他的声音也如利刃般逼人：“只要你愿意，我可以助你寻回你的梦中人，载你们到一处世外桃源去，让你们两情欢洽，共度一生。”石田斋厉声道：“这是别人梦寐以求而求之不得的，你若轻易放弃了，必将后悔痛苦终生。”

楚留香静静地听着，好像连一点反应也没有，只有他最亲近的朋友，才能看出他深藏在眼中的那抹痛苦之色。

可是他最亲近的朋友不在这里。

老人的声音又转为温和：“这是你的事，选择当然也在你。”

这种选择无疑是非常痛苦的，甚至比没有选择更痛苦。

楚留香却忽然笑了。

“我明白你的意思。”他说，“你劫人不成，杀我又不成，所以只有用这种法子，要我助你破坏这门亲事。因为史天王和杜先生联婚之后，你更没法子对付他了，简直连一点机会都没有。”

石田斋神色不变。

“纵然我确有此意，对你也是有好处的。”老人说，“既然是对彼此都有利的事，又有何不可行？”

“只有一点不可。”

“哪一点？”

“其实还不止一点，最少也有两点。”楚留香悠然道，“第一，我并不想到什么见鬼的世外桃源去。灯红酒绿处，罗襦半解时，就是我的桃源乐土。”

他自女侍手中接过了酒壶：“第二，我根本就不想娶老婆，我这一辈子连想都没有去想过。”

石田斋沉默。

楚留香一手托酒盏，一手持酒壶，自斟自饮，一杯接着一杯喝个不停。

石田斋看着他，瞳孔仿佛在渐渐收缩，声音却变得更温和：“江湖传言，昔年血衣剑客薛衣人剑法号称当世第一，可是也曾败在香帅手下。”老人说：“在下也曾学剑多年，也想领教香帅的剑法，就请香帅赐教。”

他并没有站起来，他的手中也没有剑。

这个自称曾经学剑多年的老人，只不过用两根手指拈起了一根筷子，平举在眼前。

这不是攻击的姿势。

可是一个真正学过剑的人，立刻就可以看出，这种姿势远比世上所有的攻击都凶险，甚至远比春雷的刀和杜先生的花枝更凶险。

就在这完全静止不动的一姿一势一态间，已藏着有无穷无尽的变化与杀机。

他的手中虽然没有春雷伊次那种势如雷霆的秘剑，但却完全占取了优势。

因为楚留香全身上下每一处空门，都已完全暴露在他眼前。

他手里的这根筷子虽然也没有采取杜先生那种抢尽先机的一刺，可是他也没有让楚留香抢得机先。

抢就是不抢，不抢就是抢，后发制人，以静制动。剑法的精义，已尽在其中。

何况楚留香根本不能抢，也不能动。

楚留香正在倒酒。用一只手托酒盏，一只手持酒壶，为自己倒酒。

他自己已经将自己的两只手全都用在这种最闲适、最懒散、最没有杀气的行动中，他心里就算有杀机与戒备，也已随着壶中的酒流出。

他怎么能动?

可是壶中酒总有倒尽倒完的时候，酒盏也总有斟满的时候。

无论是壶中的酒已倒完，还是酒盏已被斟满，在那一刹那间，他不动也要动的。

石田斋的杀手也必将出于那一瞬间。

这一杯酒，大概已经是楚留香最后的一杯酒了。

酒在杯中。

花姑妈满满地为胡铁花倒了一杯酒，虽然是金杯，也只不过是一杯。

一杯酒就是一杯酒，不是三杯，也不是三百杯。

这一杯酒和别人喝的一杯酒唯一不同的地方是这个杯子。

连胡铁花都没有见过这么大的杯子。

幸好他是胡铁花，他喝酒的历史已经有二十多年了，喝醉的次数大概已经有四五千次，有时候，他一天喝的酒甚至比别人一辈子喝的加起来都多。

可是他喝了这杯酒之后，还是喘了半天气才能开得了口。

“我的妈呀！”胡铁花大叫，“你给我喝酒的这玩意儿到底是个酒杯还是个洗澡盆？”

花姑妈吃吃地笑，又捧起了个大酒坛，好像又要替他斟酒的样子。

胡铁花的眼睛瞪得比牛弹子还圆。

“你这是什么意思？”

"我会有什么别的意思？我只不过想再敬你一杯而已，因为你马上就要走了，要去办大事去了，虽然不是西出阳关，我也要劝你更进一杯。"

花姑妈的声音温柔，笑得也温柔，笑容中，居然还带着点淡淡的离愁。

"劝君更进一杯酒，东海之滨无故人。"她说，"来，我也陪你喝一杯。"

"就算没有故人，我也会回来的，何况那个老臭虫现在一定已经到了那里。"胡铁花苦笑，"可是我如果真的再喝这一杯，恐怕就要死在这里了。"

花姑妈笑了笑："你认为楚留香真的会去？"

"他说他会去，就一定会去，就算是上刀山、下油锅，也一定会去。"

"要是他去不成呢？"

"怎么会去不成？"胡铁花又瞪起了眼，"如果他自己要去，有谁能不让他去？有谁能拦得住他？"

花姑妈叹了口气："如果没有人知道他要去，现在他确实很可能已经到了那里，只可惜他有个朋友的嘴巴比洗澡盆还大。"

"不错，我是个大嘴巴。"胡铁花理直气壮，"这又不是什么丢人的事，我为什么不能告诉别人？"

"你当然可以告诉别人，随便你要告诉谁都行。"花姑妈说，"只不过知道这件事的人愈多，他的麻烦也就愈多。"

她又叹了口气："史天王的手下又不是吃素的，单只一个白云生，就已经足够让他吃不消了。"花姑妈说得很慎重："我可以保证，白云生的剑法绝不在当年的薛衣人之下。"

胡铁花还不服气，还要争辩，可是外面已有人通报，送亲的行列已将启程了。

花姑妈忽然抱住了胡铁花："这一路上凶险必多，你一定要特别注意，多多保重。"她在他耳边轻轻地说："我虽然不是你的亲妈，可是一直都把你当宝贝儿子一样，你千万不能死在路上。"

夜已渐深，江上已亮起了点点渔火，看来仿佛比天上的星光更亮。

船舱里却仍是一片黑暗，石田斋彦左卫门一个人静静地坐在黑暗里，那个装着京都御守屋精制的火镰和火石的锦囊虽然就近在他手边，可是他并没有击石点火燃灯的意思。灯光是樱子带进船舱的。

娇小的樱子仍作童子装，漆黑的长发挽成一对垂髫，闪亮的大眼中充满惊奇："只有先生一个人在这里？"

"这里本来就只有我一个人。"石田斋的声音疲倦而沉郁，听起来就像是个刚跋涉过长途、自远方归来的旅人。

"楚留香呢？"

"他走了。"

"他怎么能走的？"

"来者自来，去者自去，来来去去，谁管得着？"

樱子睁大眼睛，显得更吃惊。

"可是我刚才还看见先生以筷作剑，成青眼之势，楚香帅明明已完全被控制在先生的剑势中，怎么能走得了呢？"

樱子又问："难道他能躲得过先生那必胜必杀的出手一击？"

石田斋遥望着江上的一点渔火，过了很久，才悠悠地说："他没有躲，也不必躲。"

"为什么？"

"因为我根本没有出手。"

樱子坐下来，吃惊地看着他："先生为什么不出手？"

"我不能出手。"石田斋说，"因为我完全没有把握。"

远方的渔火在他眼中闪烁，老人的眼中却已失去原有的光彩。

"当时他正在斟酒，我本来准备在他那杯酒倒满时出手的。"石田斋说，"酒杯一满，他倒酒的动作势必要停下来，否则杯中的酒就要溢出，那一瞬间，正是我最好的机会。"

"我明白。"

樱子说："在那种情况下，牵一发已足动全身，无论是酒杯满溢，还是他本身的动作和姿势改变，都会影响到他的精气与神貌，只要他的神体有一点破绽，先生就可以将他刺于剑下。"

"是的。"石田斋默然叹息，"当时的情况本来应该是这样子的。"

"难道后来有了什么特别的变化？"

石田斋苦笑："楚留香实在是非常人，他应变的方法实在令人想象不到。"

"难道他那杯酒始终都没有倒满？"樱子说，"难道那壶酒恰巧在那一瞬间倒空了？"

"你这种想法已经很好，"石田斋说，"可惜你还是想得不对。"

"哦？"

"如果那壶酒真的恰巧在那一瞬倒完，现在他已死在我剑下。"石田斋说，"酒壶倒完，精气泄出，也是我的机会。"

"那壶没有倒完？"

"没有。"

"酒杯也没有倒满？"

"也没有。"

樱子看着灯下的酒杯和酒壶："他一直在倒酒，可是一直都没有把酒壶倒完，杯中的酒也一直都没有溢出来？”

“是的。”

“那么我也实在想不通这是怎么回事了。”樱子也不禁苦笑，“难道这个酒杯有什么魔法？”

“酒杯无法，他的人却有法。”

“什么法？”

“循环流转，生生不息。”石田斋说，“这八个字就是他的法。”

“这是什么法？我不懂。”

“他以一只手持酒盏，一只手持酒壶，壶中的酒流入杯中时，已将他左手与右手间的真气贯通。”石田斋说，“真气一贯通，就循回流转不息，杯中与壶中的酒，也随之循回流转不息。”

“所以壶中的酒永远倒不完，杯中的酒也永远倒不满？”

“是的。”

“真气与酒两造在循回流转，就把他的势造成了一个圆？”

“是。”

“浑圆无极，永无破绽？”

“是。”

“所以先生一直都等不到出手的机会。”

石田斋长长叹息：“圆如太极，生生不息，我哪里会有机会？”

樱子也叹了口气。

“这么样一个花天酒地不务正业的人，居然有这么大的本事，这种事有谁会相信？”樱子苦笑，“可是现在我好像也不能不相信了。”

石田斋沉默了很久。

“你相信，我也相信。”他说，“除了你我之外，最少还有一个人。”

“什么人？”

“我也不知道他是什么人，可是我知道的确有这么样一个人，而且的确到过这里。”

“先生没有看见他？”

“我没有。”石田斋说，“就在我与楚留香以至高无上的剑意剑势对峙时，这个人就在无声无息中忽然出现了，在那种情况下，我根本没有分心去看他一眼的余力。”

“他也没有什么举动？”

他一直都在静静地看着我们，直到最后，才说了几句话。

“——石田斋先生已经败了，楚香帅也不妨走了，再这么样僵持下去，对两位恐怕都没有什么好处的，对我却很有利。”

“对他有利？”樱子问，“有什么利？”

“渔翁之利。”石田斋说，“如果我们再僵持下去，他举手间就可以将我们置之于死地。”

“楚留香不是常人，其间的利害，他一定能看清的。”

“我也一样也分得清，所以我们几乎是在同一瞬间罢手的。”石田斋说，“也就在那一瞬之间，这个人也已悄然而去！”

樱子痴痴地出了半天神，才轻轻地叹了口气。

“这人究竟是什么人呢？”她幽幽地说，“像这么样一个人，一定也跟楚留香一样，一定也有很多女人喜欢他的。不管他是高是矮、是胖是瘦、是丑是俊，都会有很多女人喜欢他。”

樱子说：“女人总是会喜欢这种聪明人的。”

# 第十一章

## 最难消受美人恩

女人，好多女人，好多好看的女人，好好看！

女人在床上，床在船上。

这条船上有一张床，好大好大的一张床。

江上已有了渔火，天上已有了星光，星光与渔火照亮了一叶扁舟，也照亮了舟上的人影。

楚留香掠出石田斋的船舱，就看见了这个人，一身白衣如雪。

江水在星光与渔火间闪烁着金光，金黄色的波浪上漂浮着三块木板。

楚留香以燕子般的身法，轻点木板，掠上了扁舟。

扁舟上的白衣人却又已飞起，如蜻蜓抄水，掠上了另一艘江船。

船上无星无月，无灯无火，可是等到楚留香上船时，灯火就忽然像秋星明月般亮起来了。

白衣人已不见。

楚留香只看见一床女人，一船女人。

一床女人不可怕，一船女人也不可怕，可怕的是，这些女人居然都是他认得的，非但认得，而且每一个都很熟。

非但很熟，而且熟得很，简直可以说熟得要命。

楚留香实在不能不摸鼻子了。

在苏州认得的盼盼、在杭州认得的阿娇、在大同认得的金娘、在洛阳认得的楚青、在秦淮河认得的小玉、在莫愁湖认得的大乔。

除了这些在各州各地认得的女孩子之外，还有那个刚和他分手不久的情情。

他忘不了情，也忘不了她们。

她们更忘不了他。

可是他做梦也想不到她们居然会忽然同时出现在一个地方。

如果他偶然遇到其中一个，不管是在什么地方，不管遇到其中的哪一个，他都会觉得很开心的，甚至会开心得要命。

可是忽然间一下子就把所有的人全都遇到了，这就真要了他的命了。

这种事简直就好像是噩梦一样，随便什么样的男人，都绝不会愿意遇到这种事的。

最要命的是，每一个女人都在用一种含情脉脉的眼光看着他，都认为自己是他唯一的情人，也把他当作自己唯一的情人。

如果你也是个男人，如果你遇到了这种事，你说要命不要命？

楚留香不但要摸鼻子，简直恨不得要把自己的鼻子割下来。

——一个人如果把鼻子割了下来，别人大概就不会认得他了。

不幸的是，已经有人在说："你拼命摸鼻子干什么？"说话的是大乔："就是你把鼻子割掉，我也认得你的。"

大乔说话最直爽，做事也最痛快。

大乔好像已经准备冲过来，把这位从来没有怕过别人的盗帅楚留香裹上床了。

楚留香想躲也躲不掉，因为这条船的船舱里除了这张床之外，剩下的空地已经不多。

幸好这时候那个神秘的白衣人忽然又出现，清清爽爽的一身白衣裳，文文雅雅的一张笑脸，再加上秋星明月般的一对笑眼，笑眼中还仿佛不时有白云飘过，悠悠远远的那么样一朵白云。

“我姓白，白云的白，我的名字就叫作白云生。”这个人说，“楚人江南留香久，海上渐有白云生，后面这句话说的就是我。”

楚留香笑了：“前面一句说的是我？”

“是。”

“这是谁说的？”

“是我自己。”白云生的态度严肃而客气，“我能够把你和我相提并论，应该是你的荣幸。”

一个人能够用这么有礼的态度说出这种话来，实在是件很奇怪的事，而且很滑稽。

但他却说得很自然。

就算是天下最滑稽的事，从他嘴里说出来，也绝不会让人觉得有一点好笑的意思。

楚留香忽然发现自己又遇到了一个奇怪的人，也许要比他这一生中遇到的任何人都奇怪得多。

“这几位姑娘我想你一定都认得。”白云生说，“我也知道她们都是你喜欢的人。”

楚留香不能不承认。

白云生看着他，笑眼中闪着光：“抱歉的是，我对你的了解还不够多，还不知道你最喜欢的是谁，所以只有把她们全都请来了。”

他的笑容也很文雅：“如果你对她们其中某些人已经厌倦了，我立刻就可以请她回去。”

白云生说：“我做事一向都很周到，从来也不愿让朋友为难。”

楚留香苦笑。

像这么周到客气的人，他这一辈子还没有遇到过一个。

他已经觉得有点吃不消了。

白云生偏偏还要问他："随便你要我送哪一位回去，都不妨说出来，我一定照办。"

楚留香能说什么？

七八双眼睛都在瞪着他，好像都恨不得要狠狠地咬他一口。

楚留香只有硬起头皮来说："她们都是我的好朋友，每一个人我都喜欢，不管是谁走了，我都会伤心的。"

白云生微笑："香帅果然是个多情人，实在让我羡慕得很。"

楚留香连看都不敢再去看那些女孩子们了，甚至连想都不想去想现在她们脸上的表情是什么样子。

"多情人最怕的就是寂寞，这一点我也明白。"白云生说，"所以我才把她们请来，陪香帅到一个地方去，去见一个人。"

"去见什么人？"

"是一个香帅最想见而见不到的人。"

"史天王？"楚留香几乎要跳了起来："你说的是不是史天王？"

"是。"

"你知道他在什么地方？"

白云生微笑点头："那地方虽然遥远，可是现在我已看得出，这一路上香帅是绝对不会寂寞的了。"

不管是情情、盼盼、阿娇、金娘、楚青、大乔、小玉都一样，都是非常可爱的女人，都和楚留香有过一段不平凡的遭遇，也都和楚留香共同度过了一段极美好的时光，令人终生难忘。

不管是她们之间的哪一个，不管在什么时候、什么地方遇到楚留香，都一样是会对他像以前那么温柔体贴。

现在的情况却全不一样了。

现在如果有人对楚留香好一点，别的女孩子一定会用白眼看她，认为她是在献媚邀宠，她自己也会觉得很没面子。

她们又不是那种低三下四的路柳墙花，怎么做这种丢人的事？

楚留香非常了解这种情况，绝对比世上大多数人都了解得多。

所以他绝没有希望她们会给他好脸色看，更没有希望她们会对他投怀送抱，嘘寒问暖。

——三个和尚没水喝。这个世界上有很多事都是这样子的。

这一点楚留香当然也非常了解。

只要她们不联合在一起来对付他，他已经要谢天谢地了。

——她们会不会这么做呢？

看到这些大姑娘大小姐脸上的表情，他实在有点心惊胆战。

他一向很了解她们的脾气，无论她们做出什么事来，他都不会觉得意外的。

所以他只有开溜了，溜到后面，找到间空舱，一头钻进去，钻进被窝，蒙头大睡。

不管怎么样，能够暂时避一避风头也是好的，等到她们的火气过去再说。

这就是楚留香聪明的地方，也是他了不起的地方。

更了不起的是，他居然真的睡着了。

这一觉睡醒时，已经不知道是什么时候了，船舱外寂无人声，也不知道到了什么地方。

那些大小姐们怎么会连一点声音都没有？现在正在干什么？是不是正在商议着对付他？

楚留香叹了口气，忽然觉得男人们确实应该规矩一点，如果是遇到了一个又温柔又美丽又多情的女孩子，就算不能把她一脚踢出去，也应该夺门而出，跳墙而去，落荒而逃。

这当然是他平生第一次有这种想法，却不知道是不是他这一生最后一次。

就在他坐在床上摸着鼻子发怔的时候，隔壁房里忽然传来有人用大壶倒水的声音。

楚留香全身都痒了。

他至少已经有两三天没洗澡，能够坐在一大盆洗澡水里，那有多么好？

只可惜他并没有忘记这是一条船，船虽然在水上，可是船上的水却比什么地方都珍贵。

何况那些大小姐们现在又怎么会替他准备洗澡水？他简直连想都不敢想。

奇怪的是，洗澡水居然已经替他准备好了。

舱房间的一扇门忽然被打开，他就看到了这一大盆洗澡水。没有人，只有洗澡水。

不但有洗澡水，还有换洗的衣服，叠得整整齐齐的摆在一张椅子上。

衣服是崭新的，肥瘦长短大小都刚刚好，就好像是量着他身材定做的一样。

洗澡水也不冷不热，恰好是他喜欢的那种温度。甚至连洗澡用的栀子膏都是他最喜欢的那一种。

——这是谁为他准备的？

她们虽然都知道他的身材，也知道他的喜好，可是她们之间还有谁对他这么体贴呢？

难道这就是她们对付他的战略？故意对他好一点，让他心里惭愧，然后再好好地修理他一顿？

痛痛快快地洗了个澡，换上了一身柔软合身的新衣服，他心里的想法又改换了。

——她们本来就应该对他好一点的，像他这样的男人，本来就不会一辈子守着一个女人，她们本来就应该了解这一点。

现在她们大概已经全都想通了。

想到这里，我们的楚香帅立刻又觉得愉快起来，高高兴兴地走出船舱。

外面阳光灿烂，是个极晴朗的天气。从窗口看出去，可以看到好几里之外的江岸。

大舱却没有人，那些大小姐们居然连一个都不在。

楚留香正在奇怪，就看到了一条船正由江心驶向江岸。

看到了这条船，楚留香的心又沉了下去。

情情、盼盼、阿娇、金娘、楚青、大乔、小玉，居然全都在那条船上，用一种很奇怪的眼色看着他，向他挥手道别。

长天一碧如洗，远远看过去，仿佛已经可以看见海天相接处，江水也流得更急了。

江船顺流而下，一泻千里，近在咫尺间的人，瞬息间就可能已远在天涯。

——她们为什么要走？是被迫而走的，还是她们自己要离开他？

——这问题现在已经用不着回答，因为浊黄的江水中已经出现了几条雪白的影子，鱼一般飞跃游动，少女般美丽活泼。

是鱼如美人？还是美人如鱼？

鱼不会上船，人上了船。

她们身上穿的衣裳还是像楚留香上次见到她们时一样，最多也只不过比鱼多一点而已，可是她们对楚留香的态度却改变了很多。

她们的态度居然变得很恭敬、很有礼，而且还好像特地要跟他保持一段距离。

这种情况好像从来也没有在楚留香身上发生过。

楚留香苦笑："你们这次又想来干什么？是想来吃人，还是要人吃你们？"

看她们的样子，倒真的有点像是怕楚留香会把她们像鱼一样一条条吃下肚子里去。

这种样子已经很让人受不了。

最让人受不了的是，她们居然还笑着说："如果香帅真的要吃我们，那么就请香帅尽量地吃吧。"

"真的？"楚留香故意作出很凶恶的样子，"我真的可以尽量地吃？"

"当然是真的！"长腿的女孩子说："不管香帅想吃谁，都可以挑一个去吃。"

她的腿在阳光下看来更结实，更有光泽，更有弹性："香帅要吃谁就吃谁，要吃什么地方就吃什么地方，随便香帅要怎样吃都可以。"

她们每个人看起来都很好吃，每个地方看起来都很好吃。

尤其是在如此明亮的阳光下。

可是楚留香却好像不敢再看她们了。

她们不是鱼，是人，她们都这么年轻，这么健康，这么样充满了生命的活力。

所以楚留香更想不通："你们几时变得这么样听话的？"

"二将军这次要我们来的时候，就吩咐我们一定要听香帅的话，不管香帅要我们干什么都行。"大眼睛的女孩子说，"所以我们才害怕。"

"害怕？"楚留香问，"怕什么？"

“怕香帅真的把我们吃掉。”

楚楚可怜的女孩子又露出一副楚楚可怜的样子：“我尤其害怕，怕得要命。”

“为什么？”

“因为我知道香帅如果要挑一个人去吃，第一个被挑中的一定是我。”

楚留香没有吃她，并不是因为她不好吃，也不是因为他不想吃。

楚留香没有吃她，只不过因为江口外的海面上，忽然传来了一阵鼙鼓声，就好像有千万匹战马踏着海浪奔驰而来。

来的当然不是马，是一条船，一条楼台般的战船。

海天辽阔，万里无云，楚留香已经看见了它幪幢的船影。

人鱼们立刻雀跃欢呼：“二将军来了！”

“这位二将军是谁？是谁的将军？为什么要你们来找我？如果他是史天王的将军，你们也应该算是史天王的属下，那么你们为什么不让胡铁花护送公主到史天王那里去？难道你们这位二将军也不赞成这门亲事？”

没有人回答这些问题。

四个女孩子的嘴，好像忽然都被人用一块大泥巴塞住了，连气都不能再喘。

战船已破浪而来，远远就可以看到甲板上有人影奔腾，排成一行行极整齐的行列。

船上旗帜鲜明，军容整肃壮观，显然每个人都是久经风浪能征善战的海上健儿。

唯一奇怪的是，这些战士居然没有一个男人。

海口附近的渔舟商船都不知道躲到哪里去了，江岸上甚至连个人影子都看不见。

战船上放下一道绳梯，楚留香就一步步登上去。

他的眼睛刚露出甲板，看见的就是一双双已经被晒成古铜色的腿。

脚跟靠紧，双腿并立，中间几乎连一点空隙都没有。

每一双腿都那么结实，那么健美，楚留香这一生中也没有看到过这么多双女人的腿。

坚实而富有曲线的小腿上面，是浑圆的大腿，再上面就是一条条闪着银光的战裙。

战裙很短。

战裙是敞开着的，为了让她们的腿在战斗时行动得更方便些。

楚留香没有再往上面看了，因为他也不想让别人看到他一下子掉到海里去。

战船又已出海。

掌舵扬帆操作每一项行动的水手也都是女人，楚留香忽然发现这条船上唯一的男人就是他自己。

没有人看他，也没有人理他。

水手们都专心于自己的工作，战士们都石像般站在那里。

“骑马倚斜桥，满楼红袖招”的楚香帅，到了这条船上，竟变得好像是个废物一样，这些女人却好像一个个都是瞎子，连看都不看他一眼。

她们当然都不是瞎子，楚留香就不信她们真的看不见。

他故意走过去，从她们的面前走过去，虽然尽量不让自己碰到她们挺起的胸，可是距离她们也够近的了。

想不到她们连眼睛都没有眨一眨。

楚留香渐渐开始有点佩服这位二将军了，能够把这么多女人训练成这样子，绝不是件容易事，也绝不是任何男人能够做得到的。

现在他当然已经知道这位二将军一定也是个女人。

——只有女人才能把女人训练得如此服从，也只有女人才懂得怎么样训练女人。

这种方法楚留香非但不敢去想，就算想，也想不到。

——这位二将军又是个什么样的女人呢？

楚留香也想不出。

他也不必再想了，因为这时候已经有个长着一脸麻子的女人在问他：“你姓什么？叫什么？是什么地方的人？从哪里来的？身上有没有收藏着什么刀剑暗器？”

楚留香笑了。

他本来实在不想笑，也笑不出的，却偏偏忍不住笑了。因为他一辈子也没有遇到过这种事，也想不到自己会遇见这种事。

谁能想得到，这个世界上居然有人敢对楚留香这么样说话。

更令人想不到的是，他居然还老老实实地回答：“我姓楚，叫楚留香，是黄帝后代大汉子孙，从来也不做偷偷摸摸的事，所以身上既没有收藏刀剑，也没有夹带暗器。”

“那么你就把你的手举起来。”

“为什么？”

“因为我要搜一搜你。”

楚留香又笑了，用一种很温和的态度问这个女人：“你要搜别人的时候，有没有想到过别人说不定也想搜一搜你？只不过用的法子也许跟你有点不同而已。”

“你敢！”女人的脸色变了，“你敢碰我？”

楚留香看着她的脸，叹了口气：“我不敢，我真的不敢。”他叹着气道：“所以我也只有用另外一种法子。”

说完了这句话，这位仁姐的一双脚已被他倒提了起来，悬空抖了两抖，把身上的零碎抖得满地都是。

然后就听见“扑通”一声响，就有一个人被抛进海里去。

无论在哪一个国家的神话与传说中，地狱中的颜色都是赤红的，因为那里终年都有亘古不灭的火焰在燃烧。

这里也是。

这里虽然没有燃烧的火焰，四面也是一片赤红，就像是地狱中的颜色一样。

这里不是地狱，这里是将军的大舱。

猩红色的波斯地毯铺上三级长阶，窗门上悬挂着用紫红色的丝绒制成的落地长帘。

将军的战袍也是猩红色的，每一寸战袍上都仿佛已染遍了仇敌的鲜血。

两个人佩剑肃立在将军身后。

一个满面皱纹的老婆婆，头发仍然漆黑如少女；一个眉目姣好的年轻妇人，两鬓却已有了白发。

船舱里只有一样东西是纯黑的，全身都是黑的，黑得发亮。

楚留香走进船舱，第一眼看见的就是这头黑豹。

黑豹伏在将军的脚下，安静得就像是一只刚被喂饱了的猫。

将军身后的双剑都已出鞘，如匹练破空，刺向楚留香双眼。

楚留香的眼睛连眨都没有眨。

剑锋停顿时，距离他的眉睫最多也只不过还有三寸，可是他连眼睛都没有眨一眨。

将军用一种很奇怪的眼色瞪着他，忽然问：“你看得出她们这一剑不会刺瞎你的眼？”

“我看得出。”楚留香说，“她们都是高手，手上自然有分寸。”

“你怎么知道她们不会刺瞎你？”

楚留香微笑：“因为我是你请来的客人，客人的眼睛要是瞎了，主人也会觉得很无趣的，尤其是你这样的主人。”

“我这种主人怎么样？”

“将军之威虽重，毕竟还不如将军之绝色，若是面对一个看不见的瞎子，岂非无趣得很？”

他不是在说谎，也不是在故意讨人欢喜，他第一眼看见她的时候，也没有觉得她是个美人。

她太高大，而且太野。

她的肩太宽，甚至比很多男人都宽。

她的眼睛里总是带着种野兽般的狂野之色，她嘴唇的轮廓虽然丰美，却显得太大了些。

除了那一口雪白的牙齿外，她全身上下几乎没有一个地方可以接近美人的标准。

但她却的确是个美人，全身上下都充满了一种摄人心魄的野性之美，美得让人连气都透不过来。

和她比起来，其他那些美丽的女人就像是个一碰就会碎的瓷娃娃。

“我早就知道你一定是个女人，可是我从来也没有想到过你会是这么样的一个女人。”

青锋仍在眉睫间，楚留香却一点都不在乎：“如果我早就知道，也许我早就来了。”

将军又瞪着他看了很久，居然轻轻地叹了口气：“你的胆子真大。”

她一弹指，两柄剑立刻同时入鞘，人也退下。

“就因为我知道你的胆子够大，所以我才找你来。”她说话的方式非常直接，“我相信你一定有胆子去为我杀人的。”

“那也得看你要我去杀的是什么人。”

“要杀那个人当然很不容易，不管她在什么地方，附近都会有三十名以上一级高手在保护她。”

“是谁派去保护她的？”

“杜先生和史天王。”

她毫不考虑就说出这两个人的名字来，连楚留香都不能不承认她确实是个很痛快的人。

对痛快的人楚留香一向也很痛快。

“你要我去杀这个人，是不是因为你怕她夺了你的宠？”

“是的。”她说，“现在史天王最宠爱的人是我，甚至封我为豹姬将军，如果她来了，我算什么？”

“史天王如果真的喜欢你，为什么要娶她？”

“因为她是公主，我不是。”她说，“现在我是史天王的姬妾，以前也是，我天生就好像只有做别人小老婆的命。”

楚留香苦笑。

一个女人能把这种事这么痛快地告诉别人，这种女人他也没见过。

“以前我跟的男人，是个有钱有势的东洋老头子，而且还是剑道的高手。”

“石田斋彦左卫门？”

“就是他。”她毫不隐瞒，“他虽然也不错，比起史天王来还是差得远了。”

“所以你不想失去史天王的宠。”

“所以我一定不能让那个见鬼的公主嫁给史天王，随便怎么样都要杀了她。”

“你为什么要我做这件事？”

“因为这一次负责护送她的统领是胡铁花，胡铁花最信任的朋友就是你。”豹姬说，“要杀玉剑，没有人的机会比你更好。”

“我为什么要做这种事？”

“为了我。”

说完了这句话，她就不再说一个字，也用不着再说了。

她已站起，猩红的战袍已自她肩上滑落。

在这一瞬间，楚留香的呼吸几乎已停顿。

他从未见过这样的女人，也从未见过这样的胴体。他这一生中，从来也没有任何一个女人能在如此短暂的一瞬间挑起他的情欲。

在她那虽然高大但曲线却极柔美的古铜色胴体中，每一个地方都仿佛蕴藏着无穷无尽的情欲，随时都可能爆发出来，将人毁灭。

一个正常的男人只要碰到她，无论碰到她身上任何一处地方，都会变得无法控制自己，甚至宁愿将自己毁灭。

豹姬用一双充满野性的眼睛看着他，态度中充满了挑逗和自信。

因为她至今还没有遇到过一个能够拒绝她的男人。

楚留香长长叹息！“现在我才明白石田斋为什么要做那些事了。”他叹息着道，“因为有了你这样的女人，无论做什么事都是值得的。”

“你呢？”

“我也想，想得要命。”

楚留香的眼睛也在盯着她：“如果我年轻十年，我早就像只饿狼般扑过去，而且会告诉你，我一定会去替你做那件事，先跟你缠绵三五天，然后就一去无消息，就算你恨我恨得要死，恨不得割下我的肉来喂狗，都再也休想找到我了。”

他一本正经地说：“以前我一定会这么做的，只可惜现在我的脸皮已经没有这么厚了。”楚留香又叹了口气：“所以现在只有请你为我做一件事。”

“什么事？”

“先穿起你的衣服来，再叫你脚下的那头豹子把我咬死。”楚留香说，“要是它万一咬不死我，你也不妨再叫那两位女剑客来刺瞎我的眼睛。”他淡淡地说：“反正不管什么方法你都不妨试一试。”

黑豹还伏在她的脚下，豹姬还是用那双充满野性的眼睛瞪着楚留香，忽然说：“我知道你常常喜欢跟别人说两个字。”

“哪两个字？”

“再见。”

## 第十二章

# 楚留香的秘密

楚留香乘来的那条船居然还在，就像是个被孩子用丝线绑住了脚的小甲虫一样，被这条战船用一根长绳拖在后面。

海面上金波闪烁，天畔已有彩霞。

一直把楚留香送到甲板上来的，还是那个长腿的小姑娘。

楚留香忍不住问她：“你们的将军真的肯就这么样让我走？”

“当然是真的。”

长腿的小姑娘抿嘴笑道：“她既不想要那头豹子咬死你，也不想让它被你咬死，还留住你干什么？”

楚留香看着海上的金波出了半天神，居然叹了口气：“她真是个痛快的女人。”

“她本来就是这样子的，不但痛快，而且大方，只要是她请来的客人，从来没有空手而回的。”

“难道她还准备了什么礼物让我带走？”

“她不但早就准备好了，而且还准备了三种，可是你只能选一种。”

“哪三种？”

“第一种是价值八十万两的翡翠和珍珠。”

“她真大方。”

“第二种是足够让你吃喝半个月的波斯葡萄酒和风鸡肉脯，还有一大桶清水。”

楚留香看着一望无际的大海，又不禁叹了口气：“她想得真周到。”

战船出海已远，这样礼物无疑是他最需要的，他已经可以不必再选别的，却还是忍不住要问：“第三样礼物是什么？”

“是个已经快要死了的人，简直差不多已经死定了。”

楚留香苦笑。

他实在没有想到那个痛快的女人会给他这么不痛快的选择。

现在三样礼物都已经被人搬出来了，珍珠耀眼，酒食芬香，人也已真的奄奄一息。

这个奄奄一息的人，赫然竟是那自命不凡，不可一世的白云生。

长腿的女孩子忽然压低声音，悄悄地告诉楚留香：“将军知道你一定会选第二样的，因为你是个绝顶聪明的人。”

“哦？”

“可是将军又说，如果你选的是珠宝，那么你这个人不但贪心，而且愚蠢，连她都会对你很失望。”

“如果我选的是第三样呢？”

“那么你简直就不是人，是头笨猪了。”

长腿的女孩子问楚留香：“你选哪一样？”

楚留香看看她，忽然也压低声音说：“我告诉你一个秘密好不好？”他在她耳边悄悄地说：“我本来就不是人，是头猪。”

在江上，这条船已经可以算是条很有气派的大船，一到了海上就完了，在无情的海浪间，这条船简直就像是乞丐手里的臭虫一样，随时都可能被捏得粉碎。

楚留香当然明白这一点，可是他根本连想都不去想。

船上当然不会有粮食和水，至于酒，那更连谈都不要谈，没有酒喝是死不了的，可是如果没有水，谁也活不了七天。

这一点楚留香也不会不知道，可他偏偏好像完全不知道一样。

想了也没有用的事，又何必去想？

知道了反而会痛苦烦恼的事，又何必要知道？

无论在多危险恶劣的环境中，他想的都是些可以让他觉得愉快的事，可以让他的精神振奋，可以让他觉得生命还充满希望。

所以他还活着，而且活得永远都比别人愉快得多。

白云生的脸色本来就是苍白的，现在更白得可怕，像是中了某种奇怪的毒，又像是受了某种极厉害的内伤，所以有时晕迷、有时清醒。

这一次他清醒的时候，楚留香正在笑，好像又想起了什么可以让他觉得愉快的事。

白云生的精力已经没法子让他说很多话了，却还是忍不住要说：“你看起来好像很高兴的样子。”

“好像是的。”

“我想不通，现在还有什么事能让你这么高兴？”

“至少我们现在还活着。”

对楚留香来说，能活着已经是件非常值得高兴的事，对白云生来说就不同了。

“我们虽然还活着，也只不过在等死而已，有什么好高兴的？”

无论从哪方面来说，这两个人都是绝不相同的人，甚至可以说是两个极端。

奇怪的是，在这两个人之间，却仿佛有种非常奇怪的相同之处，也可以说是种奇怪的默契。

白云生一直都没有问楚留香：“你为什么不选择你需要的粮食和水，反而救了我？”

因为这种事是不需要解释，也无法说明的。

楚留香也一直都没有问白云生：“你和豹姬都是史天王的人，她为什么会用这种方法对你？”

因为这种事虽然可以解释，但是解释的方法又太多了。

玉剑公主很可能就是其中的关键。

一个要保护她，一个要杀她；一个要成全她和史天王的婚事，一个死也不愿意。

豹姬要置白云生于死地，也当然是顺理成章的事。

不管怎么样，现在这两个极端不相同的人，已经在一种不可思议的安排下，被安排在一起了。

他死，另外一个人也得死。

他活，另外一个人也能活下去。

天色渐渐暗了，谁也不知道自己能不能活到明天日出时。谁也不知道明天会发生什么事。

这个世界上大概很少有人会把沙漠和海洋联想到一起。

海洋是生动的、壮阔的、美丽的，充满了生命的活力，令人心胸开朗，热血奔放。

有很多人热爱海洋，就好像他们热爱生命一样。

沙漠呢？

没有人会喜欢沙漠，到过沙漠的人，没有人会想再去第二次。

可是一个人如果真正能同样了解海洋和沙漠，就会发现这两个看来截然不同的地方，其实有很多相似之处。

它们都同样无情，同样都能使人类感觉到生命的渺小卑微，同样都充满了令人类完全无法忍受的变化。在这种变化中，人类的生命立刻就会变得像铁锤下的蛋壳那么脆弱。

在某一方面来说，海洋甚至比沙漠更暴厉、更冷酷，而且还带着种对人类的无情讥诮。

——海水虽然碧蓝可爱，可是在海上渴死的人很可能比在沙漠上渴死的更多。

一个人如果缺乏可以饮用的食水，无论是在沙漠里，还是在海上，都同样只有一件事可以做。

——等，等死。

这一次楚留香居然没有死，岂不是因为有奇迹出现了。

奇迹是很少会出现的。

这一次他没有死，只不过因为有一个人救了他。

一个谁都想不到的人。

几个月之后，在一个风和日暖的春天傍晚，在一片开满了夹竹桃和杜鹃花的山坡上，胡铁花忽然想到这件事，所以就问楚留香："那一次你怎么会没有死？"

"因为有个人救了我。"

"在那种时候，那种地方，有谁会去救你？"

"你永远想不到的。"楚留香笑得很神秘，"就连我自己都想不到。"

"那个人究竟是谁？"胡铁花有点着急了，"这次你绝不能再要我猜了，我已经猜了三个月还没有猜出来，难道你真要把我活活急死？"

"好，这次我告诉你。"楚留香说，"那次救了我的人，就是那个要搜身的麻子。"

胡铁花怔住了。

“是她救了你？她怎么会救你？”胡铁花非但想不通，而且简直没法子相信。

楚留香却轻描淡写地说：“这件事其实也简单得很。”他告诉胡铁花：“她救了我，只不过因为我把她丢进了海里去。”

胡铁花愈听愈糊涂了，楚留香却愈说愈得意。

“她要搜我，我当然也要搜一搜她，只不过对她那种女人，我实在没兴趣碰她，所以我用了种很特别的法子。”

“什么法子？”

“我先提起她的那双尊脚，把她身上的东西全都抖了出来。”

“然后呢？”

“然后我只不过顺手摸鱼，把其中几样比较特别的东西给摸了过来。其中有一样是个像袖箭般的圆铁筒子。”

“就是这个圆筒子救了你？”

“就是。”

“一个小小的圆筒子怎么能从大海中救人？”

“别的圆筒子不能，这个圆筒子能。”

“这个圆筒子究竟是什么鬼玩意？”

“也不是什么鬼玩意，只不过是一筒旗花火箭而已。”

楚留香微笑！

“白云生看见我把那个圆筒子拿出来的时候，脸上的表情，简直比你看到一千两百坛陈年好酒还要高兴。”他说，“一个人如果能看到自己的朋友脸上露出那种表情来，一辈子只要看见一次也就够了。”

胡铁花一直在叹气：“我知道你这个人运气一向都很不错，却还是没想到你的运气会有这么好。”

“这不是运气。”

“这不是运气！难道你早就知道那个圆筒子是史天王属下遇难时用来呼救的讯号？”

“我不知道。”

“那么这不是运气是什么？”

“这只不过是一点点智慧、一点点谨慎、一点点处处留意的习惯，再加上一点点手法和技巧而已。”

楚留香摸着鼻子，眨着眼笑道：“除此之外，还有样东西当然也是少不了的。”

“什么东西？”

“运气，当然是运气。”楚留香又板起脸来一本正经地说，“除了运气之外，难道还能有什么别的东西？”

就在胡铁花差一点气得把刚喝下去的一口酒从鼻子喷出来的时候，楚留香又开始继续说出了那一次他的奇遇。

“我们把那一筒讯号放出不久，就有一批渔船来把我们救到一个孤岛上去，岛上只有一个渔村，居民都是渔夫，看起来和别的渔村完全没有什么两样。”

楚留香脸上又露出那种神秘的表情：“可是我却在那个渔村里遇到几个奇怪的人，我永远想不到会在那种地方遇到他们。”

“他们是谁？”

“胡开树、司徒平、金震甲和李盾。”

楚留香说出的这几个名字，每一个都是可以让人吓一跳的。

胡铁花也吓了一跳：“这些大英雄大侠客们到那个小渔村里去干什么？”

“我想他们大概不是去吃鱼的。”楚留香故意问胡铁花，“你想呢？”

这一次胡铁花好像忽然变得聪明起来了：“难道那个渔村就是史天

王在海上的根据地之一，难道那些大侠们都是为了史天王而去的？”

楚留香叹了口气：“像你这样的聪明人，为什么偏偏会有人硬要说你笨？”

胡铁花也叹了口气：“我一直有点看不起那位胡大侠，想不到他居然真是个角色，居然也有胆子去找史天王。”

“你知不知道他为了什么要去找史天王？”

“难道他不是去找史天王拼命的？”

“拼是拼命，只可惜拼的不是他自己的命。”楚留香苦笑，“他去找史天王，只不过要求史天王为他去拼掉几个人的命而已。”

“他是不是还带去一份重礼？”

“那当然是绝不能少的。”

“我一点都不奇怪，我真的一点都不奇怪，像这样的大侠我早就见得多了。”胡铁花冷笑，“我想他看到你的时候，脸上的表情一定也很有意思。”

楚留香又叹了口气：“老实说，那样的表情我也不想再看到第二次。”

最重要的一个问题是：“那一次史天王究竟有没有到那个渔村里去？”

“他当然去了。”

“你有没有看见他？”

“我又不瞎，怎么会看不见？”

“他是个怎么样的人？”

这个问题楚留香想了很久之后才能回答。

“我也不知道他是个什么样的人，我只能告诉你，我真正看清他的那一瞬间，我才明白别人为什么说他是杀不死的。”

“为什么？”

“因为他根本不是一个人。”

楚留香第一眼看见史天王的时候，是一个天气非常好的早上。

史天王当然是坐船来的，却不是楚留香想象中那种战船巨舰，而是一条很普通的渔船，甚至已经显得有点破旧。

那一天早上天气晴朗，楚留香远远就可以看到这条渔船破浪而来。

渔船的本身连一点特别的样子都没有，可是速度却比任何人看到过的任何一条渔船都快得多。

船上有七个人。

这七个人都穿着普通的渔民衣裳，敞着衣襟，赤着足，身材都很高大健壮。

渔船一靠岸，他们就跳下船，赤着脚走上沙滩，每个人的行动都很矫健，而且显得虎虎有生气。

那时楚留香还想不到这七个人之中，有一个就是威镇七海的史天王。

在他的心目中，史天王不应该是这样子的。

在他的心目中，史天王应该戴金冠、着金甲，扈从如云，威仪堂堂。

但是白云生却告诉他：“大帅来了。”

“大帅？”楚留香还不明白，“哪一位大帅？”

“这里只有一位大帅。”

楚留香这才吃惊了：“你说的这位大帅就是史天王？”

“是的。”

但是直到那一刻，楚留香还是看不出这七个人中哪一个是史天王。

因为这七个人的装束打扮几乎是完全一样的，远远看过去，几乎完全没有分别。

他们大步走上沙滩，每个人手里拖着的渔网中，都装满了他们从海洋中打来的丰收。

看起来他们都是熟练的渔人，也只不过是些熟练的渔人而已，最多只不过比别的渔人更强壮、更魁伟一点而已。

可是岛上的渔民一看见他们就已经在欢呼。他们微笑挥手，在欢呼中走入一栋用木板搭成的大屋，在沙滩上留下一串脚印。

楚留香立刻又发现一件奇怪的事。

这七个人留下的脚印看起来竟好像是一个人留下来的脚印。

七个人一连串走过，每个人一脚踩下时，都恰巧踏在前面一个人留下的脚印里，每一个脚印之间的距离都是完全一样的。

在那一刻，楚留香已经知道他遇到的这个对手是个多么可怕的对手了。

可是让楚留香觉得真正震惊的，还是在他被请入那间大屋，面对史天王的时候。

从来没有人能让楚留香如此震惊过。

他曾经面对天下无敌的剑客薛衣人的利器，他曾经面对幽灵鬼魂般诡秘难测的石观音。

他也曾经和天下武林中人视为神圣的水母阴姬决战于神水宫中。

他这一生中，身经无数次生死决于一瞬间的恶战。

可是他从未如此震惊过。

## 第十三章

# 无法捉摸的人

木屋高大宽敞，光线充足明亮，窗子经常是开着的，一抬眼就可以看到阳光照耀下的海洋。

海风温暖而潮湿，几个打着赤膊的孩子正在沙滩上玩贝壳，身上的皮肤也和他们的父兄一样，被晒成了古铜色。

海滨有两个年轻人在整理渔船，几个小媳妇、老太太聚在一起，一面聊家常、一面补渔网。

小小的渔村中，到处都充满了安乐祥和之意，谁也想不到，就在这一天，就在这个木屋里，所发生的每一件事都足以震动武林。

楚留香踏着柔软的沙粒，从阳光下走进这间木屋时，也许就是他一生中最震惊、也最失望的时候。

他从不相信这个世界上真的有人力无法做到的事，也不相信世上有永远无法击倒的人。

现在他相信了。

因为史天王根本不是一个人。

史天王是七个人。

刚才从渔船中走上沙滩的那七个人，不但装束打扮完全一样，连神情、容貌、身材都是完全一样的。

这七个人中，每一个都可能是史天王，但是谁也分不出哪一个是真的。

就像是秦始皇的龙冢一样，史天王也为自己准备了六个身外的化身。

如果你根本分不出谁是真的史天王，你怎么能在一瞬间刺杀他？

如果你不能把握住这一瞬间的机会，那么你就永远没有机会了。

比楚留香先到这渔村的四位武林名人此刻也都在这木屋里。

史天王第一个接见的，是个宽肩厚胸、面色赤红，看来非常壮健的中年人，身上显然带着金钟罩铁布衫一类的横练功夫，而且练得很不错，整个人看来就像是个铁打的盾牌一样。

“你就是李盾？”

“是的，我就是。”

他的态度在沉稳中充满自信，他的外门功夫和外家掌力在关中一带几乎从未遇到过敌手，所以此刻虽然面对着威震天下的史天王，却还是保持着他的尊严。

“我保的一趟镖在史将军的辖境中被劫了。”李盾说，“我这次来，只求史将军给我一个公道。”

“你要我给你公道？”这位史天王斜倚着墙，淡淡地问，“你能给我什么？”

“我李盾一向身无长物，只有一个人、一条命。”

他带着刀。一柄用不着拔出来，就可以看出是名家铸造的快刀。

史天王愿意见的人，不但可以带刀，什么样的武器都可以带进来。

无论什么样的人，无论带着什么样的武器，史天王都不在乎。

李盾忽然拔刀，撕开衣襟，反手一刀，砍在自己胸膛上。

这一刀他的确用了力，可是锐利的刀锋只不过在他胸膛上留下一条淡淡的白印而已。

“很好，你这一身十三太保横练的功夫确实练得很不错。”

这位史天王坐在一张很宽大的木椅上。

“只可惜我既不想要你这个人，也不想要你这条命。”史天王挥了挥手，“念你也是条好汉，这次我放你走，下次最好莫要再来了！”

“我不能走。”李盾厉声道，“讨不回镖银，我绝不走。”

“你是不是一定要我给你个公道？”

“是。”

史天王忽然叹了口气：“那么我问你，你几时在江湖中看见过有什么公道？”

李盾怒吼，挥刀扑过去，刀如雷霆，刀光如电。

他砍的是另外一位史天王，这位史天王只用两根手指就夹住了这一刀。

“当”的一声响，刀断了。

断刀轻轻一划，轻轻地沿着李盾自己刚才在胸膛上砍出来的白印子划下去，鲜血立刻从他胸膛中泉水般涌出。

“你用力砍也砍不伤，可是我轻轻一划就划破了。”史天王悠悠然地说，“你说这公道不公道？”

“现在你总该明白了，天下本来就没有什么绝对公道的事。”另一位史天王说，“你还想要什么公道么？”

李盾面如死灰，一步步往后退，退到第五步时，他手里剩下的半截断刀，已刺入了他自己的心脏。

金震甲却是活着走的。

“你带来的礼物我收下，你求我的事也可以做到。”史天王说，“你的大哥金震天虽然是我的旧交，心里却一直看不起我。我也知道，这次你肯来求我，我高兴得很。”

他这么说，另外六位史天王也同样露出了很愉快的表情。

闽南武林中家世最显赫的金家二公子居然也来求他了，这好像是件让他觉得很有面子的事。

横行七海的史天王竟似对别人的家世很注重，这大概也就是他为什么一定要娶到位公主的原因。

胡开树立刻看出了这一点。

他也是世家子，他的父亲和祖父都是江湖中的名侠，他自己的名气也不小。

“在下胡开树，先祖古月叟；先父胡星，久居幽州，这次特地备了份重礼，专程来拜见史将军。”

史天王居然笑了。

“我知道，你用不着把你的家谱背出来，你的事我全都知道。”这位史天王箕踞在一张短榻上，“你带来的礼物我也已看到。”

“史将军是不是肯赏脸收下！”

“我当然要收下。”史天王大笑，“那么贵重的一份礼，要是有人不收，那个人岂非该打屁股？”

胡开树也笑了，史天王忽然又问他。

“你看见那条船没有？就是我们刚才坐来的那条船。”

“我看见了。”

“那是条好船。”史天王声音中充满了赞赏和欣慰，“我可以保证，那条船远比它外表看起来还要好得多，不但轻巧快速，而且可以经得起大风大浪，船上的水和粮食也很充足，我还可以派两个经验最丰富的好手给你。”

“给我？”胡开树已经觉得有点奇怪了，“为什么要给我？”

“你想不想活着回幽州？”

"想。"

"那么你就只有坐那条船回去。"史天王说，"只要你能活着上了那条船，你就可以活着回去了。"

"大帅答应我的那件事呢？"

"什么事？我答应过你什么事？"史天王沉下了脸，"我只不过答应你，给你一个面子，收下你那份礼而已。"

胡开树笑不出来了。

史天王却又大笑："胡开树，你以为我是什么人？会替你做这种不仁不义出卖朋友的事？我要做这种事，也只有为了我自己，怎么会为了你这么样一个卑鄙无耻的小人。"

虎踞在短榻上的史天王忽然猛虎般大喝："你还不快滚！"

胡开树是慢慢地退出去的。

因为他知道无论他多么快，也快不过史天王和白云生。

他从这间已经有了血腥味的大屋退入阳光下。阳光灿烂，海水湛蓝。

老太太和小媳妇仍在一针针一线线地修补着她们丈夫兄弟子孙的破衣裳和破渔网，赤着膊的孩子们仍在她们旁边的沙滩上玩着五颜六色的贝壳。

整理渔船的两个年轻人已经不知在什么时候溜到什么地方去干什么去了。

木屋里的史天王和一直守护在史天王身旁的白云生都依旧留在木屋里，并没有追赶阻拦他的意思。

胡开树的精神又振起。

——只要你能活着上得了那条船，你就能活着回去。

这件事并不难。

那条船依旧泊在浅滩上，距离他最多也只不过有二三十丈而已。

在这段距离中，已经没有什么人能阻拦他。这种机会他怎么会错过？

早潮已退去很久，海滩上的沙子已经被晒干了，用脚踩一踩，已经很有力量。

胡开树的脚用力一蹬，左脚用脚跟，右脚用脚尖，两股力量一配合，身子已凌空掠起。以他的轻功，只要三五个起落，就到了那条船上了。

想不到就在他身子刚掠起来时，忽然有一大片五颜六色的贝壳暴雨般打了过来。

贝壳是从那些赤着膊的小孩子手里打出来的，带起的急风破空声却好像是从机簧弩匣中打出来的利箭一样。

胡开树的力还没有使尽，凌空翻腾，借力使力，又翻了个身。

就在他翻身的时候，天色仿佛忽然暗了，仿佛忽然有一片乌云掩住了阳光。

天空澄蓝，一碧如洗，哪里有乌云？掩住他眼前阳光的，只不过是一片渔网。

好大的一大片渔网。

渔网是从那些老太太、小媳妇手里撒出来的，就好像真的是一大片乌云，胡开树前后左右的退路都已在这片乌云的笼罩下。

他的力已尽了。

他已经完全没有闪避招架抵抗的力量，那条近在眼前的渔船，已经变得远在天涯。

就在这时候，忽然有一道闪电飞来，刺穿了乌云，刺破了渔网。

天空澄蓝，一碧如洗，怎么会有闪电？这道闪电只不过是一柄剑的剑光。

好亮的剑光，好快的剑！

剑是从司徒平手里刺出来的，一直都静静地坐在那里的司徒平。

他静坐的时候静如大地，他一出手，他的剑就变得快如闪电。

谁也想不到他会忽然出手，胡开树也想不到。

渔网穿破，胡开树穿出，远在天涯的渔船又近在眼前。

可是司徒平也忽然出现在他眼前，一张白脸，一双冷眼，一柄利剑。

生死就在呼吸间，胡开树能对他说什么？最多也只不过能说一个字：“谢。”

更让人想不到的是，他这个字居然说错了。因为就在他说出这个字的时候，以一双冷眼看着他的司徒平，已一剑洞穿了他的心脏。

司徒平又坐下，安安静静地坐在他刚才坐过的那张椅子上，就好像什么事都没有发生过一样。

可惜谁也不能否认已经有事情发生过了，而且是件谁都无法了解、也不能解释的事。

——他救了胡开树，为什么又要将胡开树刺杀于剑下？

“司徒平。”

这位史天王一直像是木头人一样站在这间木屋最远的一个角落里，从这个角落里，不但可以看到屋子里每一个人的每一个动作，也可以看到海洋。

“你就是后起这一代剑客中，被人称为第一高手的司徒平？”

“不能算是第一，但也不能算是第二。”司徒平说，“第一与第二间的分别，也只不过在刹那毫厘间而已。”

“说得好。”

“我说得不好，我说的是实话。”

“你是来投靠我的？”

“我投靠的不是你，是海。”

“海比我更冷酷无情。”

“我知道。”司徒平说，“就因为我知道，所以我才这么做。”

“为什么？”

“因为海无情，海上的风云瞬息万变，就好像剑一样。”司徒平说，“只有在海上，我的剑法才能有精进。”

“你的想法不错，可是你刚才却做错了。”史天王淡淡地说，“一个人如果死了，他的剑法就再也无法精进。”

“我知道。”

“在海上，违抗我的人就是死人。”

“我知道。”

“你也知道我要杀胡开树，为什么要救他？”

“他也学剑，我不能眼看他死于妇人孺子之手。”司徒平说，“我杀他，只因为他已然必死，既然要死，就不如死在我的剑下。”

“你呢？”史天王问，“如果你要死，你情愿死在谁手里？”

司徒平冷冷地看着他，看着他们，看了很久，忽然冷笑：“你不配问我这句话，你们都不配！”

“为什么？”

“因为你们谁也不敢承认自己就是史天王。”

楚留香已经开始在替这个倔强而大胆的年轻人担心了。

他相信从来也没有人敢在史天王面前如此无礼，“在海上，违抗史天王的人就是死人。”这句话也一点不假。

想不到史天王却大笑：“好，好小子，你真有种。我手下像你这么有种的人还真不多。”

史天王盯着司徒平：“像你这样的人来投靠我，我若杀了你，我还算什么史天王，还有谁肯死心塌地地为我拼命？”

他居然放过了这个年轻人，居然收容了他。

楚留香心里忽然觉得有点怀疑了。

——史天王究竟是不是传说中那么残酷凶暴的人？

这个世界上也许根本没有人能真正了解他，就正如根本没有人能分辨谁是真正的史天王一样。

“楚香帅。”

史天王忽然用一种非常有礼的态度面对楚留香，措辞也非常斯文优雅，就像是又变成了另外一个人。

“香帅之才，冠绝天下，香帅之名，天下皆闻，却不知香帅此来有何见教？”

“史将军说得实在太客气了。”楚留香苦笑，“我本来实在也该说些动听的话，只可惜我说不出。”

“为什么？”

“因为我的来意实在不太好。”

“哦？”

“我本来是要来杀你的。”楚留香叹了口气，“只可惜现在我又不能不改变主意。”

“为什么？”

“因为我根本分不出我要杀的人是谁。”

史天王居然也叹了口气：“我明白香帅的意思，这实在是件很让人头疼的事，我相信一定还有很多人也和香帅一样，在为这件事头疼无比。”

“史将军这么样做，岂非就是要让别人头疼的？”

史天王又大笑道：“头疼事小，杀头事大，为了保全自己的脑袋，我也只好这么样做了。”他问楚留香：“这一点不知道香帅是否也同意？”

“我同意。”楚留香说，“在你这种情况下，谁也不能说你做得不对。”

史天王目光炯炯：“那么香帅现在准备怎么做呢？”

没有人知道楚留香现在应该怎么做，连楚留香自己都不知道。

他曾经有很多次被陷于困境中，每一次他都能设法脱身。

可是这一次不同。

这一次他是在一个四面环海的荒岛上，这一次他连他真正的对手是谁都不知道。

楚留香又开始在摸鼻子了。

“我可以想法子先冲出去，我也可以跟你们拼一拼。”他苦笑，“只可惜这些法子都不好。”

“香帅还有没有什么别的好主意？”

“没有了。”

史天王微笑：“我倒有一个。”

“什么主意？”

“我们为什么不叫人去弄几十坛好酒来，先喝一个痛快再说。”

楚留香也笑了：“听起来这主意倒实在不错。”

于是他们开始喝，不停地喝。

他们喝得真不少。

将醉未醉时，楚留香仿佛听见史天王在对他说：“你一定要多喝一点，就当作是在喝我的喜酒。”

夕阳如火，海水仿佛也被映成红色的，看起来就好像瓶红的葡萄酒。

楚留香已经醒了。醒来时虽然不在杨柳岸上，沙滩上的景色却更壮丽辽阔。

白云生不知道是在什么时候来的。

“你醒了？”

“一个人不管喝得多醉都会醒的。”楚留香说，“我醉过，所以我会醒。”

“那么不醉的人呢？”白云生带着笑问，“没有醉过的人是不是就不会醒？”

“是的。”楚留香说得很认真，“这个世界上确实有很多事就是这样子的。”

白云生的态度也变得很严肃：“是的，的确是这样子的。”

“史天王是不是已经走了？”楚留香忽然问，“玉剑公主是不是已经被送到他那里去了？”

“是的。”白云生说，“他们的婚礼也就在这两天了。”

楚留香遥望着远方逐渐暗淡的彩霞，过了很久，才慢慢地说：“我不能阻止玉剑公主，我也杀不了史天王，这一次，我是彻底失败了。”他问白云生：“你知不知道这还是我第一次失败？”

“我可以想得到。”

楚留香又看了他很久，忽然又笑了笑：“那么我告诉你，一个人偶尔尝一尝失败的滋味，也没有什么不好。”

“我知道。”

“你真的知道？”

“没有败过的人，怎么会胜？”白云生说，“这个世界上岂非有很多事都是这样子的？”

船已备好。

“送君千里，终有一别。今日一别，后会无期。”白云生紧握楚留香的手，“你要多珍重。”

楚留香微笑："你放心，我绝不会因为失败了一次就伤心得去跳海的。"

海船靠岸的地方，本来也是个贫穷的渔村，可是今日这里却显得远比平时热闹得多。村子里摆满了卖小吃的摊子，每个摊子的生意都不错，吃东西的人虽然都作渔民打扮，可是楚留香一眼就看出其中至少有一大半不是靠捕鱼为生的。

这里无疑又有什么奇怪的事要发生了，可是楚留香现在已经完全没心情管别人的闲事。

他只想找个地方吃点东西喝点酒。

就在这时候，他忽然发现黑竹竿和薛穿心居然也混在这些人里面。

他想去招呼他们，他们却好像已经不认得他。

一个他从未见过的小女孩子却在拉他的衣角，求他照顾她家一次生意。

"我们家不但有饭有面有酒，还有好大好大的螃蟹和活鱼。"

她生得一副楚楚可怜的样子，她的一双小手几乎把楚留香的衣裳都扯破了，看起来她家确实很需要楚留香这么样一个阔气的客人。

薛穿心和黑竹竿已人影不见，不知道躲到哪里去了。

楚留香只有被她拉着走，拉到一个由普通渔户人家临时改成的小吃店里。

这家人，确实需要别人来照顾他们的生意。因为别的摊子虽然生意兴隆，这一家却连一个客人也没有。

楚留香叹了口气，生意不好的店，做出来的东西通常都不会太好吃的。可惜他已经来了。

"你们这里有什么鱼？我要一条做汤，一条红烧，一条干煎下酒。”

小女孩却在摇头：“我们这里没有鱼，也没有酒。”她吃吃地笑：“刚才我是骗你的。”

楚留香苦笑。一个人倒霉的时候，真是什么样稀奇古怪的事都能遇得到。

小店后面一间房的重帘里却有个人带着笑声说：“这些日子来，你一定天天都在吃鱼，难道还没有吃腻？”她问楚留香：“你难道不想吃一点烧鸭火腿香菇炖鸡？”

楚留香又怔住。他听到这个人的声音，他听过她的声音后就从未忘记。

“杜先生，是你？”

简陋的小屋已被打扫得一尘不染，杜先生一向有洁癖。

木桌上仍然有一瓶开着八重瓣的白色山茶花，杜先生的风姿仍然那么优雅。

“香帅一定想不到我会在这里。”她的微笑如山茶，“可是我却一直希望香帅会来。”

“其实我也早该想到了，看见薛穿心的时候我就该。”

村子里那些陌生人，当然也都是她带来的，为了做这些人的生意，村子才会热闹起来。

“可是杜先生到这里来干什么呢？”

“我们在等消息！”

“什么消息？”

杜先生闪避了这个问题，却叹了口气：“只可惜胡铁花已经走了，也不知是急着要去喝酒，还是急着要去找你，刚把公主送上船，就已人影不见。”

公主已上船，现在也许已经在史天王的怀抱里。

——是哪一个史天王呢？

楚留香不愿再提这些事，他的心在刺痛，唯一让他觉得有一点安慰的是——

“江湖人的传说，有些并不是真的，史天王并不是传说中那么粗暴凶恶残忍的人。”

“哦？”

“这是我自己亲眼所见，我不能不告诉你。”

杜先生淡淡地笑了笑！

“可是你有没有想到过，这也许只不过是他故意装出来给你看的。”她的声音更冷淡，“他明明可以杀你，却放你回来，也许只不过就因为要你在江湖人面前替他说这些话。”

她又问：“江湖中还有谁的朋友比楚香帅更多？还有谁说的话比楚香帅更可信？”

杜先生冷笑：“史天王能找到楚香帅这么样一个人为他宣扬名声，实在是他的运气。”

楚留香的心开始往下沉，外面的村子里却响起了一声欢呼声，就像是浪潮一样，从海岸那边传过来。杜先生的眼睛里也发出了光。

那个楚楚动人的小女孩已经小鸟般地飞闯了进来，喘着气说：“消息已经来了，公主已经得手，已经在前天夜里割下了史天王的首级！”

就在这一瞬间，所有的一切事都忽然像烟花般在楚留香心里爆开。

——谁能刺杀史天王？谁能分辨出谁是真的史天王？

只有他的妻子。

没有一个男人会在自己洞房花烛夜的时候让别的男人代替他的。

这就是玉剑公主为什么一定要嫁给史天王的真正目的。

所以她才会在临走的前夕，将她自己献给她真正喜爱的人。

那湖畔的小屋，那湖上的月色，那一夕永远难忘怀的缠绵，那个忍住了满心哀痛，去为别人牺牲了自己的人，那一弯血红的新月，如今都已流星般消逝。

楚留香的心也像是烟花般爆开了，杜先生却用力握住了他的手。

“我们成功了，我们终于成功了，我们大家付出的代价都没有白费。”她紧握着楚留香，“我知道你本来一定以为这次你已彻底失败了，可是这一次你也没有败。败的是史天王。”

楚留香冷冷地看着她，冷冷、冷冷地看了她很久，才用一种几乎已经完全没有情感的声音说：“是的。”

# 午夜兰花

# 第一部

# 盲　者

——这个卖药的郎中用一根白色的明杖点路，走入了这个安静平和的小镇，然后就开始敲起他那面小小的铜锣，却不知……

# 第一章

# **铁大爷**

## **01**

风在呼啸。

风是从西面吹来的，啸声如鬼卒挥鞭，抽冷了归人的心，也抽散了过客的魂魄。

幸好这里没有归人，也没有过客。

这里什么都没有。

街道上没有驴马车轿，店铺里没有生意往来，炉灶中没有燃薪火炭，锅镬里没有菜米鱼肉，闺房间也没有呢喃燕语和脂粉刨花油香。

因为这里已经没有人，连一个活着的人都没有。

一片死寂。

不知道在什么时候，风忽然停了，死寂的长街上，却忽然有一条白犬拖着尾巴走上了这条铺着云散青石板的长街。

有人在犬后。

有一盲人。

## 02

这个盲者穿一身已经洗得发白又被风沙染黄的青布花裳，用一根白色已变灰的明杖点路，点上了青石板，“笃”的一声响，点上了黄土路，闷闷的“卜”的一声。

风又来了。

招牌在风中摇曳，招牌上的铁环与吊钩摩擦，击音如拉锯，令人牙根发酸。白犬在吠叫，吠声嘶哑，破碎的窗纸被风吹得就好像痛苦地喘息。

盲者已经敲起了他那面招徕客人的小铜锣，锣声清脆，却又忽然停止。

——那些让人愉快的声音到哪里去了？

——那些店铺里的伙计正和妇女老媪讨价还价的声音，杓子在锅子里翻炒烹炸的声音，妈妈打小孩屁股的声音，小孩的哭声，小姑娘吃吃的笑声，骰子掷在碗里的声音，醉汉的笑声，酒楼上那些假冒江南歌女唱小调的声音。

那些又好玩、又热闹的声音到哪里去了？

锣声停，犬吠声也停顿。

盲者的手垂下，他手里的轻锣小槌，忽然间就好像变得有千斤重，心里忽然也有了一种说不出的恐怖。

因为他不知道！

他以前到过这里，可是他不知道这个平常很繁荣的小镇，已经因为某一种神秘的原因，忽然间变成了一个死镇。

不知道，岂非正是人们之所以会恐惧的最重要的原因之一。

他停下来，他的狗前爪抓地，身子却在往后缩。

没有人，街上没有人，屋里也没有人，前前后后里里外外都没有人，没有人就应该没有危险，因为这个世界上最危险的就是人。

这个世界上，还有什么动物杀人比“人”杀得更多？

于是盲者又开始往前走，甚至又开始敲响了他那面小小铜锣。

过了一下子，他的狗也开始往前走，这一次它是跟在它的主人后面往前走了。

——狗就是狗。

## 03

这个本来十分繁荣而且相当安详平和的小镇，怎么会忽然变成一个杳无人迹的死镇？

盲者当然会觉得奇怪。

可是他如果能看得见，他一定会觉得更奇怪。

因为这个小镇虽然荒废死寂无人，但却还是很“新鲜干净”的，屋角里并没有蛛网，铁器也没有生锈，灯中的油没有枯，剩下的衣物被褥也没有发霉，甚至连桌椅上的积尘都不多。

——这里的居民，难道是在一夜间仓皇迁走的？

——他们为什么要如此仓促迁移？

盲者轻轻敲锣，缓缓前行。

风在吹，暮云低垂，人影瘦如削竹。天地间一片暗淡，淡如水墨。

忽然间，有声音从远处响起来了。

是马蹄声，轻轻的，慢慢的，简直就好像盲者的明杖敲在地上的声音一样，虽然并不十分悠闲，但却十分谨慎小心。

来的当然绝不是归人，也不是过客。

——归人的归心似箭，只恨不得能早一点回到父母妻子儿女的温情里，过客赶路心急，怎么会如此从容？

这种蹄声，本来只有在春秋佳日、名山胜水间才能听得见。

此时此地，时非佳时，地非胜地，忽然有这么样一阵蹄声传来，而且来的不止一骑一人，甚至不止十骑十人。

来的是谁？为什么来？

盲者慢慢地往后退，他的狗也跟着他慢慢地往后退，退入了一个阴暗的屋檐下。

他已经听出来的人最少在三十骑之上，甚至可能超过五十骑。

因为他的耳朵一向很灵，因为他是盲人，如果一个人的眼睛看不见，岂非只有用心用耳朵去听？

## 04

来的人果然有五十骑，五十一骑。

五十一骑快马，名种，纯种，快，快而经久，千中选一，价如纯银。

如果说它们是“日行千里”的快马，也不能算太夸张。

可是现在它们却走得很慢。

五十一骑快马上，五十一条男子汉，有高有矮有胖有瘦有老有少，可是其中最少有五十个人有某几种共同的特点。

——他们都非常精壮勇猛剽悍，他们都曾身经百战，本来都应该非常冷静沉着，可是现在却又全都显得非常急切焦躁不安。

他们在这种情绪下，本来应该打马飞驰，马累死，人累死，都没关系。

马是健马，人是好汉，能多快，就有多快。

可是他们为什么这么慢?

五十一骑，五十个人，他们这么慢，是不是因为另外那个人?

不是的。

另外那个第五十一个人，他的精气，他的体魄，他的神采，他的凶悍，从他身上所透露出的那各种力量，都不是另外五十个人所能比得上的。

就算那五十个人加起来也比不上他一个。

因为他就是西南道上所有英豪侠客的支柱，坐镇在长安的铁大爷。

——铁大爷没有别的名字，他就姓铁，他的名字就叫铁大爷。

## 05

——铁大爷身高七尺九寸半，体重一百三十九斤，据说他最宠爱的女人羊玉曾经要求他为她做一件事。

她要他脱光衣服运一运力，让她数一数他身上能够凸起的肌肉有多少条?

三百八十七条。

羊玉告诉她的闺中密友：“真的有三百八十七条，一条都不少，每一条都硬得像铁一样。”

铁大爷的金钟罩、铁布衫、十三太保横练的硬功夫，是天下闻名的。

他的爱妾羊玉温柔如羊，润滑如玉，也没有人不知道。

只可惜这位羊姑娘的闺中密友，并不是一位像她一样温柔的大姑娘，而是个温柔的小男人。

——在某些方面来说，外门硬功无敌的男子汉，是绝对比不上一个温温柔柔的小男人的。

铁大爷当然绝不温柔。

他的脾气暴躁，性如烈火，从来也没有等过任何人，现在他看起来远比他的随从们更焦急，他的马也更快，可是他也在慢慢地走。

为什么呢？性烈如火的铁大爷，是几时学会忍耐的？怎么会变得如此迁就别人？

因为一顶轿子。

在这五十一骑快马间，居然有四个精赤着上身，穿着绣花撒脚裤的俊美少年，用一种舞蹈般的步伐，抬着一顶轿子，走在铁大爷的铁骑边。

轿子在这个小镇最豪华的“四海酒楼”前停下，铁大爷立刻弓身下马，另外五十骑上的骑士，几乎也在同一时间中用同一姿态下马来。

抬轿的少年放下轿杆，打起轿帘，过了很久轿子里才慢慢地伸出一只手，搭上了这个少年的臂。

这只手修长柔美洁白，指甲修剪得非常仔细，皮肤光滑如少女，搭在这少年黝黑结实粗壮的手臂上，显得更刺眼。

这只手无疑是个少女的手，手上还戴着三个镶工极细致的宝石戒指，每一个戒指的价值至少都在千两以上。

这个女孩当然是铁大爷的爱宠，所以他才会等她，所以她才戴得起这种戒指。

令人想不到的是，从轿子里走出来的，却是个已经老得快死了的小老头。

一个穿一件翠彩缎子上绣满了白丝小兔长衫的小老头。

一个无论谁看见都会觉得恶心得要命的小老头，可是他那一双眯眯的小眼里，就像是有一双刀。

他的人还在轿子里，这双刀已经盯在瞎子的身上。

## 06

盲者已经蹲了下来，蹲在阴暗的屋檐下，就好像一个缩入了壳中的蜗牛，以为他看不见别人，别人也就看不见他，可是这个穿一件绣花长袍的老人已经走到他面前了，如刀双眼，眼光已经盯在他的脸上。

老人的脚步轻如兔，盲者的眼睛瞎如蝙蝠，可是他的狗已经全身绷紧如弓弦。

盲者，不知道。

他看不见四下的杀机，看不见老人的刀眼，也没有听见那狡兔般的脚步声。

老人盯着他，很久之后才慢慢地回头，铁大爷就在他回头处。

他没有说话，可是他的眼却在问："是杀，还是不杀？"

其实他根本用不着问的，"宁可错杀一百，不可放掉一个"，"杀"，应该是唯一的答复。只要一个很简单的手势，这个盲者就已被乱刀分尸。

生命是如此可贵，为什么又会常常变得如此卑贱？

## 07

日落、黄昏，暮色渐深，夜色已临。盲者已经走在另一个市镇的一条小巷里。小巷深处，依稀仿佛可以听见一声声木鱼声，就好像盲者手里明杖点地声一样空虚单调而寂寞。

寂寞又何妨？只有活着的人才会觉得寂寞，只有活着的人才会有这种会令人冷入血液骨髓的感觉，那至少总比什么感觉都没有的好。

盲者居然还没有死，他自已也在奇怪，那些人为什么没有杀他？

小巷尽头处，有一扇门，窄门。盲者敲这扇窄门，敲一下，停，然后再敲四下，三快一慢，停，然后再两下，尽量要把这七次敲门声中，充塞入一种很奇怪而有趣的节奏感。

于是窄门开了。

来开门的人，是个天生就好像是为了来开这种门的人，窄窄的门，窄窄的人，提一盏昏昏沉沉的灯笼，平常得很，可是在平常中却又偏偏显得有点神秘兮兮的样子。

窄门里是个已经荒废了的庭园，荒草没径，花木又枯，一位发白如霜腰弯如弓的老太太，独坐在屋檐下用通草结一朵花。

假花。小小的白色假花。

花未结成，就是死的。

大屋、高檐、长廊、孤灯、老妪，古老的宅院，冷冷的夜色，远处的风声如弃妇夜泣。

盲者停下，向老妪屈身致意。

“三婶，你好。”

“我好、我好，你也好、你也好。”老太太干干的脸上露出了难见的微笑，“我们大家都好，还都活着，怎么会不好？”

说到这里的时候，她刚好结成一朵花，虽然苍白无颜色，但却很精致、很好看。

看到她自己结成的这朵花，老太太脸上的微笑忽然僵死，就好像一个最怕蛇的人，忽然看到自己手里有一条蛇一样。

——这不是蛇，是一朵白色的菊花。

——看到自己结的一朵假花，这位老太太为什么会变得如此恐惧？

盲者看不见她这种突然的变化，只问：“侄少爷呢？”

“他也不错，他也很好，”老太太再次露出笑容，“看样子他最近也死不了的。”

“那就好极了，”盲者脸上也有笑，“我能不能进去看看他？”

“能、能，”老太太说，“你进去，他本来就在等你。”

盲者踏上级级苔痕浓绿的石阶，走上长廊，白色的明杖点着旧的地板，“笃、笃、笃”，从老妇的身边绕过去，走入了一扇门。

他听见老太太一直不停地在咳嗽喘息，却看不见她忽然开始在流泪。

眼泪滴在花瓣上，晶莹如露珠。

——无论是老妪的泪，还是少女的泪，都同样清纯晶莹。

——眼泪就是眼泪，眼泪都是一样的，可是这个看来心死已久的老妇人，为什么会忽然为一朵假花流泪呢？

# 08

这间房是非常陈旧的，应该到处都可以看得见蛛网积尘虫鼠，可是这间屋子，却被洗得像是条刚被一个勤快的妇人从胰子水里提出来的床单那么干净。甚至连铺地的槐木板，都已经被洗得发白。

可是屋子里什么都没有，桌椅摆设家具字画杯盏，别的屋子里应该都有的，这里全都没有。

这间屋里只有一盏灯，一张榻，三个人。

三个人里有两个是站着的，这两人穿着一身直统统的蓝布长袍子，直盖到脚面，袖子也长得可以盖住手，甚至连脸上都罩着个蓝布套子，除了一双眼睛外，别的地方全都看不见。

可是一个明眼人只要看她们的体态和行动，还是可以看得出她们都是很细心的少女。

另外一个人斜倚在软榻上，是个非常清秀，非常年轻的男人，有两条非常浓的眉，和一双大眼，清澈明亮得就好像天山绝顶上那个大湖一样，眼神里还充满了一种飞扬欢悦的神采，看起来又好像是个刚赢得猎鹿大赛的牧野健儿。

年轻的生命，飞扬的神采，充沛的活力，无比的信心，异常出众的外貌，富可敌国的家世，可是……

盲者走进来，向少年致敬意，少年不还礼只露齿而笑。

只笑，虽然不还礼，可是笑容温良。

“十叔，你去过了？有没有看见那个大块头？”少年的声音不但温良而且爽朗，“那个大块头有没有看见你？”

盲者微笑。

“铁大爷又不是瞎子，怎么会看不见我？”

“可是，就算他看见你，一定也好像没看见一样，因为他根本看不出你是谁。”少年用一种非常兴奋的神态问盲者，“对不对？”

“对。”

少年大笑。“那些有眼无珠的王八蛋，怎么会认得出你这个瞎子，就是柳先生？”

盲者也笑了。

“你不能怪他们，我装瞎子的本事，一向是第一流的。”盲者说。

“就算你装得不像，他们也想不到的。”少年说，“天下第一眼，‘明察秋毫’柳明秋柳先生，怎么会是个瞎子，谁想得到？”

他的眼神忽然黯淡，淡如秋之晨月。“天下有很多事都是这个样子的，譬如说，又有谁能想得到当代四公子中的江南慕容，居然会……”

**江西熊，吃不穷，喝不穷。**

**江南慕容，玲珑百变无穷。**

**关东怒，一怒之下，尸横无数，再怒之下，尸横四处。**

**江东一柳，剑法风流无敌手。**

这位江南第一名公子，并没有说完他要说的这句话，他的表情忽然又改变了，忽然又问盲者：“那个大块头是不是还和以前一样？身边总是带着一大票中看不中用的小伙子？”

“这一次好像有一点不同。”不盲的盲者说，“这一次他带去的人，至少有二十七个有用的，而且非常有用。”

“非常有用？”慕容公子问，“多么有用？”

柳明秋回答：“公子虽然是江南人，想必也应该知道，在湖广闽粤的名公巨卿府邸中，有一个最出名的戏班子，叫作‘弄玉班’。”

“我知道。”慕容笑了，“我早就听说过了。”

他笑得好像有点不太正常，不怀好意，因为这个“弄玉班”就是这样子的，希望有钱的公子哥儿对他们不怀好意。

他们都是从四五岁的时候就进了“弄玉班”，从小就要接受极严格的训练，能歌能舞能酒能弹，不但多才多艺，而且善解人意。

“其实他们真正精通的，并不是这些事。”柳明秋说。

“不是这些事是什么事？”

“是杀人。”柳先生说，“要怎么样才能在最适当的时候，把握着最有利的机会，用最快速有效的方法杀人，而且要在杀人后全身而退。”他说：“这才是弄玉班那些漂亮的男优们，受训的最终目的。”

“难道那些可爱的小男孩都是可怕的杀手？”慕容公子问。

“是的。”柳先生说，“杀人的代价是不是通常都要比取悦别人的代价高得多？”

“是的，”慕容不能不承认，“一般说来，通常都是这样子的。”

“所以他们明为优娼，其实却从小就要接受非常严格残酷的杀人训练。”柳先生说，“经过十年到十二年这种训练后，他们每个人都被训练成一个非常有效的杀人者。”

“有没有人不能接受呢？”

“有。”柳明秋说，“不能接受，就要被淘汰。”

“被淘汰的，就只有死？”

“是的。”

柳明秋说：“经过每年一次的淘汰之后，剩下来的人已经不多了。

这些人每一个都冷酷无情，都有毒蛇般的灵动狡黠，狐一般的奸猾，骆驼般的忍耐，而且都精于缩骨、易容、狙击、突击、刺杀，尤其是其中一部分叫‘丝’的人。”

“丝？”公子问，“丝缎的丝？”

“是。”

“他们为什么要叫作丝？”

“因为他们都是经过特别挑选，在弄玉班的训练之后，又被送到东瀛扶桑的‘伊贺谷’去受三年忍术训练的人。”

柳先生又解释道：“经过这种更严格更残酷的忍者训练之后，他们每个人都能将身体像蛇一样扭曲变形，躲藏在一个别人绝不能躲进去的隐秘藏身处，等到一个最有利的时机，才风蹿而出，狙击突袭，杀人于瞬息之间。”

“哦！”

“他们有时甚至可以不饮不食、不眠不动，蜷曲在一个很窄小的地方三两天，可是只要一动，对方通常就死定了。”柳先生接着说，“他们这种形态，就好像毒蛇中最毒的那种‘青竹丝’一样。”

“那么，他们为什么不叫青竹丝？”

“因为他们的掩护色并不一定是青的，他们看起来也不像是蛇。”

慕容笑了。

“有理，非常有理。”他衷心称赞，“丝，就是丝，哪里还有更好的名字？”

江南慕容世家的传人，品鉴力一向是非常高明，这一点也从来没有任何人能否认……

# 第二章

# 丝 路

## 01

夜。今夜。今夜有月，不但有月，而且有灯。

这个也不知道为了什么原因忽然在旦夕间死了的小镇，今夜又复活了，死黑的长街上，又变得灯火通明，亮如白昼。

铁大爷带来的人，在夜色初临时，就已经在这个小镇上每一个可以悬灯的地方，都挂起了一盏可以“气死风”的孔明灯。

仍然有风，又已有了灯，却还是没有人声，所有一切可以象征生命跃动旋律的声音，仍然全都没有。

长街依然哀如墓道，只有一个人默默地在街上踱步，从街头踱到街尾，从街尾踱到街头。

没有声音。

铁大爷带来的五十骑，虽然矫健剽悍，飞跃跳动有一种任何人都不能抑止的样子，可是现在却全都安安静静地站在那里，看着这个翠绿长袍上绣白丝小兔的老人在街上踱步。

人与马都一样静静地站在那里看着他，就连意气风发不可一世的铁大爷也都不例外。

老人穿绿袍，用一种任何人看到都会觉得很不舒服的姿态在这条长街上来来回回地也不知道走了多少遍，走走停停，看来看去，在两旁的舍屋店铺里穿进穿出，谁也不知道他在干什么，谁都看他不顺眼。

可是他一点都不在乎。

在别人眼中看来，他最多也只不过是个非常令人恶心的老人而已，可是在他眼中看来，这些人全都是死人。

老人终于停下，停在铁大爷的面前。刀一般的锐眼又眯成一条线。

“二十七。”

老人只说了这三个字，简简单单的三个字。

身经百战，出生入死，一生中也不知经过多少惊涛骇浪的铁大爷，听到这三个非常平常的字之后，脸上却忽然露出一种非常不平常的表情，显得又紧张，又兴奋，又热烈，就好像一个赌徒，在他准备下一注空前未有的大赌注之前，忽然听到某一个神秘的人物，给了他一个秘密“消息”一样。

——一个可以让他稳赢不输的消息。

“二十七？”铁大爷立刻用一个赌徒的急切口气问，“你真是看准了是二十七？”

老人不回答，只用一种“大行家”的姿态点了点头——行家的回答通常都只有一次。

大行家的这一次回答，通常都是绝对正确的。

铁大爷仰面向天，深深吸气，天上有月，月如灯，铁大爷又长长吐出一口气。

老人那只白嫩的手，已经搭上一个精壮少年的肩，往轿子边走过去了，看起来就仿佛一位有贵宠的娇慵美人搭着她心爱侍儿的肩走出温泉浴池一样。

铁大爷的精力却仿佛铁箭在弦。突然开声大喝。

“来，来人。”

“有！”

五十骑中，有十三骑的马上人稳坐雕鞍，面如板、颈如棍、肩如秤、背如龟壳、腰如老树，连动都没有动一动。

另外三十七骑士，甫上马，又下马，下马时腰如春柳，曲如蛇盘。年纪都在二十左右，年轻明亮的双眼里，都带着种蛇信般的灵活毒狠和一种说不出的坚冷忍耐。

“二十七，”铁大爷说，“只要二十七。”

他的声音低沉而严厉：“有病的人，先退，有情仇纠缠的人，也退。”

没有人退。

铁大爷大怒，怒喝：“难道你们都想死在这里？”

没有人开口，不开口就是默认。每张脸虽然都非常漂亮，可是每一张漂亮的脸上都带着种“随时都愿意去死”的表情。

铁大爷盯着他们，终于轻轻地叹了口气：“那么你们不如现在就去死吧！”

三十七个人，三十七把刀。

每个人腰畔都有刀，“呛”的一声，三十一把刀齐出鞘。

还有六个人的手虽然已经握上刀柄，只不过是握住而已。

他们的刀仍在鞘。

然后，就在这一刹那间，这六个人就已经是六个死人了。

——每个人的咽喉上忽然间都已多了一道鲜红的切口。

就像是一个人在用剃刀刮须角时，一不小心留下的那种红丝般的切口。

可是红丝一现，鲜血就好像喷泉一样喷了出来。

他们几人倒下时，他们的血刚好喷上去，他们的血洒落时，都没有落在他们身上。

——这是他们的幸运，还是不幸？

他们的热血竟落入冷泥中，连那种本来就可以冷杀人的秋风秋雨落入其中之后都可以被冷死的冷泥中。

六道细如芒丝般的毫光，六条血丝切口，血如突喷，光如电殛。

穿白丝兔绿绣袍的老人刚好坐进他的轿子，轿帘刚刚垂下，三十七死士中刚刚有三十一人手握刀将拔，刚刚有六人手虽握刀，却没有拔刀的样子。

就在这一刹那间，轿子里忽然有一蓬牛芒般的闪光以一种不可思议的速度飞了出来。

忽然间，一下子，就飞了出来。

忽然间，一下子，就有六个比较没种的人的鲜血，像喷泉一样喷了出来，喷上半天。

——不管这个人是好人也好，是坏人也好，是有种也好，是没种也好，只要是人，血就是一样的血，喷出来的时候，都一样可以喷得半天高。

这是人类的幸运，还是不幸？

圣贤与伧俗，英雄与懦夫，在某种情况下遇到了同样一件事，结果并没有什么不同，如果他们同样被别人砍了一刀，他们的血都同样会喷出来，贤愚勇懦都一样。

因为他们都是人，“人”就是这样子的，人世间有很多事都不十分公平。

六个人倒下，还有三十一个人站着，没种的人倒下，有种的人不倒。

“有种”的意思，就是够义气、有胆量、不怕死，面临生死关头时，绝不会皱一皱眉头，更不会在应该拔刀的时候不拔刀。

在战场上，在生死关头间，愈怕死的人，反而死得愈快，就好像赌场上，钱愈少愈怕输的人，通常都会输得最多。

这个世界上有很多事都是这个样子的。

“我已经把这个地方每一个角落都看过了。”绿袍老者说，“这条街七十丈距离之内，最多只有二十七个藏身之处。”

他又补充：“我的意思是说，只有这些丝士才能够在里面躲三天三夜的藏身之处。”

“我知道。”

“所以，也只有二十七个人能知道这二十七个藏身之处。”

“我明白。”

“现在我就要他们藏进去。”绿袍老人说，“在你和慕容的决战日之前，他们的藏身处除了你我和他们二十七个人之外，绝不能被第二十八个人知道。”

“这一点我当然也明白。”铁大爷轻轻地叹了口气，“只可惜这一点如果只有我一个人明白，还是不够的。”

他在叹气的时候，他的眼中已经有了刀锋般的杀机，刀锋般扫过另外的那些人，用一种很悲伤的声音问他们：“你们是不是也明白我们这位高师爷的意思呢？”

他当然不会等他们的答复，一个操生杀大权，随时都在主宰着别人命运的人，通常只发命令，不容抗命，只提问题，不听答复。

所以铁大爷的问题又接着问了下去。

“如果你们都能了解高师爷的意思，那么现在你们应该知道怎么办。”

——怎么办，除了“死”之外，还有什么别的办法？

除了死人是最可靠的保密者之外，还有什么人能够让多疑的高师爷信任？

让高师爷信任也许还比较容易一点，要让功成名就的一方霸主铁大爷信任，就比较困难了。

——没有疑心，怎么能成霸业？

——没有霸业，又何必疑心？

跟着铁大爷来的这五十骑，都是他的死党，跟着他也不知跟了多少年了，他要往汤里去，他们就跟着他到汤里去；他要往火里去，他们也跟着往火里去。可是，他在软玉温香中时，他们也在。

铁大爷一向是一个很会用人的人，一向是个好“老大”，所以他才是大爷。

所以他的兄弟们听到他这么说的时候，立刻就有了很多种不同的反应。

——大家都觉得铁老大是在故作姿态，唬唬那些小王八蛋。

这是跟着他只有两三年的人的想法。

——这是大爷故意这么说，以进为退，以退为进，让这些小鬼心甘情愿地为他卖命。

这是跟着他已经有五六年的兄弟的想法，他们都认为他们的老大这么说只不过是一种姿态而已！

可是从小就跟着他的那些人，听到他说的这种话，全身的鸡皮疙瘩都冒了出来。

只有这些人，才是最了解他的。

——为了达到目的，不择任何手段。

他们从小，从很小很小的时候，就听到他们的老大重复不停地训他们这句话，“训”得他们这一辈子永远都忘不了。

——如果你要让一件秘密永远不泄露，那么你只有让听见这个秘密的人全都死光。

除了那二十七条丝之外，每个人都知道他今天只有一条路可走。

不是“丝路”，是死路。

## 02

“丝路。”

慕容本来好像已经衰弱得连话都说不出来了，现在才问：“丝路，你是不是在说丝路？”

“是的。”柳先生说，“有丝，就有丝路。”

“你说的那条丝路，是不是从汉时开辟，从盛唐通达，从长安始，经河西走廊，过嘉峪关，通黑水城，到达敦煌的那一条丝路？”

“不是。”

“丝路有两条，当然也是从长安始，由北走，出关，入哈密，吃哈密瓜，吃完哈密瓜后，就从通化、伊犁、阿尔泰山，一直走到我们所不知道的异国。”不盲的盲者说，“这一条是北路。”

他解释：“去异国，带中土的丝绸去，返来时，带异国的奇巧珍玩、胡琴、胡床、碧眼美人来，这些可以在一趟行程中就获暴利的人，都把这条路叫作天山北路。”

“那么是不是还有一条天山南路？”

“是的。”

不盲的盲者柳先生说：“出关后，过高原，走西域、楼兰、莎车，沿疏勒走，而达目的。”他说：“在那些行旅客商的称呼中，这条路，就叫作天山南路。”

“不管天山南北路，都是丝路？”慕容问。

“是的。”

“你说的是哪一条路？”

“都不是。”柳明秋说，“我说的这条丝路，并不是一条路，而是一个人。”

“为什么？”

“因为这个人，在那些把自己的性命看作游丝般的‘丝士’心目中，已经不是一个人，而是一条路，”柳先生说，“因为没有他这个人，他们就无路可走。”

“所以这个人就叫作丝路？”

“是的。”

“好，好极了。”慕容赞扬，“丝，丝路。”他叹气道，“你就算用西门吹雪的剑对准在我的咽喉上，我也想不出更好的名字了。”

# 第三章

# 丝士死士

## 01

铁大爷带来的五十铁骑，现在已经只剩下三十一个人了。

“只有死人才能绝对保守秘密。”铁大爷说，“这是句非常正确而且非常聪明的话，我却不是第一个说这句话的人，我还没有这么聪明。”

他说：“可是现在这句话已经是大家都明白的至理名言了，你们一定也明白。”

是的，大家都明白，他们老大的意思，就是要他们死。

除了那二十七个在决战日要从藏身处突击狙击敌手的丝士之外，别的人，都得死，谁都不想死，但是他们除了死之外已别无选择。

现在为什么还有三十一个人活着？难道铁大爷的命令已不如往昔有效？

准备埋伏在决战日作殊死一击的丝士，还要从二十九人中选二十七。

人选仍未定，所以还是二十九人活着。

另外的两个人呢？

## 02

两个人一老一少，老者六七十，少者十六七，两个人眼中却同样都迸发出一种不畏死的斗志。

老者已将死，生死只不过是一弹指间事，生有何欢，死有何惧？为什么不死得光荣些？

少者还不知死之可惧，要死就死吧，去他妈的，最少也要拼一拼才死！

铁大爷好像已经完全没兴趣再管这件事了。

作为一个大爷，通常都会知道应该在什么时候把一件事适时转交给别人来接手，尤其是在这件事已经到了尾声，而且开始有了一点麻烦的时候。

敢抗拒大爷的，当然是有一点麻烦的人。通常麻烦还不止一点。

此时此刻，最大的麻烦有两点，一点是老者有搏杀的经验，一点是少者有拼命的勇气。

老者王中平，名字平平凡凡，模样也平平凡凡，可是在他这一生中，已经杀了九十九个人，都是在一种不动声色的情况下，用一种平平凡凡的方法杀死的，杀人之后，居然也没什么后患。

——你说这么样一个人，要杀他是不是有一点麻烦？

少年姓鲁，是孤儿，没名字，外号叫“阿干”，意思就是说，只要“碰”上了，不管你是谁，我都跟你干上了，干个你死我活再说。

他没有家。

至少有二十多次，别人都以为他死定了，可是他没有死。

——你说这么样一个人，是不是也有一点麻烦？

绿袍老人不理这一老一少，只看着面前的二十九丝。

他的眼也如丝。丝是亮的，丝又轻软，丝也温柔，可是丝也勒得死人。

“我要的是二十七个人，现在却有二十九，”他的叹息声也轻柔如丝，“你们说，现在我该怎么办？”

没有人回答，没有人知道应该怎么回答，夜色更深，晚风冷冷，大家只觉得自己身上一颗颗鸡皮疙瘩冒了出来，因为谁也不知道必死的两个人之中，会不会有一个是自己？

这个问题居然在一种很奇怪而且很简单的情况下，很快地就解决了。

因为其中有几个人居然可以跟他们的“伴侣”挤在一起，不管多小的藏身处，都可以挤得进去。“因为我们常常都挤在一起。”他们说，“而且我们喜欢两个人挤在一起。”

所以现在剩下的问题只有两个人。

## 03

“丝路其实并不是一条路，他那班兄弟虽然认为没有他就无路可走，有了他，其实也一样无路可走。”柳先生告诉慕容公子，“如果说，他真的是一条路，那么这条路一定是用别人的尸体铺出来的。”

盲者不盲：“我敢说铁老大带去的那五十骑中，至少已经死了十九个。”

“五十，减十九，还剩三十一。”慕容问，“二十七个藏身处，二十七个人，现在为什么还有三十一个活着？难道铁老大和那条路都不明白只有死人才能守口？”

他当然也知道他们都明白，只不过他喜欢听别人对他提出来的问题作合理的解释，合理的解释才能代表一个人的智慧、理性、学识和分析力，慕容一直都希望常常有这种人在他身边。

所以他才是慕容。

柳先生在他身边。

“丝士中有好几对都亲密如兄弟手足夫妻，尤其是其中的林家兄弟和青山兄弟，更是分不开的，所以虽然只有二十七个藏身处，却可能有二十九个人。”

“三十一，减二十九，好像还有两个。”慕容问，“对不对？”

“对。”

“还有两个人呢？为什么还能够活到现在？”

“其实我不说你应该知道。”

“为什么？”

“因为这两个人都是你已经老早听说过的。”

慕容在想。

“铁乌龟的五大爱将，枯、老、大、女、少，都不可能在这种时候出现的。”慕容又想了想，“其中最多只有两个会出现。”

他忽然又举杯。

“一老一少，如果我说得不对，我罚酒，罚三杯。”

柳先生微笑，叹息，也举杯，不但举杯，而且喝，喝三杯。

他输了，他要喝，他喝了，他方说。

“王老身经百战，已经从无数次杀人的经验中，体会出一种最有效的刺击术，他自己命名为‘一百刺，九十九中’。他当然不怕。”

柳先生说：“他已经六十九，连死都不怕了，还怕什么？”

慕容同意。

“如果我已经六十九，我只怕一件事了。”他自己回答，“到那时候，我只怕还没有死。”

“你十六七岁的时候呢？”

“那时候我怕死。”慕容很坦白，“那时候我只要一看到死人，我就会哭。”

“因为你是个养尊处优的贵公子，你从小的日子就是过得很快乐的。”柳明秋先生说，“我想你在十二三岁的时候，就已经把你们家的丫头都欺负死了。”

——能把好多个漂亮小女孩都欺负死的男人，自己怎么会想到死？

“可是有很多人都不是这样子的。”柳先生说，“他们都跟你不同。”

“有什么不同？”

“你没有想到死，可是你怕死，如果你死了，你的好爸爸、好妈妈、好姐姐、好妹妹、好衣裳、好吃的、好玩的，一下子全部没有了，所以你想不怕死都不行，因为你有太多只有你活着才能享受的东西。”

柳先生问：“可是另外一些人呢？他们为什么也不怕死？”

这问题他不是问别人，是问自己。

所以他自己回答：“他们不怕死，只因为他们什么都没有。”

“那个叫‘阿干’的小男孩，就是这样子的，”柳先生说，“他没有父母，没有朋友，没有爱，他不怕死，他只怕一个人孤孤单单活在这个没希没望的世界里，有人逼他，他只有干。”

不盲的盲者说：“依我看来，他当然有几分可以去干一番出生入死的本事。”他说：“如果这小子能活到二十岁，我敢说他比谁都行，也许比当年楚留香在二十岁的时候都行。”

慕容吓了一跳。

“你把他跟楚留香比？”

“嗯。”

“你比的是不是那个楚留香？”

“天下有几个楚留香？”

“一个。”

“那么我说的就是这一个。”

不盲的盲者脸上忽然露出一种很哀伤的表情：“这个世界上，天才本来就不多，如果连二十岁都活不到，那就太可惜了。”

“你是在说阿干？”慕容问，“难道你已算准他活不到二十岁？”

“是的。”

## 04

阿干双拳紧握，眼中露出饿狼般的凶厉。

他是个非常特异的人，异常凶暴，又异常冷静，异常敏捷，又异常能忍耐，江湖传言，有人甚至说他是被狼狗饲养成人的。

所以他也异常早熟，据说他在九岁时就已有了壮汉的体力，而且有了他第一个女人。

——一个十七岁的农女，卷起裤管，露出一双小腿和白足，在山泉下洗衣，忽然发现有一个小孩在对面像野兽般窥伺着她。

阿干的双拳紧握，盯着绿袍老者，眼厉如狼。

铁大爷视而不见，绿袍老者根本不去看，王中平以眼色示警，阿干却已决心要干了。

就在他下定决心这一刹那间，他的人已飞扑出去，像一匹饿狼忽然看见一只羊飞扑出去，用他的“爪”去抓老者的咽喉和心脏。

他扑杀的动作，竟然真的像是一匹狼。

绿袍老者却不是羊。

他的身形忽然像鬼魅后退，他的丝士都自四面八方涌出，手里丝光闪闪如银芒，织成了一面网。

阿干忽然发现自己已经在网中，网在收紧，绿袍老者又如鬼魅般飞过来，手里忽然出现一根银色的刺，忽然间就已从丝网中刺入了阿干的嘴。

阿干正要嘶喊，刺已入喉，往嘴里刺入，后颈穿出，银刺化丝，反搭后脑。

后脑碎，血花飞。

阿干倒下。

他还不到二十岁，他死时的呐喊声凄厉如狼嗥。

丝网收起，绿袍老者默默地转身，默默地面对王中平。

他未动，王中平也不动。

忽然间，一个穿红衫着白裤，梳着一根冲天小辫子的小孩，也不知道从什么地方蹿了出来，反手拔出一把寒光闪闪的小刀，忽然间一下子就冲到了阿干刚倒下的尸体前，抓起他的发髻，一刀就割下了他的脑袋，凌空一个翻身，提着脑袋就跑，一眨眼就看不见了。

——这个小孩是个小孩？还是个小鬼？

绿袍老者仍然未动，王中平也没有动，可是两个人脸色都已经有点变了。

眼看着小鬼割头，眼看着小鬼远扬，他们都没动，因为他们都不能动，谁先动，谁就给了对方一个机会，致命的机会。

——铁大爷和那二十九条丝为什么也不动？是不是因为那个小鬼的行动太快？

——一个小孩般的小鬼，为什么要到这个杀机四伏的地方，来割一个死人的脑袋？

绿袍老者盯着王中平，忽然长长叹了口气，用一种极感伤的声音说："王老先生，看起来你大概已经不行了，连'割头小鬼'都不要你的头了。"

"哦？"

"如果他还要你的头，他一定会等你先死了之后才来割头。"

他挥了挥手。

"你走吧。"绿袍老者说，"如果连小鬼都不要你的头了，我这个老鬼怎么还会要你的命？"

王中平轻轻地长长地叹了一口气。

"是的，看起来我好像真的已经老了。"他说，"老人的头就好像丑妇的身体一样，通常都没有什么人想要的。"

绿袍老者也叹了口气："看起来，世上好像的确有很多事都是这样子的。"

"一点都不错。"王中平说。

他整衣，行礼，向老者行礼，向大爷行礼，也向那二十九丝士行礼。

他行礼的姿态温文而优雅，可是每一个人都能想得到，在他这些温文优雅的动作间，每一刹那都可能施展出一刺击敌致死的杀手，因为他也知道绿袍老者绝不会真的放他走。

——一百刺，九十九中。

——这一刺，他选的人是谁，选谁来陪他死？

他选的当然是一个他必然有把握可以杀死的人，这一点总应该是毫无疑问的。

问题是，不管他要对付这里的哪一个人，好像都应该很有把握。

所以每个人都在严加戒备，都没有动，都在等他先动。

奇怪的是，他也没有动，就好像真的相信绿袍老者会放他走一样，就这么样慢慢悠悠、悠悠闲闲地往前走。眼看就快要走出了这个小镇。

铁大爷视而不见，绿袍老者居然也就这么样眼睁睁地看着他走远。好像根本就不怕他会泄露他的秘密，又好像他们有什么把柄被他握在手里。

真正的原因是什么？谁知道？

这时候，只看见一个很高、很苗条的女人的影子，从小镇外那无边无际的黑暗中走出来，走向他，伸展双臂，和他紧紧地拥抱。

## 05

“对大多数人来说，丝路的意思，就是死路，就算他偶然给别人一条活路，那条路也细如游丝。”柳先生对慕容说，“所以阿干现在应该已经是个死人了。”

“一定？”

“铁大爷要他死，那个只穿绿丝袍的老怪物也要他死，我们好像也不想他再活下去，这个世界上，还有谁能救他？”

“好像还有一个人。”慕容说，“这个世界上无论发生了多么不可思议不能解决的事，好像总有一种人可以解决的。”

“这种人是谁？”

慕容笑说："这种人好像就是你刚刚提起的那个楚留香。"

楚留香。

名动天下，家传户诵，每一个少女的梦中情人，每一个少年崇拜的偶像，每一个有及笄少女未嫁的母亲心目中最想要的女婿，每一个江湖好汉心目中最愿意结交的朋友，每一个销魂销金场所的老板最愿意热诚拉拢的主顾，每一个穷光蛋最喜欢见到的人，每一个"好朋友"都喜欢跟他喝酒的好朋友。

除此之外，他当然也是世上所有名厨心目中最懂吃的吃客，世上所有最好的裁缝心目中最懂穿的玩家，世上所有赌场主人心目中出手最大方的豪客。甚至在盐商豪富密集的扬州，"腰缠十万贯，骑鹤下扬州"的扬州，别人的风头和锋头和他相较下全都没有了。

不管谁都一样。

关东马场的大老板，长白山上的大参商，各山各寨各道的总舵主，总瓢把子，平日左拥红、右抱绿，一掷万金，面不改色，可是只要看见他，这些人脸上的颜色恐怕就会要有一些改变了。

因为他是楚留香。

——一个永远不可能再有的楚留香，天上地下，独一无二，如果他忽然"没有"了，也没有人能代替他。

这么样一个人，如果不是让人羡慕敬佩，就是让人欢喜的。

可是柳先生听到这个人的"这个名字"，脸上忽然又露出一种说不出的哀伤之意，而且真的是一种说也说不出，写也写不尽的哀伤。

看到他脸上这种奇怪又诡奇又不可解释的表情，慕容当然忍不住要问："你在干什么？"他问柳先生道："看起来，你好像在伤心。"

"好像是有一点。"

"你为什么要伤心？"

"因为我知道连楚留香也救不了阿干了。"

“为什么？”

“因为楚留香在三个月之前，就已经是个死人。”

慕容也死了。

至少他现在的样子看起来已经和一个死人完全没有什么不同了。

## 06

这个很高很苗条的女人，穿着一身雪白的长袍，风在吹，白袍在飘动，她紧紧地拥抱住王中平，就像是个多情的少女忽然又见到她初恋的情人一样，那么激情，那么热烈。

可是她的手忽然又松开了，她的人忽然间就像是一个白色的幽灵般被那又冷又轻柔的晚风吹走，吹入更遥远更黑暗的夜色中。

王中平却还是用原来的姿势站在那里，过了很久，才开始动。

这一次，他居然没有再往前走，反而转过身回来。

他走得很慢，走路的样子很奇怪，走入灯光可以照亮他的地方时，大家才看出他脸上的样子也很奇怪，脸上每一个器官每一根肌肉都似已扭曲变形。

走到更前面的时候，大家才看出他的脸已经变成一种仿佛兰花般的颜色。

——兰花有很多种颜色，可是每一种颜色都带着种凄艳的苍白。

他的脸上就是这种颜色，甚至连他的眼睛里都带着这种颜色。

然后他就像一朵突然枯谢了的兰花般凋下。

他倒下去时，他的眼睛是在盯着丝路，用一种充满了幸灾乐祸的欢愉，和一种充满了深入骨髓的怨毒的声音说：“没有用的，绝对没有用的。”他一个字一个字地说：“随便你们怎么设计，这一次你们还是必败无疑。”

“为什么？”

“因为那个瞎子，你们如果知道他是谁，说不定现在就会一头撞死。”

他脸上那一根根充满了怨毒的肌肉，忽然又扭曲成一种说不出有多么诡异的笑容：“因为你们永远也不会知道他是谁的。”

丝和丝路虽然都是逼供的好手，可是现在却再也逼不出他一个字来。

因为他已经死了，说完这句话他就死了，他死的时候，他的脸看起来就好像是一朵在月光照耀下随时都可能变换颜色的兰花。

那个幽灵般的白袍女人，随风飘入夜空中时，仿佛曾经向铁大爷和丝路挥了挥手，她那白色的衣袖飘舞在暗夜里，看起来也仿佛是一朵兰花。

这时候已经是午夜，晚风中依稀仿佛送过来一阵清清淡淡的兰花香气。

## 07

“楚留香真的已经死了？”

“是的。”

“你有把握？”

“我有！”

柳先生黯然道："本来我也不信他会死的，深沉阴险如无花和尚和南宫灵，绝艳惊才如水母阴姬和石观音，他们都不能要他死，还有谁能？"

不盲的盲者一双白多黑少的眼中似已有了泪光。

"可是他的确死了，是死在一个女人手里的，一个美似天仙，其实却如同魔鬼一样的女人。"柳先生说，"她的名字叫林还玉。"

"林还玉？"

"是的，"柳先生说，"还君明珠双泪垂，还君宝玉君已死。君死妾丧情亦绝，天上地下永不聚。"

慕容也是多情人，"君死妾丧，永不相聚"。他痴痴地咀嚼着这几句愁词，心里也不知道在想什么，也不知道是什么滋味。

他只能说："这一定也是极尽悱恻缠绵让人爱得你死我活的故事，幸好我现在根本不想听。"慕容说："现在我他妈的根本没心情来听这种见了活鬼的狗屁故事。"

温文尔雅的慕容公子也会骂人的，他只有在骂人的时候，心里才会觉得痛快一点。

他当然也只有在心里最不痛快的时候才会骂人。

## 08

午夜。

从风中飘送过来的兰花香气更清更轻更淡，却仍未消失。

人却已消失。

杀人的人，冷杀人的风，幽灵般的白袍女人，都已消失在暗夜中，只留下一个暂时还不会消失的尸体，和一个已经被割掉头颅的死人。

铁大爷深深地吸了一口气。

“好香，真的香。”他说，“难怪有学问的人都说，只有兰花的香气，才是王者之香。”

“难道楚香帅那种名闻天下的郁金花香气，也比不上？”

“当然比不上。”

“为什么？”

“因为那种香气现在已经没有了。”

“是不是因为楚留香这个人现在也已经没有了？”丝路故意问。

“是的。”

于是铁大爷和丝路一起大笑，好像根本忘记了王中平刚才说的那句话。

“不管怎么样，你们这一次都必败无疑，因为那个瞎子……”

王中平是从不说谎的，铁大爷对他说的话，一向都很信任，这次他这么说，也绝不会没有原因。

可是这一次铁大爷却好像根本没听见他在说什么，甚至好像根本忘记了刚才曾经看见过一个瞎子。

这时候月已将圆，这一天是八月十三日，中秋夜的前二夕。

铁大爷与慕容公子的决战时，就在仲秋月圆夜。

# 第四章

# 决战前夕

## 01

慕容坐下来。坐在一个用江南织锦缎制成的圆墩上，坐在一张有汉时古风的低几前。

他已经不在那个废园旧宅里，他在一座高台上。

台在高处，高十九丈，高高在上，是用一种极粗的毛竹架成的，架在一个斜坡上，高得可以看见远处的灯火。

——远处那个小镇里的灯火。

近处也有灯火，灯火就在高台下。

将过黄昏，才过黄昏。忽然间，无边无际的冷秋夜色就把这一片山坡笼罩住了。

然后灯火就亮起。

各式各样大大小小不同的灯，各式各样明明暗暗闪闪灭灭的火光，亮起在各式各样形状不同的营地帐篷前，照亮了各式各样老老少少男男女女不同的脸。

唯一相同的是，每一张脸上，都同样带着种疲惫憔悴而又无可奈何的表情。

因为他们都被迫离开了他们的家。

——他们的家，就在那个好像忽然死掉了一样的小镇上。

——他们的家，纵然贫乏，但却仍然是温暖的，灶火常热的厨房，每天都洗得非常干净的碗筷，总是会让丈夫儿女吃得饱的菜饭，睡惯了的床，厚厚软软的棉被，罐子里也许还有一点可以让孩子们绽开笑容的甜食干果冰糖，罐子里也许还有一点酒，枕头下面也许还有一两本可以让夜晚过得更甜蜜的书。

他们为什么要离开他们的家？

因为他们不能不走，因为他们无可奈何，因为他们对于暴力，根本无法反抗。

所以他们只有走。

在他们听到“有两帮非常有力量的人，已经选择要把本来属于他们的这个小镇作为火并的场所”时，他们只有离开他们的家。

因为他们都太软弱，也太善良。

善良的人，为什么总是比较软弱？

刚出世的婴儿，埋头在母亲的乳房里，小孩子相互拥抱取暖，大孩子抱着一个包袱就睡着了，老太太老先生们或坐或躺，也不知是睡是醒，近处远处闪灭不定的火光，照得他们脸上的皱纹看起来更深。

其他大众呢？

肩负一家重担的一家之主，每天都要筹算一家之计的主妇，已经发觉妻子将要离他而去的中年男人，已经发觉丈夫跟她妹妹偷情的少妇，互相爱慕却又不能相聚的少男少女，一个个独坐在夜空下，他们心里的滋味又如何？

家园仍在，却已未必再是他们的，劫后重生，以后日子是不是还会和以前一样？经过这一次劫难后，是不是还能活得下去？

——天呀，有多少人的心里在悔恨，希望自己没有犯过以前犯过的那些罪恶。

慕容在高台上看着这些人，柳先生就在他身旁，那两个面蒙蓝巾穿一身直统统长袍的女人也在，都在看着他脸上的表情。

他的脸上没有表情。

他眼里仿佛流露出一抹悲伤怜悯，可是立刻就转向远方。

远方的小镇上依旧有灯火。他眼中的怜伤忽然变为愤怒。

“你说那两个乌龟一定已经走了，现在为什么还没有走？”他问柳明秋。

“你看见了他们还在那里？”

“没有。”

“你只不过看见那里还有灯而已。”

“对。”

“人不是灯。”柳先生很平静地说，“人走了，还是可以把灯点在那里的。”

“他们为什么要把灯点在那里？”

“因为他们要让你认为他们一直都在那里等着你去。”柳先生说，“他们在，你当然就不会去，在决战日之前，那二十九个人就可以平平安安地埋伏在那里了。”

——不到必要时，这些人当然不能被发现，到了必要时，他们才能发出致命的一击。

柳先生非但眼不盲，心也不盲。

“你看见那里的灯火，你的心不定，他们才能好好地回去休养，以逸待劳，以静制动。”柳明秋说，“如果你去了，万一发现他们的一处埋伏，他们还有什么好玩的？”

慕容的态度立刻就已改变，立刻就承认：“对他们来说，那实在很好玩。”

他忽然又笑了，又问柳先生：“他们觉得不好玩的时候，应该就是我们觉得最好玩的时候，对不对？”

“对。”

“那么我们是不是应该立刻就去？”

“是的。”

“好，我听你的。”慕容说，“你现在就去，带二十九个高手去，把他们那二十七处埋伏，全都连根拔出来。”

“那倒不必。”

“不必？”慕容显得很惊讶，“为什么不必？”

“我根本不必带二十九个人去。”

“为什么？”

“因为那二十七处埋伏处，相隔有一段距离，而且全都极为隐秘。没有听到他们事先约定的讯号时，谁也不敢轻举妄动，贸然现身。”柳先生说，“所以我们去攻他第一处埋伏时，另外的埋伏处根本不会知道。”

“哦？”

“我发觉他们的埋伏时，一招内就一定要致他们的死命，那只是一瞬间的事。”柳先生淡淡地说，“我可以保证，这二十七处埋伏中的二十九个人，在临死前连一点声音都不会发出来。”

他说：“如果我带二十九个人，反而会惊动他们，那就是打草惊蛇，反而弄巧成拙了。”

“有理！”

“所以我只要带一个人去。”

“只带一个人？”

“二十七处埋伏，二十九个人，其中至少有两个埋伏中有两个人。”柳先生说，“以一敌二，虽然不难，以二制二，才万无一失。”

“对。”

“我是不是应该带一位高手去？”柳先生问慕容。

“当然。”慕容说，“你当然要带一个高手去，而且一定要是一个高手中的高手。”

柳先生看着他，眼中有笑。“公子手下，高手如云，可是我要带走的这一位，却不知公子是不是肯放人？”

“你要带的是谁？”

慕容的神色好像有一点紧张起来了，柳明秋眼中的笑意却更浓。

“是她。”柳先生指着一个人说，“我要带去的就是她。”

慕容身旁一直有两个人的，两个用蓝色的面巾蒙脸，穿一身直统统的蓝色布衫，虽然看不出形态轮廓，却还是可以看得出是女人的人，她们一直都在扶携照顾着他。

两个人里面，如果用尺来量，有一个比较高一点，因为她的脖子比较长，腰也比较长。

另外一个比较矮一点，可是看起来却比较高。

因为她的腿长。

她两条腿的长度，几乎占据了她整个身子的三分之二。她的腰又细又软又高。

柳先生指的人就是她。

慕容好像呆住了，又好像随时都可能跳起来，可是最后他只不过长长地叹了口气。

“你这个不瞎的瞎子，真有一套，你不但有思想有头脑，而且有眼力。”慕容说，“我佩服你，可是我一点都不喜欢你。”

“知道。”柳明秋淡淡地笑，“这个世界上，喜欢我的人本来就不多。”

“为什么？”

“因为大家都觉得我太聪明了。”柳明秋说，“我结识的都是聪明人，如果他认为我比他还聪明，他怎么会喜欢我？”

——这是至理。

——一个聪明人，通常都不喜欢别人比他更聪明。

慕容也在笑。

“幸好这一点并不重要，别人喜不喜欢你，都没有什么关系。”

柳明秋说：“因为我有用。”

慕容说：“一个真正有用的人，别人是不是喜欢他，他全都可以不在乎。”

“是的。”柳先生说，“我的想法也是这样子的。”

看着他带着那长腿细腰穿一身直统统长袍的女孩走下山坡，慕容脸上一直带着种很愉快的微笑，不但愉快，而且得意。

因为他相信柳明秋绝对是个非常有用的人，而且这一次他也把这个人用对了。

## 02

“我姓苏，别人都叫我小苏。”

“我知道。”

“你知道？你怎么会知道？”

“我知道的事也许远比你想象中要多得多。”柳先生说。

月光如银，夜静也如银。银无语，也无声，只不过会发亮而已。

柳明秋在前面走，小苏在后面跟着，他们走得并不快，秋月仍在中天，黎明前才会暗下去，那时候才是最适于行动的时候。

他们默默地走过一段路之后，柳明秋忽然说：“现在你是不是已经可以让我看一看了。”

“看什么？”

“看你。”

柳先生说：“现在我能看到的，只不过是一块蒙面的青布巾，和一件直统统的袍子而已。”

“你还想看什么？”

“看你的人。”

柳明秋说：“我知道你和你的表姐都是不能让慕容看见的，因为他已经不能再受到一点刺激，对他来说，一个年轻漂亮的女孩子已经是种要命的刺激了，何况两个。”

他忽然转身，面对小苏：“我不是慕容，我可以受得了。”他的盲眼非但不盲，而且亮如火炬：“所以现在你一定要让我看看你。”

——为什么？年轻漂亮的女孩子，为什么会对慕容是种要命的刺激？她们在他面前，为什么要蒙住她们的脸？掩饰住她们的身材？

这其中又有什么不可告人的秘密？

小苏静静地看着这个神秘而诡谲的不盲的盲人，露在她蓝色面罩下的双眼，就好像是一对琥珀，澄明而冷静。

极冷、极媚、极净。

——豹的眼是不是这样子的？

她没有除下她的面罩，却解开了她的衣襟，就像是诚心信奉某种神秘宗教的虔诚信女一样，她宁可让别人看到她赤裸的胴体，也不能让人看到她的脸。

因为她的躯体是纯洁完美无瑕的。

她的确是。

她的颈和肩线条柔美，她的胸饱满结实，她的腰肢细而软，她的腿浑圆修长而充满弹性，她的足与踝却又如此脆弱柔美。她的皮肤在月下闪闪发光。

她赤裸裸地站在这个陌生的盲者前，一点也没有羞涩之意。

因为她的躯体真像是名匠用最纯净的黄金铸成的，无论展现在任何人面前，都足以自豪，不必羞愧。

柳明秋静静地看着面前这个几乎已接近绝对完美的躯体，一双黑少白多从来都极少有情的冷淡眼睛中，居然也仿佛露出了一些赞美之意，甚至还忍不住轻轻叹息。

“你知不知道你有一样大多数女人都没有的东西？”他问小苏。

“我知道。”小苏说，“而且我还知道我有的不止一样。”

“哦？”

“我有好身材，我有好皮肤，我还有一种可以让男人心跳的魅力！”

“你知不知道你所有的这些，都是武器？”柳明秋又问。

“我知道。”小苏说，“尤其是对付男人，这些武器远比世上任何兵刃都犀利得多。”

她的眼睛里忽然涌出一种充满讥诮的笑意。

“一个女人如果要用刀剑来对付男人，这个女人非但一定丑得要命，而且一定蠢得要命。”小苏说，“就好像一个总认为只要用钱就可以征服所有女人的男人一样蠢。”

“你好像很了解自己。”

“我一直都很了解自己，而且尽力要让自己了解自己。”小苏说，“因为一个女人如果不了解自己，就要上男人的当了。”

柳先生笑。带着非常有兴趣的笑容问她：“那么，你是不是也知道你应该用什么方法来善用你的这些武器？”

“是的。”

小苏说：“我跟你去突袭时，我就这样子去，赤裸裸地去。”

——一个隐藏在密处多时的年轻强壮男人，忽然看到一个长腿细腰浑身都充满了诱惑的漂亮美人在眼前出现，他会有什么反应？

——我不知道别人有什么反应，我只知道如果我在这种情况下看到这么样一个女人，别人一刀砍在我颈子上，我都不会觉得痛的。

柳先生又笑了。

“难怪慕容说，我是个有眼光的人，我果然没有看错你。”他说，“你的确没有让我失望。”

## 03

高台下，突然在一夕间流离失所的人们，心情都比刚才愉快一点了，因为他们每个人面前都有一碗热气腾腾的牛肉汤，而且还有锅巴和一块块比金条还厚三四倍的白面斤饼，而且还是用一整头全牛炖的汤。

他们都知道牛肉和饼都是高台上那个人送的，可是他们全不知道那个人就是这一次让他们在一夕间忽然流离失所的人。

所以他们都愉快得很。

——有时候“知道”才是痛苦，“不知道”反而愉快。

——那么“完全无知”，是不是最愉快的呢？

慕容在高台上。

有些人好像永远是在高台上的，看起来永远高高在上，高不可攀，所以也很少有人会问他：“你冷不冷？”

慕容不冷，至少现在不冷，因为现在正有一双温暖的手在按捏着他的筋骨肌肉和关节。

这双手是双非常漂亮的手，如果有人说这双手如春葱，这个人一定是个猪，因为这个世界上绝不会有这么好看的葱，不管春天夏天秋天冬天的葱都不会有如此纤长清秀白嫩。

这双手的腕上，有一截挽起的袖，蓝袖。

——小苏跟柳先生去，她的表姐“袖袖”仍在，慕容身边是不能没有人的。

袖袖的手多么温柔，手指却长而有力，在她的手指按捏下，肌肉松弛了，血脉也畅通，最重要的是，心情也轻松。

慕容看起来轻松得几乎已接近软瘫，可是脸上的表情看起来却仿佛有一点痛苦。

他在柔软的指下呻吟。

“我错了。”就算他不是在呻吟，听来也是，“这一次我一定做错了。我该死，袖袖，现在我只恨不得你能杀了我。”

他的声音甚至已接近啼哭，袖袖却用一种非常温和冷静而又非常坚定的声音告诉他。

“你没有错，也没有看错人，你做的每一件事，都是对的。”她告诉慕容，“我可以保证，这一次你的计划，一定可以成功。”

——慕容突然萎泄。只有这个女人，只有她。

——她是谁?

她叫袖袖，不是红袖，是蓝袖。

## 04

月光如银。

小苏依旧赤裸裸地站在不盲的盲者面前，她知道他不盲，非但不盲，而且比这个世界上大多数人的眼力都好得多。

她知道她全身上下每一个部位，即使是最细密的部位，都逃不过他的眼。

这种想法，忽然使得她心里有了种连她自己都不能解释的冲动。

她忽然发觉自己在紧缩，全身上下，每一个部分每一寸皮肤都在紧缩。

她其实希望某一些事件会发生。

遗憾的是，什么事都没有发生，这位不盲的盲者竟似真的是个盲人。既没有看见她的赤裸裸的胴体，也没有看见她的激情的反应。

他甚至好像连一点感觉都没有，只不过冷冷淡淡地告诉她："只要你懂得善用你的武器，我们这次行动，万无一失。"

"我们现在就开始行动？"

"是的，"柳先生甚至已转过身，"我们现在就去。"

他的冷淡无疑已经使得她有点生气了，所以已经决心要让这个瞎子受到一点教训。

"我们为什么不能再等一下？"小苏也冷冷地说，"等到天快亮的时候再出手。"

"我们为什么要等？"

"因为有经验的人都应该知道，天快亮的时候总是最黑暗的时候，也是在紧张中守候的人们最疲倦的时候。"小苏故意问，"在这种时候去突袭，成功的机会是不是更大？"

"是的。"

"天亮前也是男人们情欲最亢奋的时候，我甚至可以想象得到，他们其中一定有很多人会在这段时间里自渎。"

小苏故意笑，笑容在暧昧中又充满讥诮。

"我是个很好看的女人，我常常会接触到一些正常而健康的男人。"她说，"我对他们大概要比你了解得多一点。"

——你不了解他们，因为你既不健康，也不正常，否则你为什么会对我全无反应？

这些话小苏当然没有说出来，因为她相信就算她不说，这个瞎子也应该明白她的意思。

可是她错了。

柳先生居然还是全无反应，就好像完全听不懂她在说什么。

“你说得有理。”他居然还在称赞她，“非常有理。”

“那么我们是不是应该等一下再去？”

“我们不等。”

“为什么？”

“因为我们如果再等下去，我恐怕就会去做一些不该做的事。”柳先生已经完全转过身，“在行动之前，我们最好不要再消耗体力！”

小苏的脸忽然红了。好红好红，幸好柳先生没有看见。

他是背对着她的。

可是这一点却又不是最重要的原因，他看不见她的脸红，只因为他的眼前忽然变得一片黑暗。

一片黑暗，什么都看不见了，他的咽喉里甚至也发出一阵阵野兽垂死前的呜咽，他的脸也忽然变得扭曲痉挛。

他甚至已倒下。

就在这时候，忽然有一个穿红衫着白裤、梳着一根冲天小辫子的小孩，也不知道从什么地方蹿了出来，反手拔出一把寒光闪闪的小刀，忽然间一下子就冲到了刚刚倒下的柳先生面前，一把抓起他的发髻，一刀割下他的脑袋，凌空一个翻身，提着脑袋就跑，一眨眼就看不见了。

这个小孩是个小孩？还是个小鬼？

不管怎么样，他都绝不是个正常健康的男人，因为他从来到去，也都没有看过小苏一眼。

这么样一个女人，如此饱满的乳房，如此修长结实的腿，就这么样赤裸裸地站在这里，可是在他眼中看来，好像还没有一个死人可爱。

小苏忽然觉得双腿间一阵潮湿，然后就很快地晕了过去。

## 05

这时候慕容正用一种非常愉快的声音对他身边的女人说：“我相信柳先生的行动现在一定已经开始了，而且一定成功。”

# 第二部

# 慕　容

——年轻的生命，飞扬的神采，无比的信心，异常出众的外貌，富可敌国的家世，只可惜……

# 第一章

## 决战之夜

### 01

八月，十五，中秋，月圆。

人呢？

人已将流血。

月无血，人有。

从这个地方看，月光绝对没有灯光灿烂，各式各样的花灯排满在街道上每一个可以悬挂灯笼的地方，使得这个本来应该很安详平静的团圆佳节，看起来竟好像变得有点像是金吾不禁的上元狂欢夜。

这个本来已死寂无人的边陲小镇，看起来也变得好像有点像是灯火如昼的元夜花市。

遗憾的是，街道上只有灯，没有人。

人在楼头。

四海楼就在这条街道的中枢地段上，就好像是这个小镇的心脏。控制着这个地方呼吸的节奏和血脉的流通，这里每个人都以它为荣。

铁大老板端坐高楼，目光如鹰鹫，样子看起来却如虎豹，正在渴望着痛饮仇敌的血。

有很多人正列队在他面前通报。

“兵刃检修清点完毕。”

“灯笼蜡烛油料补充完毕。”

“人员清点完毕，无缺漏、无病患、无醉酒、无走失、无脱岗。”

“街道清除完毕，无积水、无障碍！”

每一件事都安排妥当了，却没有一个人提过暗卡中的丝。

那是绝对保密的，除了那二十九个随时都在准备殉死的丝士外，只有老板自己和丝路知道这个秘密，就算还有别人知道，那个人现在也没法子把这个秘密说出来了。

没有嘴的人，是什么话都说不出来的，没有脑袋的人，怎么会有嘴？

铁大爷和丝路先生的表情虽然很严肃，可是也很镇静从容。

对于这一战，他们好像一直都很有把握。

名动天下的江南慕容，盲而不盲的柳明秋，在他们眼中看来，好像只不过是两只飞蛾而已。

他们早已燃起了灯，等着飞蛾来扑火。

远处有光芒一闪，仿佛有流星陨落，一个人身轻如燕，凌空一掠，自黑暗中掠入灯火辉煌处，再一掠，就穿窗入高楼。

他看起来像是个孩子，可是年纪已经有三十六七，他看起来像是个还没有发育完全的少女，可是在多年前就已有了胡子。

因为他是个侏儒。天生就是个侏儒。只不过他这个侏儒和别的侏儒有几点不同而已。

他就姓朱，名字就叫作朱儒。

他娶了老婆。

他的妻子叫马佳佳，容貌佳，家世佳，风度佳，修饰佳，服装佳，是江湖中有名的佳人。

她的身材尤其是值得赞美的，长腿、耸胸、高腰，就算是最挑剔的男人，也绝对找不出一点缺点来。

马佳佳身高七尺一寸，比她的老公朱先生恰巧高了一倍。

就凭这一点，朱先生就已经可以自傲的。

更令他自傲的是，江湖中人羡慕他的并不是他的妻子，而是他的轻功。

他自信他的轻功在江湖中至少也可以排名第八。

身轻如燕，落地无声，落地时就落在铁大爷身侧。

他凌空飞掠，穿窗而入，他的脚尖落地时，他的嘴就在大爷的耳边。

铁大爷居然端坐不动，因为他早就知道这个人会来，而且一来就在他身侧耳边。

朱儒施展轻功时，“落点”之准，一向都很少有人能比得上的，就算他跃起凌空翻了十八个筋斗后，他的落足点，还是会落在他刚刚跃起时那个地方，甚至连脚印都可以完全吻合。就像是相恋中情人的嘴一样，密密吻合，毫厘不差。

所以大老板只淡淡地问：“情况怎么样？”

“情况很好。”朱儒说，“就好像大老板预料中一样，该来的差不多全都来了。”

“差不多？”大老板说，“差不多是差多少？”

“只差一个。”

“谁？”

“柳明秋。”朱儒说，“这个不瞎的瞎子本来一直是个独来独往的人，可是最近却忽然投靠了江南慕容。”

“为什么？”

“谁也不知道是为了什么。”朱儒说，“更让人想不通的是，他今天居然没有来。”

铁大爷对这个问题似乎并不太有兴趣，他觉得有兴趣的问题是：“不该来的人来了几个？”

“谁？”

“一个用蓝巾蒙着脸，穿着一件直统统的蓝布袍，看来仿佛很神秘的女人。”朱儒说，“慕容是坐着一顶小轿来的，这个女人一直都跟在小轿边。”

铁大老板皱起了眉，丝路先生也皱起了眉，忽然问朱儒：“你怎么知道这个人是个女人？”

他问朱儒：“你非但看不见她的脸，连她的身材都看不见，你怎么能确定她一定是个女人？”

这个问题是非常尖锐的，而且非常确实，朱儒的回答也同样实际。

“因为我第一眼看见她就热了起来，全身上下忽然间就热起来了。”朱儒说，“她全身上下我全都看不见，可是我那时候的感觉，居然比看见七八十个赤裸裸的漂亮小姑娘还冲动。”

这种感觉是很难解释的。朱儒只能说：“她每走一步路，每一个动作，都带着种说不出的诱惑。尤其是她的眼神。”朱儒叹息：“她的眼睛里就好像有只看不见的手，随时都可以一下子就把你的魂抓走。”

他解释得不能算顶好，可是大爷和丝先生都已经明白他的意思。

一个天生的尤物就像是把锥子，不管你把她藏在个什么样的袋子里，她都一样可以把袋子穿透。

“你知不知道这个女人是什么来路？”

“不知道。”朱儒说，“可是我知道她一定是慕容的女人，她一直都跟着他，几乎寸步不离。”

——能够让这么样一个女人跟在身边寸步不离的男人，当然是非常突出的。

“这一代的慕容是个什么样的人？”铁大老板问朱儒，“他有些什么特别的地方？”

“这就很难说了。”朱儒在犹疑。

他的观察力一向很敏锐，而且很会说话，要形容一个非常突出的人，应该很容易。

“这个慕容，好像跟上几代慕容都不同。”朱儒说，“表面看来，他也跟别的慕容没什么两样，也是一副自命儒雅，高高在上的样子，脸上也完全没有一点血色，就像是个死人。”

“不是死人，”铁大爷冷冷插口，“是贵族。”

“贵族？”

“他们常常说，只有最高贵的人，才会有这种脸色，不但要苍白得全无血色，而且更白得发蓝。”铁大爷冷笑，“因为他们这种人，通常都不需要在阳光下流血流汗的。”

他不是这种人，他是从汗血中崛起的，他的脸色如古铜，所以他在说起这种人的时候，口气中总是会带着种说不出的轻蔑和讥诮。

——因为他知道，不管他有多大的财势，也换不到这种脸色。因为他只有“现在”和“未来”，却没有“过去”。

——他的过去是不能提起的，甚至连他自己都不愿去想。

——一个人如果没有一些温暖美好的回忆，在他逐渐老去时，怎么能度过寒冷寂寞的冬天？

朱儒终于明白大爷的意思。

“可是这一代的这一个慕容，却绝不是这种自我陶醉的人。”

“哦？”

“这个慕容外表看起来虽然跟他们一样，可是……”朱儒经过一段思考后，才选择出他认为最恰当的形容，“可是在他这个躯壳下，总好像有另外一个人隐藏在里面。”

“一个什么样的人？”

“一个和他外表完全相反的人。”朱儒说，“一个又卑鄙，又下流，又阴险，又恶毒，又粗俗，又刁钻，又无耻，又残暴的流氓和骗子。”

铁大爷的脸色变了。

一个人会有这样两种极端相反的性格，非但不可思议，而且也可怕已极。

谁都不愿有这么样一个仇人的。

“他的武功呢？”铁大老板突然急着要问，“他的武功怎么样？”

“我不知道。”朱儒说，“我看不出。”

“可是你一定能够看得出，他的动作间，有什么特别的，有一些什么特别的地方。”

这是应该看得出来。

一个受过极严格武功训练的人，一个在某一种功夫上有特别不平凡的造诣之人，在他的一举一动间，甚至在他的神态里，都可以看得出来。

何况朱儒又是个受过这方面严格训练的人。想不到他却偏偏说：“我看不出。”

“你怎么会看不出？”大老板已经在发怒，“难道你看不见他？”

“我看得见他。”朱儒说，“可是我只能看见他这个人，却看不见他的动作和神态。”

“为什么？”

“因为他根本没有动过，连小指头都没有动过。”朱儒说，“而且脸上连一点表情都没有。”

朱儒不等老板再问，就解释：“他的脸，就像是用大理石雕出来的。”朱儒说：“他没有动，只因为他一直都坐在一张很舒服的椅子上。一动也没有动。”

椅子虽然有四条腿，可是椅子不会走。

那么慕容怎么来的？

这是个愚蠢的问题，根本不必回答，真正的问题在另外一点。

铁大爷已经想到这一点，丝路先生已经在问朱儒：“你是不是说，他是坐在一张椅子上被人抬来的？”

“是。”

“他有没有受伤？”

“没有。”朱儒说，“至少我看不出他像受了伤的样子。”

“他的腿当然也没有断！”

“他的腿好像还在。”朱儒说，“慕容世家好像也不会选一个断了腿的人来掌门户。”

江南慕容一向争强好胜，最要面子，每一代的继承人，都是文武双全，风采照人的浊世佳公子。

“那么这个慕容是怎么回事呢？”铁大爷皱着眉问，“他既没有受伤，也不是残废，他为什么不自己走路来？为什么不去弄匹马来骑骑？”

朱儒不开口。

这也不是个聪明的问题，而且根本不该问他的，这个问题本来应该去问慕容自己。

愚蠢的问题根本不必回答，可是这一次丝路先生居然说："这个问题实在问得好极了。"他说："一个人如果做出了一件他本来不该做的事，如果不是因为他太笨，就是因为他太聪明。而且其中一定有问题。"

"这个慕容看来好像并不是个笨蛋。"

"他绝对不是，"丝先生说，"他也许远比你我想象中还聪明。"

"哦？"

"他至少知道坐在椅子上被人抬来是有好处的。"

"什么好处？"

"坐在椅子上不但舒服，而且可能保留体力。"

朱儒淡淡地接着说："我们在这里等他，本来是我们以逸待劳，先占了一点便宜，"朱儒说，"可是现在我们都在站着，他却坐着，反而变得是他在以逸待劳了。"

大老板大笑。

"好，说得好，"他问朱儒，"那么现在你为什么还不叫人去弄张椅子坐下来？"

## 02

这张椅子的椅面是用一种比深蓝更蓝的藏青色丝绒铺成的，光滑柔软如天鹅。

穿一身同色丝袍的慕容懒洋洋地坐在椅上，使得他苍白的脸色和那双苍白的手看来更明显而突出。

抬椅子的两个人，身材极矮，肩极宽，看起来就像是方的。

他们的两条腿奔跑如风，上半身却纹丝不动，慕容端坐，就好像坐在他那个铺满波斯地毯的小厅里。

这不是一顶小轿，只不过是张缚着两根竹竿的椅子，却很容易被人误作一顶小轿。

轿不应该是静的，椅子应该是静的，它们本来是两样绝不相同的东西，可是在某一种情形下，却常常会被误认为同类。

——人岂非也一样，两个绝不相同的人，岂非也常常会被误认为同样，有时甚至会误认为同一个人。

这个世界上有很多事都是这样子的。

袖袖紧随在慕容身侧，寸步不离。

另外还有四个人，年纪都已不小，气派也都不小，神态却很悠闲，从容而来，就好像是在散步一样。

可是他们紧跟在那两个脚步如风的抬椅人后面，连一步都没有落后。

别人飞快地跑出了七八步，他们悠悠闲闲地一步跨出，脚步落下时，恰巧就和别人第八步落下时在同一刹那间。

他们每个人身上，还带着一口无论谁都看得出非常沉重的箱子。

一种用紫檀木制成，上面还镶着铜条的箱子，就算是空的，分量也不轻。

箱子当然不会是空的，在生死决战时，谁也不会抬着四口空箱子来战场，只不过谁也不知道箱子里装着些什么东西。

跟在他们后面的八个人，脚步就没有他们这么悠闲从容了。

再后面是十六个人。

然后是三十二个。

这三十二个人跟随着他们，如果不想落后，已经要快步奔跑。

## 03

看看这一行人走上小镇的老街，铁大爷忽然问丝路："你看他们来了多少人？"

"我看不出有多少人。"丝先生说，"我只看得出他们有六组人。"

"一组多少人？"

"组别不同，人数也不同，"丝路先生说，"第一组只有两个人。"

"一个坐在椅子上，一个跟在椅子旁。"

"是的。"

"第二组呢？"

"第二组就有四个人，三组八个，四组十六，五组三十二。"

"第二组四个人我认得出三个，"铁大爷眯起眼，"三个都是好手！"

"是的。"

"可是我看，其中最厉害的一个，大概还是我认不出的那一个。"

那个人又高又瘦，头却特别大，整个人看起来，就好像把一个梨插在一根筷子上。

这样一个人，应该是会让人觉得很滑稽的，可是这个世界上，觉得他滑稽的人，大概不会太多。

如果有一百个人觉得他滑稽，其中最少有九十九个半已经死在他的钉下。

“你说的一定是丁先生。”

“我想大概就是他。”大爷道，“人长得又细又长，脑袋却又大又扁，看起来就像是个钉子。”

“他的名字本来就叫作丁子灵。”

“丁子灵？”大爷的脸色居然也有一点变了！“丁子灵，灵钉子，一钉下去，就要人死。”

“是的，”丝路说，“我说的就是他。”

铁大爷的脸本来绷得很紧，却又在一瞬间放松。

“不错，这个钉子是有一点可怕，幸好我既不是木头，也不是墙壁，我怕他个鸟？”他说，“我只不过觉得有点奇怪而已。”

“奇怪什么？”

“一组两人，二组四人，三组有八，四组十六，五组三十二。”大爷问丝先生，“我算来算去，最多也只有五组，你为何却要说是六组？”

丝先生笑了笑，用一种非常有礼貌的态度反问大爷：“那两个抬轿子的人是不是人？”

两个方形的人，几乎是正方的，不但宽度一样，连厚度都差不多，两个人看起来，就像是两个馒头摆在两个方匣子上。

这个世界显然很不小，可是要看见这么样两个人，也不是件容易的事。

忽然间，铁大爷的脸色又绷紧了。

然后他就用他惯有的那种简单而直接的方式，发出了他的命令。

“我们第一次攻击的对象是他们的第二组和第三组，一共十二个人，一次歼灭。”铁大爷说，“我们约定好的讯号一发，行动就开始。”

他又说：“这一次行动，必须在击掌四次之间全部完成。”

丝路微笑。

他不但明白大爷的意思，而且很赞成。

第四组和第五组的人数虽多，人却太弱，不必先动。

第六组那两个方形的人却太强，不能先动。

所以他们一定要先击其中，断其首尾。

——一个人如果能成为一个真正的大爷，毕竟不是件容易事。

丝路先生微笑着，忽然高举起他那双纤秀如美女的手，很快地做了几个非常优美的手势。

这当然是一种秘密的手语，除了他门下的丝士之外，别人当然不会明白他的意思。

在这一瞬间，这无疑已将大老板的命令转达出去。

然后他就带着微笑说：“人类其实非常愚蠢。”他说：“每个人都不想死，用尽千方百计，也想活下去，可是有时候却又偏偏笨得像飞蛾一样，要去扑火。”

—— 有火焰在燃烧，才有光明。这种燃烧的过程，又是多么悲壮，多么美。

扑火的飞蛾，是不是真的像丝路想象中那么愚蠢？

这时候慕容一行人已走到“盛记食粮号”的门口。

在昆仑大山某一个最隐秘的山坳里，有一座用白色大石砌成的大屋，隐藏在一堆灰白色的山岩间，四面悬石高险，危如利剑。

大屋四周，有几乎是终年不融的雪，四季不散的浓雾，日夜常在的云烟。

谁也不知道这座神秘的白石大屋是在什么时候建造的，里面住的是些什么人。

事实上，真正亲眼看见过这栋大屋的人，并不太多。

大多数时候，它都好像已经消失在终年笼罩在四周的白云烟雾间。

建屋用的白石，每一块至少有九百五十块上好红砖那么重。最重的可能还倍于此数。

山势如此绝险，这些大石是怎么运上去的？要动用多少人力物力？就算是在附近开采的，也是件骇人听闻、不可思议的事。

大屋的规格宏伟，构造精确，纵然有山崩地震，也不会有颓危的现象。

大屋的外貌虽然是粗糙而未经琢磨的白石，看来虽壮观却拙朴，可是在它的内部，那种几乎已接近神话的奢侈华美与精致，任何人都无法想象。

大屋的内部有三层，两层在地面，一层在地下，一共有大小房厅居室三百六十间，最大的一间，据说可以容千人聚会。

这三百六十间房屋，当然都是经过精心设计的，里面陈设着各式各样你们所幻想到的奇巧珍玩，和一些你甚至在幻想中都没有想到过的名物异宝，甚至在一间卑微的仆人房里，都铺着手工精织的上好波斯地毯。

只有一间房是例外。

这间房正在大屋的中枢所在地，可是房里几乎什么都没有。

纯白色的墙，纯白色的屋顶，一扇窄门，两个小窗，一张桌，一张椅，一张床，一个白棉布的枕头，一张白棉布的棉被，和一个穿着白棉布长袍，看来就像是苦行僧一样的人。

木桌很大，非常大。上面堆满了用白纸板夹住的卷宗。每一个卷宗都夹着一件机密，每一件机密都可以耸动武林。

如果有人把这些卷宗披露，江湖中也不知道多少英雄豪杰名士侠女会因此而毁灭。

——这些卷宗中，赫然竟有一大部分是有关楚留香的。

有关楚留香这个人这一生中所有的一切。

他的祖先，他的家世，他的出生年月日地，他的幼年，他的童年，他的玩伴，他的成长，他的挣扎奋斗，他的崛起，他的成名，和他以后所经历过的那些充满传奇性的故事。

除此之外，当然还有他那些浪漫而多情的恋人。

每一个卷宗的原纸白封面上，都简单而扼要地注明了它的内容，其中有些标注是非常有趣的。

“从楚留香童年时的玩具看他以后学武的倾向和武功的门路。”

“从楚留香幼时的奶娘们看什么样的女人最能使他迷恋。”

“楚留香的鼻子和迷药间的关系。”

“楚留香与石观音。”

“楚留香与水母阴姬。”

“楚留香与胡铁花，以及他对朋友的态度。”

“楚留香对睡眠和饮食的偏好和习惯。”

卷宗的内容不但分类详细，而且非常精辟，从这些卷宗上，已不难看出研究楚留香的这个人，对他的了解有多么精细。

这个人了解楚留香，也许比楚留香自己了解得都多。

这个人穿着件带着三角形头罩的白棉布长袍，看来就像是个波斯的苦行僧一样，无论在任何情况下，他都尽可能地不让别人看到他的脸。

此刻他正在专心地翻阅其中最大最厚的一个卷宗，这个卷宗上的标题赫然竟是：“楚留香之死。”

## 04

这个标题实在是骇人听闻的，挥手云霞，瞬息千里，连阎王鬼卒都摸不到他一片衣袂的楚留香，怎么会死？

可是江湖中确实有很多人都在暗中传说，不败的楚留香，这一次确实败了。

他败，所以他死，不败的人如果败了，通常都只有死。

可是不败的人怎么会败呢？

这个卷宗，记载着的就是有关这个故事所有的人物和细节，从开始直到结束为止。

据说他是死在一个女人手里的。

这一点，已经让人觉得传说并非无因了，这个世界上如果还有一个人能击败楚留香，这个人当然是个女人，而且是个极美的女人。

人同此心，心同此理，这一点是大家都认为毫无疑问的。

据说这个女人姓林，叫林还玉。

林还玉当然极美，只不过谁也不知道她究竟有多美，因为谁也没有见过她。

可是能够让楚留香迷恋倾倒的女人，无疑是位倾国倾城的人间绝色，这一点用不着亲眼看见，无论谁都可以想得到。

而且她还是江南慕容世家的表亲，是天下第一名公子、绝艳惊才、举世无双的慕容青城的嫡亲表妹。

如果要替楚香帅找一个适合的对象，还有谁比她更适合？

这个故事，除了慕容、还玉和楚留香之外，据说，还牵连到另外一些人，当然也都是名动一时的人，其中甚至包括：

柳上堤，江南风流第一，剑术第一，风姿第一，有剑如丝，以柔克刚，一剑穿心。

柳如是，江南第一名妓，艳如桃李，媚若无骨，明珠盈斗，不屑一顾。

关东怒，一方大豪，一代枭杰，关东一怒，尸横无数。

有了这些精彩出众的人，这个故事本来应该是极轰动的，奇怪的是，江湖中真正知道这个故事其中详情的人，居然不多。

尤其是它的结局，知道的人更少。

也许就因为知道的人少，所以有关它的传说就愈来愈多了。

有的人甚至说，林还玉虽美，但却红颜薄命，从小就有恶疾缠身，而且就像是条恶蛇一样，非但可以缠死自己，而且可以缠死每一个爱上她的人。

楚留香爱上了她，所以也只有死。

可是有没有人能证明楚留香真的已经死了呢？有没有人亲眼看到过他的尸体？

穿白色棉布长袍的人，一直在反复研究着这个卷宗，如果有人能看见他的脸，一定会发现他的神态已经非常疲倦，如果有人能看见他的眼，一定会看出他的眼中已布满血丝。

如果有人能看穿他的心，一定会发现他的心里有个死结。

这个结是很难打得开的，因为他永远不知道楚留香是不是真的已经死了。

为了要打开这个结，他已不知道投注了多少人力和物力，耗费了多少心血。

——这是不是因为仇恨？

——当然是的，除了仇恨外，还有什么力量能使一个人付出这么大的代价？

——这个人是谁呢？为什么会如此痛恨楚留香？

直到他看见一个人，他满布血丝的眼睛里才露出了一点希望。

这个人就像是个幽灵一样，忽然间就从那扇窄门外滑了进来。

人影一闪，目光一瞥，屋里的灯光就忽然熄灭了，只听见这个鬼魂般的人用一种低沉嘶哑但却又非常激动兴奋的声音说：“飞蛾行动已开始。”

# 第二章

# 飞蛾行动

## 01

甚至在多年后，还有人在研究讨论着当年轰动天下的这一战。

“根据最正确的考证，那一次行动是在当年八月十五的子时才开始的。”

“根据你的考证，那一次行动真的就叫作飞蛾行动？”

“绝对不假。”

“我不信。”比较年轻的一个人说，“行动的意思是攻击，是要使仇敌毁灭。”

“飞蛾扑火，本来就是自寻死路。”

“那么你难道要我相信，他们筹划这次行动，为的就是要毁灭自己？”

“我没有这么说。”年长的一人笑得仿佛很神秘，“可是你如果一定要这么想，也没有错。”

“我不懂你的意思。”

年长者忽然长长叹息：“那一次行动的真正用意，的确是让人很难想象得到的。”

## 02

那一年的八月十五，在那个小镇，月色皎洁，万里无云。

慕容的椅轿已经走过了“盛记食粮”，距离“四海酒楼”已经只有十来家店面了，距离被铁大爷称为“箭靶”的地区，已近在咫尺。

这时候距离子时最多也只不过仅有片刻。

就在这时，两旁空楼中忽然发出“蓬”的一响，无数盏灯火忽然应声而灭。

惊暗中，只听劲风穿空之声，漫天呼啸而过，凄厉如群鬼夜哭，自幽冥中哭叫着飞舞而来，也不知要勾走谁的魂魄。

无数道劲风，好像完全集中在盛记食粮前那七八家店面前。

慕容手下第二组和第三组的人，此刻就正在这个地段里。

每一阵尖锐的急风破空声，都是往他们身上飞掠而来的。

如果这真是厉鬼勾魂，目标也就是他们。

那不是厉鬼，而是急箭，却同样可以要人的命。

## 03

“那么，铁大爷发动的第一次攻击用的是这种法子？”

以弓箭取武林高手，听起来的确未免太轻忽，所以直到多年后，这个醉心于研究这一役战略的年轻人，仍然忍不住要怀疑。

“是的。”长者的答复却很明确，“他用的就是这种方法，用的就是普通的弓箭，只不过他在街道两旁，一共埋伏了一百零八把强弓，每人配带三十六根鹏翎箭，弓箭手都是擅射‘连珠’的专家，别人射出一箭时，他们已射出三箭！”

他又补充：“这一百零八人弯弓射箭，只发出‘蓬’的一声响，从这一点，你大概已经可以想见他们配合之密切，和他们反应之灵敏了！”

密令一发，弓弦齐响，一百零八人不差分毫，除了默契外，反应当然也要快。

少年沉默。过了很久才问：“铁大爷和丝路先生为什么不用他们早已埋伏好的那一支奇兵？”

“你说的是丝士？”

“是的。”

“这一点你应该能够想得到的。”长者说，“他们的这一支既然已埋伏在别人绝对想象不到的隐秘之处，不到必要时，为什么要把自己暴露出来？”

他凝视少年，表情严肃：“这一类的埋伏奇兵，不到生死胜负系于一发的时候，是万万不能用的。”

“可是，”少年犹疑着，“我还是觉得用那些弓箭手作第一次攻势的主力，未免太弱了些。”

“不弱。”长者说，“绝对不弱。”

他说得截钉断铁，但他却绝不是个强词夺理的人，所以他立刻就解释。

“用这批弓箭手作首次攻势，至少先占了三点优势。”

“哪三点？”

“第一，慕容他们一定也像我们一样，想不到对方会用弓箭手发动攻击，而且在双方还没有对面的时候，就已发动。”长者说，“现在我虽然看得比较清楚，只不过是事后的先见之明而已，当时他们一定会很意外。”

出其不意，攻其无备，正是千古以来都颠扑不破的兵家至理，古往今来，每一位战略家，每一位大将军，都奉行不渝。

这个醉心于兵法的少年人，当然更不会有一点反对的意见。

“第二，弓弦一响，灯光立刻熄灭，表示他们的箭在射出时，就已瞄准了对象。”老者说，“可是被他们攻击的对象，却在一种完全没有防备的情况下，眼前忽然变得一片黑暗，就好像一下子就从亮如白昼的灯火辉煌处，落入万劫不复的黑暗深渊，非但他的眼睛不能适应，他们的心态也不能应变。”

这两点虽然已足够，可是他还是要用第三点来补足：“这一百零八位弓箭手，本来至少要对付一百人的，现在却将攻击力全都集合到他们身上，何况在黑暗中闪避暗器总是比较困难，纵然有听风接箭的本事也未必有用。”

“因为他们要接的并不是三五根箭！”

“是的。”

“这么说来，铁大爷这一次攻击难道完全成功了？”少年问长者。

长者不回答，只淡淡地笑了笑。

“其实铁大爷并不是有勇无谋的人，他们要发动的第一次攻击，其实包括了三个独立的程序，弓箭作业，只不过是第一个程序而已。”

少年的眼睛忽然亮了起来。

“不错，这一个程序，主要并不是为了杀人，而是为了要让对方的阵脚动乱。”

长者微笑：“说下去。”

“像丁子灵那样的高手，要避开这种弓箭绝非难事，也许在弓箭声响时，他们就已脱离了攻击区。”少年的神情很兴奋，“可是他们的阵脚一乱，在黑暗中闪跃躲避追捕追击，动乱间就难免会落入对方埋伏的陷阱里。”

他急切地问：“当时情况，是不是这样子的？”

长者笑得更愉快：“是的，当时的情况就是这样子的。”他带着微笑说：“令人想不到的是，第一个落入陷阱的人，居然是燕冲霄。”

少年对上一代的武林名人显然都非常熟悉，所以立刻就说：“你说的是不是那个娶了五个男伶做妾的燕子相公？”

“是的。”长者又笑，“当然就是他。”

## 04

燕冲霄，五十三岁，飞云提纵术和燕子飞云三绝手，都是江湖公认为第一流的。

第一流的轻功，第一流的暗器，第一流的高手。

他当然也是丝路先生所认定的第二组中的四位高手之一。

弓弦一响，灯光骤灭，燕冲霄已冲天蹿起。

他当然知道那不是鬼哭而是急箭，可是他也没想到射来的箭会有这么多。

射过一排箭，燕冲霄凌空翻身！新力未生，旧力将尽，黑暗中忽然又有箭风破空。

想不到燕冲霄在这种情况下居然还能再以力借力横掠，越过屋脊。

可是这一次他身子再往下落时，就再也没有什么余力可使了。他甚至可以感觉到胃在翻腾，头脑也开始在不停地晕眩。

近来他常会有这种现象，每当激烈地运用真力后，就会觉得虚脱而晕眩。

所以他已经开始在警告自己，有时候他也应该想法子去接近一些娇嫩可爱而又美丽温柔的女人，尤其是那些胸部比较平坦的。

不太正常的事，总是比较容易耗损体力。

他落下来的地方，是条阴暗而狭窄的小巷，经过的老鼠远比人要多得多，堆满了垃圾的角落里摆着个破旧的漆木马桶。

这个马桶居然是这条窄巷里最干净的地方。

燕冲霄虽然仍在晕眩，可是眼睛却习惯了黑暗，他很想找个地方坐下，他看见了这个马桶，这地方又没有什么别的选择。

只不过他坐下的时候，仍然保持着警觉，他袖中的“燕子飞云三绝”随时都可以发动，他坐下的地方也正好在这条死巷的死角里，无论谁进来，都在他这种一筒十三发的致命暗器威力笼罩下。

他确信自己绝对是非常安全的，无论多可怕的敌手要来对付他，他都有把握先发制人。

所以他坐下来的时候，忍不住很舒服地叹了一口气。

——一个懂得自求多福的人，不管在多恶劣的情况，都可以找到机会舒服一下子的。

燕冲霄对自己这一点专长一向觉得很满意。

想不到这一次他这口气刚叹出来，忽然间就变成了惨呼。

他的人忽然间就像是一只被人烧着了尾巴的猫一样，从马桶上直蹿了起来。

他虽然没有尾巴，可是尾巴本来是长在什么地方的，那个地方他有。

他的人蹿起来的时候，他的“那个地方”中间，赫然多了一把刀——也许只有半把刀，至少所看得见的只有半把。

另外半把，已经隐没在他身子里。

刀在一个人手上，这个人竟藏在这个绝对无法容人藏身的马桶里。

燕冲霄蹿起，他也跟着蹿起，刀锋在燕冲霄身子里，刀柄在他手里。

一个人的身体里如果有半截刀锋从某个地方插了进去，他有多么痛？那种痛苦恐怕不是任何一个别的人所能想象得到的。

一个人痛极了的时候，什么力气都可以用出来了，何况燕冲霄本来就有一飞冲霄的轻功，所以他这一蹿，速度一直不减。

握刀的人却觉得这一刀已经刺得够深了，所以身子已经开始往下落。

一个上蹿之势不减，一个已在下坠，刀把犹在手，隐没的刀锋，立刻出现，随着握刀人的下坠而出现。

于是鲜血就忽然从刀锋出没处花雨般洒了出来。

燕冲霄死不瞑目。

他永远想不到有人能藏身在一个高不及三尺、直径不及尺半的马桶里。

他更想不到致他于死命的一刀，竟刺在他这一生最大的一个弱点上。

吕慎和吕密是兄弟，他们练的功夫是挂劈铁掌、开山铁斧这一类的外门硬功，可是他们的心思却绵密细致如抽丝。

他们是第二组的人，可是在江湖中，他们已经是第一流的好手。

他们听风辨位，辨出了一组箭射出的方向，闪避过这一遭箭雨后，他们立刻就乘隙飞扑到这里。

这里是个厨房，依照它的位置和方向推测，应该就是“盛记”的厨房。

“盛记”的生意一直做得很大，人手用得很多，人都要吃饭，他们的厨房当然很大，锅灶当然也很大。

可是现在“盛记”上上下下里里外外连一个人都没有，厨房里的大灶却还有火，灶火还烧得很旺，两个灶口上，一边一个大铁锅，一边一个大蒸笼。

——一个可以藏住一个人的大铁锅，和一个可以藏住一个人的大蒸笼。

吕氏兄弟对望一眼，眼角有笑，冷笑。就在这一瞬间，他们兄弟已经到了大灶前。一个人用左手掀大锅的锅盖，一个人用右手提蒸笼的笼盖。

——他们兄弟的掌力，一个练的是右手，一个练的是左手。

左手提锅盖，掌力在手，锅盖一起，右掌痛击，一击毙命。

不管藏在锅里是什么人都一样。左掌击下时，笼中人的命运当然也一样。

唯一遗憾的是，他们这一掌竟没有击下去，因为锅里没有人，笼中也没有。

人呢？

吕氏兄弟忽然惨呼如狼嗥，大灶里的火焰中，忽然刺出了两根通红的铁条，忽然间就已插入了他们的小肚子里。

这两根铁条无声无息地刺出，直到刺入他们的小腹后，才发出“嗤”的一声响。

一响之后，忽然又无声无息。

听见这一声响，吕氏兄弟才低下头，眼中立刻涌满了说不出的惊恐惧怕之色。

他们赫然发现他们的小肚子上在冒烟，而且还发出了一阵阵毛燎火焦的恶息。

他们忍不住开始呕吐。

呕吐并不是太坏的事，只有活人才会呕吐，只可惜他们一开始呕吐，忽然间就吐不出了。

——你有没有看见过一个呕吐的死人？你有没有看见过死人呕吐？

大灶忽然崩裂，两个黑衣人在燃烧的火焰中翻飞而起，就好像刚从地狱中蹿出来的一样，黑衣上还带着一星星一星星闪动的火花。

灯笼是用一种透明的桑皮纸糊成的，高高地挂在一排高檐下，轻飘飘地随风飘动。

如果说有人能够藏在这么样一个灯笼里，有谁会相信？

谁能一直轻飘飘地悬挂在高檐下，随着灯笼不停地摇晃？

这根本是不可能的事。

何况灯笼是透明的，就算有一个精灵般的人能够把自己的身子如意缩小塞进灯笼悬挂在高檐，外面还是可以看得见。

所以慕容门下第二组中战绩最辉煌的虎丘五杰到了这里，戒备之心也减弱了。

因为他们还不是真正的大行家，还不知道江湖中随时都会有一些不可能的事发生，因为这个世界上本来就有很多不可思议的人、事、物。

有一种用很奇秘的方法制成的桑皮纸，其中甚至还混合着一些很珍贵的汞，这种纸就是从外面绝对看不到里面的，里面却可以看见外面。

有一种人只用一根手指就可以把自己悬挂在一个极小的空间里，把自己的肌肉骨骼都缩小到人类所能忍受的极限。

这些人忍受痛苦和饥饿的耐力，几乎也已到了人类的极限。

虎丘五杰不能了解这些人的耐力，所以他们就死定了。

就在他们心情最放松的一瞬间，灯笼里已经有人破纸而出，人手一刀，刀光闪动，动如电击，在刀光一闪间就已操刀割下了他们的头颅。

这些人割头的动作虽然没有那个红衣小儿那样快，可是已经够快了。

被他们割下的头颅落地时，有的眼睛还在眨动，有的眼中还带着鲜明的恐惧之色，有的舌头刚吐出来，还来不及缩回去，有人身上的肌肉还在不停颤动。

那种颤动，居然还带着一种非常美的韵律，看来竟有些像是一个处女第一次被一个男人拥抱时那种震颤一样。

——在这种颤动下，处女很快就会变成不是处女，活人也很快就变成死人了。

为什么在生命中动得最美的一些韵律，总是不能久长?

每一个有人住的地方都有棺材铺，就正如那地方一定有房屋一样。

有人活，就有人死。人活着要住房屋，死人就要进棺材。

一个地方的房屋大不大，要看这个地方的人活得好不好。一户人家里的床铺大不大，就不一定要看这一家的男女主人是不是很恩爱了。

因为恩爱的比例和床铺的大小，并没有十分绝对的关系，有时候夫妻愈恩爱，床铺反而愈小。

可是一个地方的棺材铺大不大，就一定看这个地方死的人多不多了。

这个小镇上死的人显然还不够多，至少在今天晚上之前还不够多。

所以小镇上这家棺材铺里，除了卖棺材之外，还经营一些副业。

卖一点香烛锡箔纸钱库银，为死人修整一下门面，准备一些寿衣，替一些大字不识几个的绅士们，写几副并不太通顺的挽联，偶尔甚至穿起道衣拿起法器来作一场法事，画几张符咒。

如果运气好的话，而且刚好有这档子买主，一个死人身上还有很多东西都可以赚钱的，有时候甚至连毛发牙齿都能换一点散碎银子。

可是他们最大的一宗生意，还是纸扎。

一个有钱人死了，他的子孙们生怕他到了阴世后不再有阳世的享受，不再有那些华美的居室器用车马奴仆，所以就用纸粘扎成一些纸屋纸器纸人纸马来焚化给他，让他在阴间也可以有同样的享受。

这只不过是后人们对逝去的父母叔伯祖先所表示的一点孝思而已，不管他们所祭祀的人是不是真的能享受得到，都一样要做的，孝顺的人固然要做，不孝的人有时反而做得更好。

所以棺材店的生意就来了。

棺材店给人的感觉总是不会很愉快的，在棺材店做事的人，整天面对着一口口棺材，心情怎么会愉快得起来？

棺材店的老板见到有客人上门，就算明知有钱可赚，也不能露出一点高兴的样子，上门来的顾客，都是家里刚死了人的，如果你鲜蹦活跳，满脸堆欢地迎上去，你说像不像话？

来买棺材的人，就算明知死人一入土，就有巨万遗产可得，心里就算高兴得要命，也要先把眼睛哭得红红肿肿的才对。

在棺材店里，笑，是不能存在的。可是现在却有一个人笑眯眯地进来了。

这个人叫程冻。

程冻今年虽然只有四十七，可是三十年前就已成名，成名之早，江湖少见。

可是江湖中人也知道，在三十年前他成名的那一战之后，他的心和他全身上下每一个部分都已冷冻起来了。

——一个人成名的一战，通常也是他伤心的一战，一战功成，心伤如死，在他以后活着的日子里，有时甚至会希望在那一战里死的不是他的仇敌而是他。

所以程冻早就不会笑了，可是他的脸看来却好像终年都在笑，甚至连他睡着了的时候都好像在笑，因为他脸上有一道永生都无法消除的笑痕。

一刀留下的笑痕。笑痕也如刀。

所以他虽然终年都在笑，可是他也终年都在杀人。江湖中大多数人只要见到他的笑脸，刀光犹未见，就已魂飞魄散了。

有程冻的地方，就有郭温，两个人形影不离，天涯结伴，二十年来，从未失手。

现在他们两个人都已走进了这家棺材店，郭温手里的一个火折子，灯火闪动明灭，照着后院天棚里五口已经做好上漆直立放着的棺材，两口还没有完工的白木，三间纸扎的房子、四五个纸扎的纸人“二百五”。

黑暗中惊叱惨叫之声不绝，也不知有多少同伴已落入了对方的陷阱埋伏。

这个棺材店更是个杀人的好地方，对方将会埋伏在哪里？

程洙和郭温很快地交换了个眼色，眼角的余光，已盯在那三口直立着的棺材上。

两口白木棺尚未完工，棺盖还斜倚在棺木上，棺中空无一物，纸扎的刍人房舍，下面用竹枝架着，也没有人能悬空藏进去。

这里如果有埋伏，无疑就在这三口直立着的棺材里。这两个身经百战的武林高手，手上已蓄劲作势，准备发动他们致命的一击。

可是等到他们开始行动时，攻击的对象却是那些纸扎的房舍骡马人物。

他们对这一击显然极有把握。

经过那么精心设计的埋伏，绝不会设在任何人都能想象得到的地方，经过那么精心挑选过的死士，当然有能力藏身在任何人都无法藏身的藏身处。

出其不意，攻其无备，如果不是这种埋伏，怎么能对付他们这种高手？

程洙用刀，四尺二寸精钢百炼的缅铁软刀，平时绕腰两匝，用时一抽，迎风而挺，一招“横扫千军”，十人折腰而死。

郭温也用刀，链子扫刀，刀长二尺八寸，练子长短由心，有时候还可以作飞刀使，刀刃破空，取人首级于百步外。虽带链子，用的却是刚劲。

双刀齐飞，刚柔并用，在江湖中，这几乎已经是一种所向无敌的绝技。在他们双刀齐展“横扫千军”时，几乎没有人能在他们刀下全身而退。

这一次也不例外。

刀光飞挥，纸屑纷飞。

可是只有纸屑，没有血肉，他们攻击的对象，只不过是些纸扎而已，埋伏并不在。

——埋伏在哪里?

程洊和郭温一刀扫出，心已往下沉。

心可以沉，也可以死，人却不可以。心死只不过悲伤麻木而已，还可复苏，生死之间，却别无选择的余地，也绝无第二次机会。

这一点他们都明白，只要是曾经面对过死亡的人都明白。

也只有这种人才能明白。

——真正面对死亡的那一刻，一个人心里是什么感觉?是一片空白，还是一片空明?是惊骇恐惧，还是绝对冷静?

我可以保证，那绝不是未曾经历过这种事的人们所想象得到的。

我想，大概也只有曾经真正面对过死亡的人，才敢作这样的保证。

程洊和郭温的心虽然直往下沉，全身的肌肉却已绷紧。

就在这一刹那间，他们已将他们生命所有的潜力全都逼入他们的肌肉里，逼入他们全身上下每一块肌肉里。

只有肌肉的活力，才可以产生身体的弹性推动，只有这种“动”，才能制造闪避和攻击。

——避开危机，攻向另一个潜伏的危机，以攻为守。

冷静如已冻结的程冻，温良如美玉的郭温，在这一刹那间，竟忽然做出了一件他们平常绝对不会做的事。

他们竟忽然极放肆地放声大喝。

大喝一声，胸腔扩张，腹部紧缩，把肺部里积存的真气全都压榨出来，刚刚注入肌肉中的潜力，也在这同一瞬间迸发。

这种力量使得他们的身子竟然能在一种绝不可能再有变化的情况下，从一个绝不可能的方向，用一种绝不可能的程度翻身回蹿。

刀光闪动，赫然又是一招横扫千军，三口崭新的上好棺材也在刀光下碎裂。

这一次应该是绝对不会失手的。

他们的眼中满布红丝，就像是两个喝血的僵尸，渴望着能见到鲜血在他们的刀下涌出。

可惜这一次他们又失望了。

“夺”的一声响，双刀同时钉入天棚的横梁，把两个人悬挂在半空中，像钟摆般不停地摇荡。

——一次错误，也许还可补救，两次错误，良机永失。

——难道这里根本没有埋伏？

不可能。

——埋伏在哪里？

不知道。

程冻和郭温现在只希望能借这种钟摆般摆动的韵律，在最短的时间里使自己的气力恢复。

只可惜他们已经没有机会了。

高手相争，生死一瞬，只要犯了一点错误，已足致命。

一个连续犯了两次错误的人，如果还想祈求第三次机会，那已不仅是奢望，而且愚蠢。

奇怪的是，大多数人都是这样子的。

因为一个人到了绝望时，思想和行为都会变得迟钝而愚蠢，因为那种绝望的恐惧，已经像刀一样切断了他们敏锐的反应。

就在这一瞬间，摆在地上那两口空无一物的棺材忽然飞起，棺底之下忽然飞跃出三条黑色的人影。

程冻和郭温眼看着这三条人影飞起时所带动的寒光闪电般刺向他们的咽喉和心脏，却已完全没有招架闪避的余力。

他们忽然觉得自己就像是条已经被吊在铁钩上的死鱼，只有任凭别人的宰割。

这是他们第一次有这种感觉。也是最后一次。

## 05

"程冻冷酷谨慎，郭温机警敏捷，两人联手，所向无敌，我相信他们这一生中一定从未有过那种绝望的感觉。"长者叹息。

"我相信他们以后也不会有那种感觉了。"少年说，"死人是没有感觉的。"

"所以一个人活着的时候，就应该好好利用他的思想和感觉，永远不要把自己像条死鱼般吊在那里任人宰割。"

"是的。"少年很严肃地说，"这一点我一定会特别小心。"

他的神情不但严肃而且恭谨，因为他知道长者对他说的并不是老生常谈，而是个极为沉痛的教训。

长者又问他。

“现在你在想什么？”

“我在想，等到灯火再亮起时，那位慕容公子带去的人还会剩下几个？”

“剩下的当然已不多。”

“柳明秋一去之后就全无消息，慕容既不问他是否得手，也不去查明他的生死下落，就贸然带着一批人去赴约，而且居然是堂堂皇皇地走进那个根本一无所知的死镇。”

少年的声音里充满愤怒：“我认为这种做法不但愚蠢，而且可恶。谁也没有权力要别人陪他去送死。”

“你当然会认为这种做法可恶，我在你这种年纪的时候，也会这么想的。”

“现在呢？”少年问长者，“现在你怎么想？”

长者沉思，然后反问：“你还记不记得他们这次行动被称为什么行动？”

少年当然记得，用“飞蛾”作为行动的代号，实在很荒谬。

可是荒谬的事，却又偏偏会让人很难忘记。

“飞蛾行动。”少年突然变色，“难道他们这次行动的目的，就像是飞蛾扑火一样，本来就是要去送死的。”

长者微笑。

微笑有时候只不过是一个人在心情愉快时所表现出的行为，有时候也可以算作一种回答。

对一个自己不愿回答，或者不能回答的问题所作的回答。

少年也在沉思。似乎也没有期待长者回答他这个问题。

——别人不愿回答的问题，通常都只有自己思索。用这种问题去问别人，通常都只不过是自己思索中的一个环节而已。

“我明白了。”少年忽然说，“他们这次行动根本就是要去送死的。”

“哦？”长者淡淡地反问，“你认为这个世界上真的有这么多人想死？”

“我没有这么想。”

“不想死的人为什么要去送死？”

“他们当然另外有目的。”

“什么目的？”

“他们……”少年忽然改口，“我的意思并不是说他们，而是说他。”

“我不明白你的意思。”

“他们是那些去送死的人，他是要那些人去送死的人。”少年拼命想把自己的意思解释得更清楚，“他要他们去送死，只因为他另有目的，那些不明不白就死掉的人，也许根本就不知道是怎么回事。”

长者凝视着他，过了很久之后才问：“你认为是怎么回事呢？”

“我认为这件事从头到尾只不过是个圈套而已。”

“圈套？”

“慕容带那些人去送死，只不过要把自己先置之于死地而后生，让别人都认为他已经死定了。”

这种想法是很奇怪的，既不合情，也不合理。

可是他的师长看着他的时候，眼中却带着极为满意的表情。

“慕容为什么要让别人认为他已经死定了呢？”少年自己问自己。

这种问题通常都只有自己能回答。

“我想过很多种理由。”少年回答自己，“我想来想去，到最后只剩下三个字。”

“三个字？”长者问，“哪三个字？”

“楚留香。”

# 第三部

# 死　人

楚留香已经死了，江湖中都知道他已经是个死人。

在一个边荒小镇上，经过了很多曲折诡秘的过程之后，正在进行的一场生死之战，和一个已经死了多时的楚留香有什么关系？

就算楚留香是千百年来江湖中最有名的名人之一，可是一个名人如果已经死了几个月，也只不过是个死人而已。

# 第一章

## 要命的人

### 01

两个人死了，一个有名，一个无名，可是在别人看来，都是一样的。

都一样只不过是一个死人，一具尸体。

在一件极诡秘复杂的行动中，一个死人是绝不会造成太大的作用的。

楚留香死了，也只不过是个死人而已，跟别的死人也没什么不同。

这一次行动的原因，为什么会是他？

### 02

灯火忽然又亮起，点亮了这条长街。

就在刚才那片刻间，这条长街上已不知发生了多少必将流传江湖的搏击刺杀拼斗，也不知有多少曾经叱咤一方的武林高手，在这里流血至尽而死。

可是长街依旧。

——因为长街没有生命，也没有感情，所以长街依旧冷寂。

什么人都看不见了，活人不见，死人也不见，甚至连尸体和血迹都看不见。

如果那时你也在那条长街上，除了那一家仿佛已变成鬼屋的店铺，和那一盏盏也好像带着点森森鬼气的灯火外，你只能看见三个人。

一个面色苍白、轮廓突出，全身上下都好像带着种上古贵族那种风姿和气质的人。

——是慕容。

他一直都安安静静地坐在那里，瞬息间的黑暗，瞬息间的光亮，瞬息间的凶杀，瞬息间的死亡，都好像跟他连一点关系都没有。

甚至连毁灭都好像跟他全无关系。

这个人非但对他自己的生死存亡全不关心，对这个世界是否应该毁灭也全无意见。

他唯一关心的事，好像只不过是远方一个虚无缥缈的影子。

一个看来宛如兰花般的影子。

此刻正在午夜前后！

另一个人穿一身直统统的长袍，以蓝巾蒙面，可是看起来还是带着种令人无法抗拒也无法形容的魅力，就算把她藏在山间埋入土中也一样，她这种魅力，就算千千万万里之外，也一样可以让你牵肠挂肚。

这种魅力是每一个成熟的男人都可以感觉得到的，但却偏偏没有一个人能说得出来。

第三个人就站在他们对面，就这么样随随便便地站着，可是无论任何人看见他，都会觉得这个人是与众不同的。

这个人究竟有什么不同的？谁也说不出来，因为他根本就没有什么特别出众的地方。

他并不突出，可是看起来却有一种慑人的威仪，他并不英俊，可是看起来却非常有吸引力。他的肌肉虽然已渐松弛，可是看起来却依然如少年般矫健灵活。

因为他每一次出现时，都是经过精心设计的。

他出现的位置，灯火照射到他身上的角度，他站立的姿势和方位，他的发型和服装，每一样都由专家精心设计过。

因为他是铁大爷。不但是老板，而且是老大。

铁大爷远远地看着慕容，慕容也在看着他。两个人的神情居然全都很冷静。

灯光的阴影使得铁大爷脸上的轮廓变得和慕容同样明显突出。

只不过他们还是有些地方不同的。

——慕容虽然坐着，可是看起来好像还是比铁大爷高得多。

——有种人好像天生就是高高在上的！

铁大爷无疑也有这种感觉，因为他已被激怒。也只有这种感觉，才能使他这种身经百战由低处爬起的江湖大豪激怒。

可是就在他开始发怒的时候，他脸上反而有了笑容。

——你有没有听说过有些人在杀人时总是先笑一笑？

慕容当然应该看得出此刻站在他面前的是个极不简单的人，也应该看得出这个人笑眼中的杀意和埋伏在四面的杀机。

他自己带来的人却好像已经在刚才那一瞬间突然全都被黑暗吞没。

就算是个从来不怕死的人，到了这种时候，也难免会紧张起来的，就算不害怕，也难免会紧张。

慕容却好像是例外。

铁大爷冷冷地看着他。忽然叹了口气，而且是真的叹了口气。

“你不该来的，”他居然对慕容说，“虽然你是条好汉，可是你实在不该来的。”

“为什么？”

“因为我要找的是上一代的慕容，不是你。”大爷说，“何况你根本不是慕容家的人。”

——慕容青城故去后，慕容无后，就将他们表亲家的二少爷过继到慕容家来，承继这一门的香烟，当然，也接掌了江南慕容的门户。

这件事在江湖中已经不是秘密。

“我调查过你，”铁大爷说，“我对你的了解，大概要比你想象中多得多。”

“哦？”

“你不但是条好汉，也是个人才，在少年时就曾经替慕容家策划过很多件大事，成绩都不错，所以慕容家这次才会选中你继承他们的门户。”大老板说，“所以我才想不通。”

“什么事想不通？”

“我实在想不通这次你为什么一定要来送死？”铁大爷说，“这一次你不但计划欠周密，行动更疏忽，简直就像是故意来送死的。”

慕容忽然笑了，此时此刻，谁也不明白他怎么还能笑得出来？

——你知不知道有些人在明知必死之前也会笑的。

## 03

多年后那位求知若渴的少年对当时那一战所作的结论虽然荒谬，可是他的前辈长者并没有责备他，只不过问了他几个很简单的问题。

——在这里，作为一个执笔记叙当年那一战的人，必须要说明的是，因为那一战非但对江湖的影响很大，而且波及很广，其计划之精密、战略之奇诡，更被江湖人推崇为古今三大名战之一，策划这一战的人，当然更是不世出的奇才。

所以直到多年后，还有人讨论争辩不息。

在那一天，长者对少年提出的第一个问题是："你能确定引起这一战的主要原因是楚留香？"

"是的。"

"你为什么能确定？"

"因为谁也没有看见楚留香是不是真的死了。"少年说，"他死的时候，没有人在场，他死后，也没有人见他的尸体。"

"神龙不死，不见其尾，神龙如死，首亦不见。"长者说，"连麝象之属，死前还要去找一个隐秘之地让自己死后不被打扰，何况香帅？"

"是的，这道理我也明白。"少年说，"有些人的确就像是香帅一样，其生，见首而不见其尾；其死，鸿飞于九天之外。"

"那么你还有什么问题？"

"问题是，像这么样一个人，怎么会死得那么容易？"少年说，"他死时，是不是真的已经死了？他的死，是否只不过是一种手段而已？”

他甚至还提醒他的长者：“古往今来，也不知有多少名侠、名将、名士都曾经有过这种情况，因为他们都太有名了。”

——一个人如果太有名了，就难免会有很多不必要的烦恼，如果他要完全摆脱这种烦恼，最彻底的一种方法就是“死”。

“问题是，他是真死？还是假死？”

长者叹息。这道理他当然也明白，也许比这个世界上大多数人都明白得多。

他脸上每一条皱纹，都是生命的痕迹，有些虽然是被刀锋刻画出来的，却还是不及被辛酸血泪惨痛经验刻画出的深邃。

“如果你的理论可以成立，那么一个像楚留香这样的人，得到了这么样一个机会，可以悠悠闲闲地度过他这一生，做一些他本来想做而没有时间去做的事，从容适意，再无困扰。”长者叹息，叹息声中充满了羡慕，“一个人如果这么样地‘死’了，还有什么事能让他复活？”

“有的，”少年的回答还是很肯定，“迟早总是会有的。”

“因为每个人一生中都会做一些他本来不愿做的事。尤其是像楚香帅这样的人。”

“哦？”

“有所不为，有所必为。”少年说，“每个人这一生中都要做一些他本来不愿做的事，他的生命才有意思。”

“这是谁说的？”

“是你说的。”少年道，“自从你对我说过一次之后，我从来都没有忘记，何况你已不知道对我说过多少次。”

——这也不是老生常谈。这也是从不知道多少次痛苦经验中所得的教训。每说一次，感觉都是不一样的。

说的人感觉不一样，听的人感觉也不一样。

长者苦笑，只有苦笑。

只不过他还是要问，因为问话有时也是种教训。

因为你自己回答出的话，总是会比别人强迫要你记住的话更不易忘记。

“如果楚香帅真的没有死，正在过一种他久已向往的生活，”长者问少年，“那么你认为这个世界上还有什么事能迫他重返江湖？”

我们甚至可以去想象，“他”正乘着他那艘轻捷舒适快速而华美的帆船在遨游湖海，正在享受着甜儿的蜜意，蓉蓉的柔情，红袖的甜香。

现在他甚至很可能已经到了波斯，做了他们王室的上宾，正斜倚在柔厚如云絮般的地毯上，浅啜着一杯用水晶夜光杯盛着的葡萄美酒，斜倚着蓉蓉的肩，轻触着甜儿和红袖的手，欣赏着波斯舞娘肚皮上肌肉那种奇妙的韵律和颤动。

在这种情况下，还有什么事能令人重返江湖间的凶杀恩怨腥风血雨中?

“有的。”少年说，“一定有的。”

他说得更肯定：“每个人都必须为某些事付出代价，如果不去做那件事，他就不是那个人了，也不配做那个人了。”

“你说的是哪些事？”

“朋友间永恒不变的友情和义气，一种一言既出永无更改的信约，一种发自内心的亏欠和负疚。”少年的表情严肃得已经接近沉痛，“还有一种两情相悦生死不渝的爱情。”

——这个少年忘了说一件事，他忘了说“亲情”。

血浓于水，亲情永远是人类感情中基础最深厚的一种，也是在所有伦理道德中最受人推崇敬仰的一种。

这个少年没有提及这种伟大的感情，只不过是因为他根本不能了解这种感情的深厚与伟大。

因为他是个出生时就被弃置在阴沟边的孤儿。

长者了解少年的感情，所以他只说："我也有很多朋友是很重感情的，有的人重友情，有的人重孝悌，有的人重情，有的人重义，"长者说，"他们情之所重之处，也就是他们的弱点。"

"是的。"少年说，"情之所重，虽然令金石为开，可是换句话说，别人只要有一分之情，也一样可以把他的心劈开成两半。"

"说得好。"长者出自真心，"你说得好。"

"香帅之所以能够成为香帅，就因为他有情，"少年说，"他有情，所以才能以真心爱人，他以真心爱人，所以别人才会以真心爱他，就算在生死一发的决胜之战中，他往往也是凭这一份对生命的真情真爱才能摧毁对方的意志而反败为胜。"

——这道理更难明白，可是长者也明白。

一个没有爱的人，怎么会有信心？一个没有信心的人，怎么能胜？

少年的声音中也充满信心："如果要楚香帅复活，当然也只有用这一个'情'字去打动他。"

他凝视着长者："一个人情之所重，就是他的弱点所在，可是如果有人问我香帅的情之所重在哪里？我却无法回答。"少年说："因为他的情是无所不在的。"

长者沉默。

在这一瞬间，他的表情忽然也变得很严肃，不但严肃，而且还带着种适度的尊敬。

他忽然发现他面前这个年轻人已经长大了。

“你的意思是说，江湖中有一部分对楚留香深为忌惮的人，一直都不相信他真的死了？”长者归纳少年的意见，“为了要证实这一点，他们甚至不惜投下极大量的人力和物力，组成一个机密的组织，来实行一个极周密的计划？”

“是的。”少年说，“我的意思就是这样子的。”

“要进行这个计划，第一，当然是要找一个楚留香非救不可的人，将他置入险境。”

“不错。”

“可是楚留香纵然未死，也已退出江湖，又怎能知道他有这么样一个至亲好友在险境？”

长者自已回答了这问题：“要确定楚留香一定会知道这件事，当然要先让这件事轰动江湖。”

——江南慕容与铁大爷这一战，双方各率死士远赴边陲，使一镇之人全都离家避祸，这一战在未战之前就已轰动！

“所以你认为这一次飞蛾行动，是完全符合这些条件的？”

“是。”少年断然道，“我相信绝对完全符合。”

“可是我却还有一点疑问。”

“哦？”

“江湖传言，都说楚香帅之死，是被当年慕容世家的家长‘青城公子’设计陷害的。”

——慕容青城利用他绝色无双的表妹林还玉，将楚香帅诱入了一个万劫不复的黑暗苦难屈辱悲惨深渊，使得这位从来未败的传奇人物，除了死之外，别无选择之途。

这些话已经不仅是江湖人之间的传言了，已经流传成说评书的先生们用来吸引顾客的开场白。

这故事少年当然也知道的，所以长者问他："慕容和香帅既然有这么样一段恩怨，香帅为什么要救这一代的慕容？"

少年沉默着，过了很久才说："香帅是个多情人，而且是属于大众的，是大众心目中的偶像，如果说他这一生中只有一个女人，那是不可能的，也是不合理的。"少年强调，"如果说他一生中只有一个女人，至少我就会觉得他不配做楚留香。"

他不回答长者的问题，却先说了这一段和他们讨论的主题完全无关的话，长者居然也平心静气地听着他说下去。

"这么样一个人情感也许已经很麻木，可是等到他真正爱上一个女人的时候，他爱得也许比任何人都深。"少年淡淡地说，"这种人的情感，我能了解。"

长者看着他，眼中带着些感伤，也带着微笑："你最近了解的事好像愈来愈多了。"

少年也笑了笑。笑中也有感伤。

"我想每个人都是这样子的。"少年幽然，"岁月匆匆，忽然而逝，得一知心，死亦无憾。"

他说："我想香帅一定也是这样子的，所以他就算是因林还玉而死的，也毫无怨尤，何况林还玉在他失踪后不久，也香消玉殒了。"

他说得淡如秋水，实情却浓如春蜜。

——一个被人利用的绝色少女，被她的恩人逼迫而去做一件她本来不愿做的事，当然知道她心目中唯一的情人与英雄已经因为她做的这件事而走上死路，她怎么还能活得下去？

这不是一个充满了幻想的浪漫的故事，也不是说给那些多愁善感的少年少女们听的。

这是江湖人的事。

——江湖人是一种什么样的人呢?

在某一方面来说,他们也许根本不能算是一种人,因为他们的思想和行为都是和别人不同的。

他们的身世如飘云,就像是风中的落叶,水中的浮萍,什么都抓不住,什么都没有,连根都没有。

他们有的只是一腔血,很热的血。

他们轻生死,重义气,为了一句话,什么事他们都做得出。

在他们心目中,有关"楚留香之死"这件事,绝不是一个浪漫的故事,而是一件可以改变很多人命运的阴谋,甚至是可以改变历史的阴谋。

对江湖人来说,这件事给他们的感觉绝不是那么哀凄悲伤的浪漫,而是一种无法描述的沉痛,就好像鞭子鞭笞在心里那种感觉一样。

——没有一天是安静的,没有一天可以过自己想过的日子。

没有一天可以让你跟一个你所爱的人过一天安宁平静的日子,也没有一天可以让你做一件你想做的事。

——然后呢?

然后就是死。

——如果你运气好,你就会到达高峰,到了那时,每个人都想要你死,不择一切手段想要你死,用尽千方百计想将你置于死地。

——如果你运气不好,你早就已经是个死人。

连楚留香都不能例外,何况别人?

于是江湖人开始伤心了,甚至最豪爽开朗的江湖人都难免伤心了。

甚至连楚留香的仇敌都难免为他伤心,把林还玉看成一个蛇蝎般的女人。

只有楚留香自己是例外。

因为他们不但相爱，而且互相了解，所以林还玉临死前也说："如果他还活着，一定会原谅我的，不管我对他做过什么事，他都会原谅我的，因为他一定知道我对他的感情。"她说："就算什么事都是假的，我对他的感情绝不假。"

她说的话也不假。

——这个世界上还有什么比死更真实的事？

"香帅一定要救慕容，只因为这一代的慕容，是从林家过继来的。"少年说，"林家和慕容是姑表亲，这一代的慕容就是林还玉的嫡亲兄弟。"

有一夜，在月圆前后，是暮春时节，在远山中一个小木屋里。

有两个人，两个人之间什么都没有了，只剩下一片浓得化不开的柔情。

就在那一天，楚留香曾经告诉她，愿意为她做一切事。

她只要他做一件。

——她要他照顾她的弟弟。

"他是我在这个世界上唯一的亲人，我希望你能善待他，只要你活着，你就不能让他受到别人的侮辱欺凌。"她说，"你只要答应我这件事，我无论死活都感激你。"

楚留香答应了她。

有了这句话，楚留香如果还活着，怎么会让他死在别人手里？

"置之死地而后生，用这句话来形容这件事，虽然有些不妥，却也别有深意。"长者叹息，"在这种情况下，香帅好像只有复活了。"

“应该是的。”

“那么这个计划无疑是成功的？”长者问。

“纵然成功，也为后世所不齿。”

“为什么？”

“因为它太残酷。”

“残酷？”长者说，“兵家争胜，无所不用其极，你几时见过战争上有不残酷的人？”

“我的意思不是这样子的！”

少年沉吟：“我的意思是说，这个计划不但残暴，而且完全丧失了人性！”

他又强调补充：“表面上看来，这个计划好像是非常理智而文雅的，其实却残忍无比，只有完全灭绝了人性，才能做得出这种事。”

他一连用了残酷、残暴、残忍三个词来形容这件事，连嘴唇都已因愤怒而发白。

“这个计划中最可怕的一点，所有在这次计划中丧生的人，全都是无辜的，而且完全不知内情。”少年说，“他们本来是为了一点江湖人的义气去做一次名誉之战，虽死不惜，如果他们知道他们只不过是一批被利用的工具而已，我相信他们一定死不瞑目。”

少年很沉痛地接着说：“在江湖人心目中，这一点是非常重要的。”

“我明白，”长者的声音也很沉重，“尤其是‘明察秋毫’柳先生，他的死，实在令人痛心。”

——柳先生当然要死，如果他不死，如果他破了丝网，这次的飞蛾行动，岂非要功败垂成？

但是这次行动，既然名为“飞蛾行动”，那个结果就是早已命定了的。

扑火的飞蛾，只有死。柳先生是飞蛾，所以柳先生当然也只有死。

死了的人不会知道内情，当然更不会告诉别人攻击行动的始末，所以这个事件，其后的发展，只有落到那个还没有死的人身上。他，其实也就是整个事件的策划者。

——天下有什么比这个事件更难以让人理解？因为行动如果成功了，反而对他来说，是绝对的失败，行动失败，对他来说，才是成功了，彻底失败便是完全成功，死亡竟成了他最大的胜利。

“在这次事件中，还有两个非常重要的人，我们好像一直都忘记了。”少年说。

他说的当然就是那两个穿蓝布长袍，以蓝巾蒙面，一直跟随在慕容身边的少女。

“尤其是小苏。”

——小苏就是苏苏，姓苏，名字叫苏，就是陪柳先生去突袭丝网的人。

也就是要柳先生命的人。

“她是一步暗棋。”

少年自己为自己解释：“慕容当然很了解柳明秋，所以先把她们两个人安排在身边，因为他确信柳明秋一定可以看得出她们的潜力。”

“这只不过是慕容把她们安置身边的一部分理由而已。”

“不管怎样，柳先生在突袭丝网时，果然选中了苏苏作他的搭档。”少年说，“因为柳先生虽然明察秋毫，可是再也想不到慕容身边最亲近的人，会是致他死命的杀手。”

“就因为他想不到，所以小苏才能置他于死。”

是的。

“像柳明秋这样的人，本来根本不会有‘想不到’这种情况，因为他根本不会相信任何人。”

“因为无论在任何一个老江湖的心目中都绝不会想到这么样一次计划周密的行动，它的目的竟是求败，而非求胜。”

少年叹息：“这一次行动，的确可以说改写了江湖的历史。”

可是无论在任何一种情况下，要刺杀柳明秋这么样一个人还是很困难的，苏苏这个人本身当然还是有她的条件。

——刺杀高手，必需的条件就是速度和机会。一定要能在一刹那间把握住那稍纵即逝的机会。

这两点都需要极严格的训练。一种只有非常职业化的杀手才能接受到的严格训练。

“一个像苏苏那么年轻的女孩子，会是这么样一个人吗？”

“应该是的，”长者回答，“要训练一个能在瞬息间致人于死的杀手，一定要在他幼年时就开始，有时甚至在他还未出生前就已开始。”

“那么我又有一点想不通了。”

“哪一点？”

“一个经过如此严格训练的杀手，怎么会在她达到任务后就忽然消失？”

“她没有消失，只不过暂时脱离了那次行动而已。”长者说，“你有没有听说过有关她的事？”

“我听说过。”少年回答，“听说她一击得手后，就忽然晕了过去。”

“是的。”

“一个久经训练的杀手，已经应该有非常坚韧的意志，怎么会忽然晕过去？”

“因为她忽然看见了一张脸，”长者说，“她做梦也没有想到过在她活着的时候会看到这张脸，再没有想到这张脸会在那一瞬间忽然在她面前出现。”

——这张脸是一张什么样的脸？为什么令她如此震慑？

——这张脸是谁的脸？是极丑陋？极怪异？极邪恶？还是极美俊？

一张极美极俊的脸，是不是常常会令人晕倒？

一个人不管是因为受到什么样的惊骇而晕过去，总有醒来的时候，为什么苏苏却好像就在那一瞬间忽然消失了呢？

现在她究竟是死是活？还是已经被那个人带走？

苏苏和袖袖的身份无疑都很神秘，在这次行动中，所扮演的角色无疑都很重要。

她们究竟是什么身份？她们所扮演的，究竟是个什么样的角色？

“还有一件最奇怪的事。”

“什么事？”

“如果说她们一直以蓝巾蒙面，是不愿让别人看出她们的真面目，这已经是不合理的。”

“为什么？”

“因为她们根本没有在江湖中出现过，根本没有人认得她们。”

少年说：“更令人想不通的是，她们为什么一直都要穿那种直统统的蓝布衣服？把自己的身材掩饰？”

“这一点我懂。”

“哦？”

“她们这么做，只为了慕容。”长者说，“因为她们的脸太美，身材更诱人，无论对任何一个男人来说，都是种无法抗拒的诱惑。”

“可是我知道大多数男人都喜欢受到这种诱惑。”少年说，“诱惑愈大，愈令人愉快。”

“是的，大多数男人都是这样子的，我们甚至可以说，每个男人都是这样子的。”长者说，“可是慕容却是例外。”

“为什么？”

长者叹息：“因为他虽然惊才绝艳，是人中的龙凤，只可惜……”

## 04

这时秋月已圆，慕容仍然安坐在长街上，就好像坐在自己的庭园中与家人赏月一样。

铁大爷看着他，忽然频频叹息。

“不管怎么样，你实是个有勇气的人，像你这种人，在江湖中已不多了。”

慕容沉默。

“何况你并不是慕容家的人，我与你之间，并没有直接的仇恨。”铁大老板说，“我也并不是一个喜欢杀人的人。”

慕容忽然问：“你这是什么意思？”

“我的意思只不过是说，我并不一定要杀你。”铁大爷说，“我只要你给我一点面子。”

慕容也静静地盯着他看了很久，忽然轻轻地叹了口气：“你难道不知道江南慕容是从来不给人面子的？”

“你难道真的想死？”

慕容淡淡地说：“生又如何？死又何妨？”

铁大爷怒然大笑：“只可惜死也并不是件容易的事，我若偏不让你死，你又能怎么样？”

慕容又叹息：“我不能怎么样，可是……”

他没有说完这句话，长街上仿佛有一阵很轻柔的凉风吹过，轻柔如春雨。

可是风吹过时，长街两旁的灯火忽然闪动起一阵奇异的火花。

一种长细而柔弱的火花，看来竟有些像是在春夜幽幽开放的兰花。

灯火的颜色也变了，也仿佛变成了一种兰花般清淡幽静的白色。

忽然间，这条长街上竟仿佛有千百朵灿烂的兰花同时开放。

铁大爷的脸色当然也变了，随着烟火的闪动，改变了好几种颜色。

然后他的身子就忽然开始痉挛收缩，就好像被一只看不见的手扼住了咽喉。

也就在这一瞬间，也不知道从哪里飞跃出一个着红衫的小孩，手握小刀，凌空跃来，一手抓起他的发髻，割下头颅，提头就跑，快如鬼物，倏忽不见。

铁大爷的身子还没有完全倒下去，他的头颅就已不见了。

这时正是午夜。

慕容知道真正的攻击已经发动了，而且是绝对致命的，绝不留情，也绝不留命。

他当然也知道发动这一次攻击的是什么人，只要他们一出手，鸡犬不留，玉石俱焚，不管对方是什么人都一样。

就算是他们的父母妻子兄弟都一样。

为了达到目的，甚至连他们自己都可以牺牲。

慕容深深了解，现在他的生死已在刀锋边缘。如果还没有人来救他，刹那之间，血溅七尺，他甚至可以亲眼看到鲜血飞溅出去。

是他自己的血，不是别人的。虽然同样鲜红，在他自己眼中看来却是一片死白。

——在这种情况下唯一能救他的那个，会不会及时赶来救他？

他没有把握，无论谁都没有把握。可是他确信，只要那个人还活着，就一定会出现的。

因为他欠他们一条命。

# 第二章

# 割头红小鬼

## 01

在昆仑大山那个最隐秘的山坳里，隐藏在一片灰白色山岩间的那座古老的白石大屋，今天无疑发生了一件奇怪的事。

因为这座平时绝无人踪往来的大屋，今夜子时前后居然有五个人走了进去。

第一个人的身材高瘦如竹竿，比平常人至少要高两尺，一个人一生中恐怕都看不到一个像他这么高的人。

他手里也拄着一根青竹竿，比他的人又长了四尺，梢头还带着几片青竹叶。

他的衣衫，他手里的青竹和竹叶，都是碧绿色的，甚至连他的脸都是碧绿色的，就好像戴着一张碧绿色的人皮面具。

这么样一个人，行动应该是非常僵硬的，如果说他的行动如僵尸跃动，也没有人会觉得奇怪。

奇怪的是，他的行动竟然十分灵敏，而且柔软。

——柔软？行动柔软是什么意思？

他的人本来还在二十丈外，可是他的腰轻轻地一摆动，就像是柳丝被风吹了一下，然后，一瞬间，他的人就已到了白石大屋前。

大屋沉寂，如一具自亘古以来就已坐化在这里的洪荒神兽。

着竹衫的人以手里的青竹点门前石阶，“笃，笃笃笃笃，笃笃”发七声响，响声不大，却似已透石入地，深入地下，再由地下传出大屋中某一个神秘的通讯中枢。

然后那两扇巨大的石门就开始缓缓地启动，滑动了一条线。

一阵风吹过，竹衫人就忽然消失在门后，石门再闭，就好像从未开启过。

然后第二个人就来了。

第二个人穿一件红色的红衫，身材娇小，体态轻盈，梳两根油光水滑的大辫子，手里还拈着一根梅花，鲜艳苍翠，就好像刚从枝头摘下来的一样。

——现在只不过是秋天，哪里来的梅花？

这么样一个小姑娘，行动应该非常灵活娇美的，可是她却是跳着来，就好像一个僵尸一样跳着来的，甚至比僵尸还笨拙僵硬。

到了白石大屋前，她身子刚刚跃起，用左手的拇指扣中指，在右手的梅枝上轻轻一弹，梅花上的五朵花瓣就旋转着飞了出去，飞入大屋，飞入山雾，一转眼就看不见了。这时她的人也已看不见了。

山间居然有雾，浓雾。

过了片刻，浓雾中又出现了一顶轿子，一顶灰白色的轿子，就像是用纸扎成准备焚化给死人的那种轿子，仿佛是被山风吹上来的。

可是轿子偏偏又有人抬着。只不过抬轿子的人也像是被风吹上来的。

人与轿都是灰白色的，都好像是纸扎的，都好像已化入雾中，与雾融为了另一种雾。

到了白石大屋前，他们就忽然停顿。

——在半空间停顿。

然后轿子里就发出了一种鬼哭般的声音：“我已经找到你们了，你们再也逃不了的，快还我的命来，快还我的命来。”

在那间纯白色的简陋房间里，那个穿着白棉布长袍看来就像是个异方苦行僧一样的人，本来正在翻阅着一个卷宗。

这个卷宗无疑也是属于飞蛾行动的一部分，而且是这次行动中最主要的一部分。

因为卷宗上所标明的只有两个字：

飞蛾。

这两个字代表的是一个人。

这个人就是这次“飞蛾行动”的飞蛾，就是一个钓者的饵。

## 02

林还恩，男，二十一岁。

父，林登。殁。

（注，林登，福建莆田人，少林南宗外家弟子，豪富，有茶山万顷，与波斯通商，家族均极富，曾远赴扶桑七年，据传闻已得“新阴”真传，殁于一年前，年四十九。）

母，慕容思柳。

（注，慕容一青妹，慕容青城姑。殁。）

姐，林还玉。

（注，与林还恩为孪生姐弟，有绝症，寄养江南慕容府，因自古相传孪生子女必须隔地隔宅而养。殁。）

以下是林登对他儿子的看法，是从一种非常亲密的关系中得到的数据，而且绝对是林登本人亲口说出来的。

“还恩聪明，聪明绝顶，三岁时就会写字，七岁时就能写一部《金刚经》，我不敢教他学武，太聪明的人总会早死，可是我的江湖朋友有许多高手，他们只要在我的宅院里住几天，还恩就会把他们的武功精髓学去，只可惜他在我临死之前忽然……”

以下是慕容思柳对她儿子的看法：

“还恩是个可怜的孩子，因为他从小就是注定要被牺牲的，因为我们家欠慕容家的情，已经决定要用这个孩子报慕容家的恩，不管慕容家有什么困难，这个孩子都一定会挺身而出。

“慕容家果然有困难了，还恩本来是可以为他们解决的，只可惜……”

以下是他的姐姐林还玉对他的看法：

“还恩虽然是我嫡亲的兄弟，可是我们这一生中见面的机会并不多，而且很快就要永别了，我相信我们都是善良的人，一生中从未有过恶心和恶行，就算我们前生做错了事，老天一定要惩罚我们，施诸我身上的酷刑也已足够了，为什么还要对他如此残酷？让他永远不能再享受生命的自由？”

以下是和他们家族关系非常密切的江南名医叶良士对他的诊断：

“全身血络经脉混乱，机能失去控制，既不能激烈行动，也不能受到刺激，否则必死无救。”

穿白色长袍的苦行僧用一只手慢慢地掩起了卷宗，他的手也像是他身体的其他部分一样，也掩藏在他那件宽大的灰袍里。

这些数据他也不知道看过多少遍了，这一次他还是看得非常仔细。

他一向是个非常仔细的人，绝不允许他们做的事发生一点错误疏忽。

他对他自己和他属下的要求非常严格，可是这时候却还是忍不住轻轻地叹了口气，仿佛已经对自己觉得很满意了。

这时那青竹竿一样的绿袍人已经像柳条一样轻拂着走了进来，轻轻地坐入一张宽大的石椅里，坐下去的姿势竟让人联想到一只猫。

那个拈红梅的红色小鬼也跳了进来，一下子跳入了另一张椅子，却还是直挺挺地站在椅子上，没有坐下。

这时看去，“她”却已完全不像个小女孩，先前惹人怜爱的大辫子也不见了，回到了红衫白裤的小男孩模样。

他全身上下的关节竟好像全都是僵硬的，完全不能转折弯曲。

苦行僧没有抬头，也没有看他们一眼，只不过冷冷地说：“你不该来，为什么要来？”

“为什么我不能来？”

如果还有别人在这屋子里，听到这句话一定会吃一惊。

这句话七个字本身没有一点让人吃惊的地方，说这句话的这个人，声音也完全没有一点让人吃惊的地方。

——恐惧、威胁、要挟、尖刺，这些可能会让人吃惊的声调，这个声音里完全都没有。

事实上，这个人说话的声音比这个世界上大多数人都好听得多。不但清脆娇美，而且还带着种说不出的甜蜜柔情。

这才是让人吃惊的。

现在在这个屋子里的三个人，应该没有一个人说话的声音会是这样子的，但却偏偏有。

那个脸色绿如青苔，身材僵若古尸，看来连一点生气都没有的绿袍人，竟用这种甜蜜温柔如蜜的声音问苦行僧。

“你说我不该来，是不是因为我把不该来的人带来了？”

“是的。”

“我也知道。”绿袍人的声音柔如初恋的处女，“如果不是我，纸扎店的那些人，永远都找不到这里。”

“是的。”

“也就因为一点，所以我才一定要来。”

“为什么？”

“我不来，他们怎么会找到这里来？他们不来，怎么会死在这里？”绿袍人说，“有你在这里，他们来了，怎么能活着回去？”

“他们是不是能活着回去，跟我在不在这里没有关系。”

“那么跟谁有关系？”绿袍人问。

“你。”

苦行僧的声音永远是没有感情的，不会因任何情绪而改变，不会因任何事件而激动，非但没有感情，甚至好像连思想都没有。

他只是冷冷淡淡地告诉绿袍人：“他们是不是能活着回去，只跟你有关系，因为他们是你带来的。”

这时已是午夜，远方的夜色就像是一个仙人把一盂水墨，泼在一张末代王孙精心制作的宣纸上，那顶看来仿佛是纸扎的轿子和那两个抬轿人，仍然悬挂在远方的夜色中。

悬空挂在夜色中，看来就像是一幅吴道子的鬼趣图[1]，那么真实，那么诡异，又那么的优美。

“是的。”绿袍人的声音仍然异乎寻常，“他们是我带来的，当然应该由我打发。”

他站起来了。

他站起来的姿态，就像是一枝花朵忽然从某一个仙境的泥土中长出来了。

——那么真实，那么优美，又那么神秘。

可是他不动时的模样，还是那么样一个人，冷、绿、僵硬。

这个人动和不动的时候，就好像是完全不同的两个人。

可是这个人最惊人的地方，远比这一点还要惊人得多。

人与轿仍在空中。

就算人真是纸扎的，也不可能凭空悬挂在空中的。

就算一片像落叶那么轻的落叶，也不可能忽然停顿，悬挂在空中。

可是这一顶轿和两个人却的确是这样子的。

——这个世界上有很多事都是这样子的，有很多不可能发生的事都发生了。

这一顶轿和两个人居然在一瞬间化为了一团火。

火是从青竹竿上开始燃烧的。

---

1　疑为作者笔误。吴道子所画为《地狱变相图》，《鬼趣图》为清代罗聘所画。

绿衣人的腰一扭，人已到了屋外，将手里的青竹竿伸向黑暗的夜空。就像是一个绿色的巫魔在向上苍发出某种邪恶的诅咒。

然后这根本已无生命的竹竿就好像忽然从某种魔力的泉源得到了生命，忽然开始不停地扭曲颤抖，仿佛变成了一条正在地狱中受着煎熬的毒蛇。

然后它就把地狱中的火焰带来了。

黑暗中忽然有碧绿色的火焰一闪，在青竹竿头凝成了一道光束。

毒蛇再一扭，光束就如蛇芯般吐出，闪电般射向那悬立在夜空中的人与轿。

——于是这一顶轿和两个人就在这一瞬间化成了一团火。

火势燃烧极快，在一瞬间就把半边天都烧红了。

—— 这两人一轿原来真是纸扎的。可是纸扎的人轿又怎么会从千百里外跟踪一个人飞入这阴森而诡秘的石屋?

——轿子里如果没有人，怎么会发出那种凄厉的嘶喊声?

燃烧着的火焰忽然由一团变成了一片，分别向五个方向伸展，伸展成五条火柱。

火焰再一变，这五条火柱忽然变成一只手，一只巨大的手，从半空中向那绿衣人抓了过去。

火焰夹带着风声，风声呼啸如裂帛，火光将绿袍人的脸映成了一种惨厉的墨绿色。

他的人仿佛也将燃烧起来了。

只要这只巨大的火手再往下一掏，他的肉体与灵魂俱将被烧成灰，形神皆灭，万劫不复。

在这种情况下，这个世界上好像已没有什么力量能阻止住这只火手，也没有什么人能救得了他。

石屋中，苦行僧的眼中仿佛也有火焰在闪动。

他忽然发现这只巨大的火手后，竟赫然依附着一条人影。

一条恶鬼般的黑色人影。

这个人的手脚四肢胴体，每一个关节好像都可以随意向任何一个方向扭曲舞动。

他一直不停地在动，动作之奇秘怪异，已超越了人类能力的极限。

——没有“人”能超越人类的极限，这个人为什么能？难道他不是人？

苦行僧冷笑。

他完全明白这个人的武功和来历，这个世界上没有人能瞒得住他，这个人也不能。

他知道的事也远比大多数人都多得多。

他知道波斯王宫里曾经有一批乌金的丝流入了中土。

这种丝不但有弹力，有韧性，而且刀斧难断。

武林中有个极聪明的人，得到了这些金丝，就用它创造出一门极怪异的武功。

他自己先把自己用这些金丝吊起来，金丝的另一端有钉钩，钩挂住四面的屋脊墙檐树木高塔桩柱和任何一个可以依附的地方，他的人就被这无数根金丝吊着。就像是个被人用线操纵的傀儡。

唯一不同的是，操纵他的力量，就是他自己发出来的。

他的人一动，就带动了金丝，金丝的弹性和韧力，又带动了他的动作，无数根金丝的力量互相牵制，以旧力激发新力，再以新力带动旧力，互相循环，生生不息。

——这种力量的奥妙，简直就像是一种精密而复杂的机器。

这种力量的巨大，也是令人无法想象的，只有这种力量，才能使一个人发出那种超越的动作。

明白了这一点，你自然也就会明白那顶轿子为什么能悬空而立了。

—— 那顶纸扎的轿子和两个纸人，本来就是悬附在这个人身上的。这个人本来就“坐”在轿子里。

怪异的动作，激发出可怕的力量，使得他的动作看来更怪异可怕。

那只巨大的火掌，就是被他所催动操纵，带着烈火与啸风，直扑绿衣人。

风火后还有那恶鬼般的人影。

就算绿衣人能避开这团烈火，也避不开这黑色人影的致命一击。

风声凄厉，火焰闪动，恶鬼出击，在这一瞬间，连天地都仿佛变了颜色。

那个穿红衫的红色小鬼眼睛里直发光，全身都已因兴奋而紧张起来。

他喜欢看杀人，能够看到一个人被活活烧死，岂非更好玩。

只可惜这次他没看见，但却看见了一件比火烧活人更好玩的事。

火掌拍下，绿衣人的身子忽然蛇一样轻轻一个旋转，身上的绿袍忽然在旋转中褪落。

——也许并不是袍子从他身上褪落，而是他的身子从袍中滑了出来。

他的身子柔滑如丝。

他的手一扬，长袍已飞起，就像是一片绿色的水云，阻住了烈火。

水云反卷，接着又向那恶鬼般的黑色人影飞卷了过去，把烈火也往那人身上卷了过去。

红色小鬼站在椅子上看着，看得眼珠子都好像要掉了下来。

他眼睛正在看着，并不是半空中那火云飞卷，倏忽千变，绮丽壮观无比的景象，也不是那惊心动魄、扭转生死的一招。

他当然更不会去看远方的那一轮正在逐渐升起的圆月。

他的眼睛在看着的是一个人，一个刚从一件绿色的长袍中蜕变出来的人。

一个女人。

一个一定要集中人类所有的绮思和幻想，才能幻想出的女人。

她很高，非常高，高得使大多数男人都一定要仰起头才能看到她的脸。

对男人来说，这种高度虽然是种压力，但却又可以满足男人心里某种最秘密的欲望和虚荣心。

——一种已接近被虐待的虚荣的欲望。

她的腿很长，非常长，有很多人的高度也许只能达到她的腰。

她的腰纤细柔软，但却充满弹力。

她的臂是浑圆的，腿也是浑圆的，一种最能激发男人情欲的浑圆。浑圆、修长、结实、饱满，给人一种随时要胀破的充足感。

——她是完全赤裸的。

她全身上下每一寸都充满了弹力，每一根肌肉都在随着她身体的动作而跃动。

一种令人血脉偾张的跃动，甚至可以让男人们的血管爆裂。

红小鬼还没有看到她的胸和她的脸，连她那一头黑发都没有看见。

他一直在看着她的腿。

自从他第一眼看见过这双腿，就再也舍不得把眼睛移开半寸。

直到他听见苦行僧冷冷地问他："你这次来，是来干什么的？"

这时那恶魔的黑色人影正飞腾在空中，下面是一片火海。

一片密如蛛网的火焰汇合成的火海。

绿云反卷，火掌也反卷，他的身子突然收缩，再放松，在那间不容发的一刹那间从对手致命反击中飞弹而起。

——利用乌金丝的特性所造成反弹力，在身子的收缩与放松间，弹起了四丈。

这是他的平生绝技。

烈火转瞬间就会消失，他在这次飞腾中已获得了新的动力，火焰一灭，他立刻就可以开始搏击，从一个外人绝对料想不到的部位，用一种别人绝对无法做到的动作，将对方搏杀于一瞬间。

——蛛网般的乌金丝此刻已经纠结成一种非常复杂的情况，似乎产生的力量也是复杂的，由这种力量催动的动作当然更怪异复杂。

所以他虽然一击不成，先机并未尽失。

他对自己还是充满信心，因为他想不到石屋里还有一个对他的一切都了如指掌的人。

乌金丝在黑暗中是看不见的，在闪动的火焰中也看不见。

只有这个人知道它的确存在，而且知道它在什么地方。

——苦行僧已经慢慢地从他身后的大橱里拿出了一个纯钢的唧筒。

这是他一排十三支唧筒的一个，从筒里打出去的，是片黄金色的水雾。

水雾穿窗而出，喷在那些虽然看不见却确实存在的乌金丝上，而且粘了上去。

火云卷过，虽然烧不着乌金丝，黏附在乌金丝上这千万颗也不知是油是水的雾珠却燃烧了起来，化成了一片火海。

占尽先机的黑衣人忽然发现自己已置身在一片火海中。

可是他没有慌，更不乱。

他不怕火，他身上穿的这一身黑色的紧身衣和黑色面具都可以防火。

他的轻功绝对是第一流，名动天下的楚香帅现在如果还活着，也未必能胜过他。

到了必要时，他还可以解开缠身的丝网，化鹤飞去。

他要走，有谁能追得上？

但是在苦行僧眼中，这个人却似已经是个死人。连看都不再看他一眼，却冷冷地去问红小鬼。

“你这次来干什么？”

红小鬼忽然笑了，不但笑，而且跳，而且招手。

这个行动和神情都诡异之极的红衫小鬼，居然笑着跳着招着手开始唱起了儿歌。

砰、砰、砰，请开门。

你是谁？

我是丁小弟。

你来干什么？

我来借小刀。

借小刀干什么？

劈竹子。

劈竹子干什么？

做蒸笼。

做蒸笼干什么？

蒸人头。

蒸人头干什么？

送给老妈当点心。

他自己问，自己答，唱出了这首儿歌，他唱得高兴极了。

苦行僧居然就听着他唱，等到他唱完再问："你这次来，不是为了急着要知道这次行动的结果？"

"当然不是。"

"你也不想知道楚留香的生死？"

"我当然想知道，只不过我早就知道了。"

"你知道了什么？"

红小鬼又笑，又跳，又拍手唱起儿歌！

"飞蛾行动"开始，楚留香就已死。

他不来，早已死。

他来，还是死。

苦行僧的人、面和那双眼睛，又都已隐没在灯光照不到的阴影里。

"那么你这次来，还是等着来割头的？"

“是。”

“现在已经有头可割，你还不快去？”

“谁的头？”

“你早已想割的那个头。”

“那王八蛋的头现在已经可以去割了？”

“是的。”

红小鬼嘻嘻一笑，双臂一振，好像举起双手要投降的样子。

可是他那笑嘻嘻的眼睛里却忽然充满杀机，连一点要投降的样子都没有。

就在这一瞬间，他的红衫红裤里忽然发出了一种很奇怪的声音，就好像大块冰条忽然崩裂的那种声音。

然后又是“哗啦啦”一阵响，一大票碎冰碎铁一样的东西从他的衣袖裤管里掉了下来。

苦行僧的面孔和眼神，虽然都已隐没在灯光无法照到的地方，但是他脸上惊愕的表情，还是可以想象得出来的。

绿衣女子与黑衣人之战眼看着随时都会结束，但是两人都展尽平生绝技，以令人意想不到的招式出击，扭转乾坤，而且反置对手于死地。

火中纵跃，空中过招，这都不是什么大不了的学问，重要的是这个局面紊乱的搏战之中，胜负双方，随时都可能易位，在这种险恶的状况之下，唯有冷静才能生存。

苦行僧当然知道这一点的重要，刚才他是旁观者，现在，他好像也被推进了旋涡，在面对生死的这一刻，不变也许就是应付万变之道。

红小鬼的儿歌，现在重又回想起来，不禁令人有些发毛，“做蒸笼，蒸人头，送老妈，当点心……”

绿衣女子、黑衣人、苦行僧，到底哪一个才是他此行真正要下手的对象？

红衣小鬼的双手高举，仍作投降状，碎冰碎铁一样的东西，还在不断地从衣袖裤腿流下来……

然后这个本来好像全身都已僵硬了的人，就在这一瞬间忽然“活”了。

——原来他的四肢关节，平常一直都是用铁板夹住的。

所以平时他的行动永远僵硬如僵尸，连坐都坐不下去。

江湖中的人，根本没有听见过江湖中有他这么样一个人，能看到他的人，就算还没有死，也都快死了，就在他看见他的那一瞬间，头颅已被他割下，提在手里。

所以知道他这个秘密的人，最多也不会超过十个。

可是每个人大概都想象得到，像这么样一个人，如果他自己把用来束缚自己的铁板挣断时，他的行动会变得多么轻巧迅速诡变灵敏？

铁板碎落，人飞去，在一瞬间就已变成了一个飞跃变幻无方的鬼魅精灵。

飞腾在火海上的黑色人影身体忽然迟钝了。

他不怕火，可是他怕烟。

燃烧在乌金丝上的火烟，带着一种很奇怪的气。

他忽然觉得晕眩。

然后他就看到一条腿从烟火中向他踹了过来，一条修长笔直浑圆结实的腿，赤脚，足踝纤巧，曲线柔美。

脚趾很长，很漂亮。

在某一种情况下，这么样一双女人的脚通常都最能激发男人的情欲。有时候甚至比其他一两处更主要的部位更要命。

有经验的男人都明白这一点。

他是个有经验的男人，杀人有经验，杀女人这方面也很有经验。

可是在这一瞬间，他已经发觉这只漂亮的脚是真的会要他的命了。

就在这一刹那间，一条鬼魅般的人影，已经横飞而来，就像是个红色的小鬼。

割头的小鬼来了。

大家赶快跑。

如果跑不掉，

头颅就难保。

割头小鬼，专割人头。

在一个人将死的那一瞬间，忽然有一个穿红衣着红裤的小孩出现了，拿一把小刀，一把抓住那个人的发髻，一刀割下，提头就跑，倏忽来去，捷如鬼魅。

这个小孩是谁?

没人知道。

这个小孩为什么要割人的头颅，提着头颅到哪里去了?

也没人知道。

可是，每个人大概都能想象得到，这是件多么神秘诡谲的事，甚至还带着一种血腥的浪漫。

最浪漫而传奇的一点是，如果不是名人的头，他是绝不会去割的。

如果你不是名人，如果你明知你要死了，如果你知道这个世界上有这么样一个专割人头的小鬼，就算你带着八百万两黄金，跑去找他，跪在地上求他在你要死的那一天那一时那一刻去割你的头，他也不会睬你，甚至连你的头发都不会去碰一碰。

如果你不是名人，你要他来割你的头，远比你求他不要来割你的头还要困难得多。

可是他如果一定要割下你的头来，他就会时时刻刻在等着。

等着你死。

他跟你绝对没有仇，既不想杀你，也不想要你死，可是他会等着你死。

如果你万一不幸死掉了，不管你是怎么死的，不管你死在哪里，也不管你是在什么时候死的，你只要一死，他就出现了。

只要他一出现，他那把割头的小刀就会在你的咽喉间，一刀割下去，绝对会割到你后颈的骨缝里。一刀就割断你的头颅，连刑部大堂里最有经验的刽子手都不会算得比他准，然后他提头就跑，一闪无踪。

这种情况已经发生过很多次了，谁也猜不透他辛辛苦苦地等着割一个死人的头颅是为了什么?

只不过有一件事是每一个只要有一点幻想力的人都可以想象得到的——

在这个世界上，一定有一个非常秘密的地方，藏着许多人头，每一个都是名人的头。

有些人收集名器名画名瓷名剑，有些人喜欢名人名花名厨名酒。

前者重价值，后者重情趣。

可是这个世界上还有另外一种人，喜欢收集的却是名人的头。

幸好这种人只有一个。

绝代的名花死了，只不过是个死人而已；旷世的名侠也死了，也一样是个死人。

死人都是一样的。

死人的头也一样！既无价值，也无情趣。可是对这个人来说，却是他这一生中最大的乐趣，也是他一生中最大的目标。

没有人知道他已经割下多少人的头，但是每个人都知道，他要去割一个人的头时，从来都没有任何人任何事能阻止他。

他出手时，就在一瞬间，人头已被割下。

只有这一次例外。

这一次他在割头之前，居然先做了另外一件事，一件任何人都想不到他会去做的事。

任何人都想不到这个割头小鬼会认为这件事比割头更重要。

长腿踢出，腿上的每一根肌肉都在跃动，别人看得见，她自己也看得见。

她常常把这一类的事当作一种享受。

面对着一面特地从波斯王宫里专船运来的穿衣镜，看着自己身上肌肉的跃动，这已经是她唯一的享受。

——怎么又是波斯王宫？为什么每个人每件事都好像和波斯王宫有点关系？

一个这么高的女人，这么美，这么有魅力，大多数男人只要一看见她就已崩溃，连碰都不敢碰她，她除了自己给自己一点享受之外，还能要求什么？

想不到这一次居然有例外的情况发生了。

她从未想到会有一个比矮她一半的男人，居然会像爱死了她一样抱住她。

更想不到的是，这个男人居然会是割头小鬼。

割头小鬼居然没有先去割头。

长腿踢出，小鬼飞起，凌空转折翻身扭曲，忽然张开双臂，一下子抱住了她的腰。

这个小鬼的动作简直就好像一个几天没奶吃的小鬼头忽然看到了他的娘一样。

——并不一定是娘，只要有奶就是。

这个小鬼的动作简直就像三百年没见过女人，甚至连一只母羊都没见过。

这个小鬼的动作简直就像是个花痴。

长腿踢出，他忽然一下子就抱住了她的腰，在她的大腿上用力咬了一口。

——这个小鬼咬得真重。

奇怪的是，她的脸上连一点痛苦的表情都没有，连叫都没有叫。

她只觉得一阵晕眩，恍恍惚惚的晕眩，就好像在面对着那面镜子一样。

等到这一阵晕眩过后，穿红衣的割头小鬼已经连影子都看不见了。只看见夜空中仿佛有一串血花在火光上一闪而没。

一个穿黑衣的人重重跌在地上，这个人当然已经没有头。

这个割头小鬼提着他的头藏到哪里去了？

这个问题仍然无人能够解答。

毫无疑问的是，在他的收藏中无疑又多了一个武林名人的头。

## 03

一个檀香木匣，一点石灰，十七种药物，一颗人头被放进去。

木匣上刻着这个人的名字。

在这个地方，像这样的檀香木匣，到今天为止，已经有一百三十三个。

这个地方在哪里？当然也没有人知道。

# 第三章

# 狼来格格

## 01

晕眩已过去，痛苦才来。

有一头长发的这个女人，从她的绿袍中蜕出后，全身肤色如玉。

白玉。只有一点没有变。她的眼睛依旧是碧绿色的。

如猫眼、如翡翠。

她在揉她的腿。对这个诡秘难测的割头小鬼，现在她总算有一点了解了。

—— 这个小鬼的牙齿很好，又整齐，又细密，连一颗蛀牙都没有。

他咬在她腿上的牙印子，就像是一圈排得密密的金刚钻。

她在摸它。

她的中指极长，极柔，极软，极美。

她用她中指的指尖轻轻抚摸这圈齿痕时，就宛如一个少女在午夜独睡未眠时，轻轻抚摸着她秘密情人送给她的一个宝钻手镯一样。

苦行僧一直在看着她，带着一种非常欣赏的表情看着她。

——这种女孩，这种表情，这么长的腿，如果有男人能够看见，谁不欣赏?

只不过这个男人欣赏的眼色却是不一样的，和任何一个其他的男人都不一样。

他看着她的时候，就好像一匹狼在看着它的羊，一条狐在看着它的兔，一只猫在看着它的鼠，虽然极欣赏，却又极残酷。

远山外的明月升得更高了。月明，月圆，她向他走了过来。

戴着一个诡秘而可怖的绿色面具，穿着一身毫无曲线的绿色长袍时，她的每一个动作已经优美如花朵的开放。

现在她却是完全赤裸的。

她在走动时，她那双修长结实浑圆的腿在她柔细的腰肢摆动下所产生的那种“动”，如果你没有亲眼看见，那么你也许在最荒唐绮丽的梦中都梦不到。

就是你想求这么样一个梦，而且已经在你最信奉的神祇庙中求了无数次，你也梦不到。

因为就连你的神祇也很可能没有见过这么样的一双腿。

好长的一双腿，这么长，这么长。这么浑圆结实，线条这么柔美，这么有光泽，这么长。

——如果你没有亲眼看见过，你永远不能想象一双腿的长度为什么能在别人心目中造成这么大的诱惑冲击和震撼。

尤其这双腿是在一束细腰下。

她的头发也很长。

现在没有风，可是她的长发却好像飞扬在风中一样。

因为她胴体的摆动，就是一种风的韵律。

风的韵律是自然的。

她的摆动也完全没有丝毫做作。

——如果不是这么高的一个女孩，如果她没有这么细的腰，这么长的腿，你就算杀了她，她也不会有这种自然摆动的韵律。

这个世界上有很多事都是这样子的，上天对人，并不完全绝对公平的。

她的眼如翡翠猫石，虽然是碧绿色的，却时常都会因为某种光线的变幻而变为一种无法形容的神秘之色。

她的脸如白玉，脸上的轮廓深刻而明显，就好像某一位大师刀下的雕像。

最重要的一点还是她的气质。一种冷得要命的气质。

在刚才那一阵晕眩过后，她立刻恢复了这种气质，不但冷漠，而且冷酷，不但冷酷，而且冷淡。

——最要命的就是这种冷淡。一种对什么人什么事都不关心不在乎的冷淡。

她戴着面具，穿着长袍，你看她，随便怎么样，她都不在乎。

她完全赤裸了，你看她，她还是不在乎，随便你怎么样看，从头看到脚，从脚看到头，把她全身上下都看个没完没了，她都一样不在乎。

因为她根本就没有把你当作人。除了她自己之外，谁看她都没有关系，你要看，你就看，我没感觉，也不在乎。

你有感觉，你在乎，你就死了。

这位苦行僧暂时当然还不会死的。

这个世界上能够让他有感觉的人已经不太多了，能够让他在乎的人当然更少，就算还有一两个，也绝不是这个长腿细腰碧眼的女人。

他带着一种非常欣赏的表情，用一种非常冷酷的眼神看着她走进这间石屋。

她又坐下。

她又用和刚才同样优柔的姿态坐入刚才那张宽大的石椅里。

唯一不同的是，刚才坐下的，是一个绿色的鬼魂，这次坐下的，却是一个没有任何男人能抗拒的女人。

——她并没有忘记她的腿有多么长，也不愿让别人忘记。

她坐下去时，她的腿已经盘曲成一种非常奇妙的弧度，刚好能让别人看到她的腿有多么长，也刚好能让人看出她这双腿从足踝到小腿和大腿间的曲线是多么实在，多么优美。

刀有弧度，腿也有，名刀、美腿、弦月，皆如是。

苦行僧没看见。

有时他心中有刀，眼中却无，有时他眼中有色，心中却无。

所以他这个人在大多数时候都是看不见的，什么人什么事都看不见。就算真看见，也没看见。

——应该看见的事，他看见了，却没看见，这种人是智者。

——连不应该看见的事他看见了也看不见，这种人就是枭雄了。

因为后者更难。

他忽然开始拍手。

甚至在他拍手的时候，也没有人能看见他的手，就算站在他对面的人，最多也只能看见他的手在动，听见他拍手的声音。

他常常都会让你站在他对面看着他，他没有蒙面，也没有戴手套，可是在一种很奇怪的光线和阴影的变动间，你甚至连他身上的一寸皮肤都看不见。

“你真行，”苦行僧鼓掌，“你真是一个值得我恭维的女人。”

“谢谢。”

“在我还没有见到过你的时候，我就已经听说过贵国有一位狼来格格。”

“哦？”

长腿的姑娘嫣然而笑：“难道你也知道狼来格格的意思？”

“我大概知道一点，”苦行僧说，“狼来了，是一个流传在贵国附近诸国的寓言，是一个告诉人不要说谎的寓言。”

他说：“可是这个寓言，在多年前就已流入了中土。”

“我知道。”

“格格，在我们边疆一带，是一种尊称，它的意思，就是公主。”

苦行僧说：“只不过狼来格格，还有另外一种完全不同的意思。”

“你说它是什么意思？”

“在西方某一国的言语中，狼来格丝，就是长腿的意思。”苦行僧说，“狼来格格，就是说一位很会说谎的漂亮长腿公主。”

长腿的公主又笑了：“你知道的事好像真的不少。”

“贵国的王宫里，有一箱贵重无比的乌金丝失踪了，多年无消息。”苦行僧说，“波斯的孔雀王朝几乎也因此而颠覆。”

“这已是许久以前的事。”

“可是最近旧案又重提，所以新接任的王朝大君就派了一位最能干最聪明，武功最高的贵族高手到中土来追回这批失物。”

“你说的这位高手，就是狼来格格？”

“是的。”

“你认为狼来格格就是我？”

“是的。”

这位漂亮的长腿姑娘笑了。

她看起来的确很像是一位公主，一个女人赤裸着坐在一个男人的面前，还能够保持如此优雅的风度，绝不是件容易事。

——只有两种女人能做到这一点。

——一个真正的妓女和一位真正的公主。

她换了一个更优雅的姿势，面对着这个好像真的无所不知的苦行僧。

她的身上虽然还是完全赤裸的，但却好像已经穿上了一身看不见的公主冕服。就好像西方寓言中那个骗子为皇帝织造的新衣一样，只有真正的智者和枭雄才能看得见。

——一个人穿上一件新衣时，样子总是会改变的，就算他并没有穿上那件新衣，可是他的样子已经改变了，那么他的心情情绪和处理事情的态度，和真的穿上了一件新衣又有什么分别？

甚至连她说话的声调都改变了，变得冷淡而优雅，她问苦行僧：“你还知道什么？”

“你从波斯来，带着巨万珠宝和你自己来。”苦行僧说，“你带来的那一批珍珠翡翠宝玉珊瑚玛瑙祖母绿猫儿眼金刚石虽然价值连城，可是最珍贵的当然还是你自己。”

“真的吗？”

“我知道在极西的西方，有一位大帝，甚至不惜用一个国来换取你的身体。”苦行僧说，“你的大君却毫不考虑就拒绝了。”

苦行僧说："可是这一次，他却命令你，不惜牺牲你的身体，也要达到目的。"

她静静地听着，直到此刻才问："什么目的？"

"他要你做到三件事。"

"哪三件事？"

"取回乌金丝，杀割头小鬼，打听出楚留香生死下落的消息。"

这位又美丽又会说谎又有一双长长的腿的长腿姑娘又改变了一个姿势，虽然同样优雅高贵，但是已经可以看得出有一点不安了。

"楚留香？"她问苦行僧，"你说的是哪一个楚留香？"

"你说呢？"苦行僧反问，"普天之下，有几个楚留香？"

没有回答，这个问题根本就不需要回答。

——有些人永远是独一无二的，因千古以来，这样的人虽不多，楚留香却无疑是其中之一。

她又问苦行僧："你怎么会认为我这次来和楚留香有关系？"

"因为我知道波斯有一位大君，平生只有两样嗜好，一样是酒，一样是轻功，"苦行僧说，"尤其是对轻功，他简直迷得要死。"

"轻功实在是件让人着迷的事。"她说："我知道有很多人在很小的时候就被这件事迷住了，甚至在做梦的时候都会梦到自己会轻功，可以像燕子和蝴蝶一样飞越过很多山岳河川和屋脊。"

"燕子和蝴蝶都飞不过山岳的。"

"可是在梦里它们就可以飞越过去了。"她幽幽地说，"梦里的世界，永远是另外一个世界，这一点恐怕是你永远不会明白的。"

这一点是毫无疑问的。

——一个人如果已经把自己完全投入于权力和仇恨中，你怎么能期望他有梦?

梦想绝不是梦。两者之间的差别通常都有一段非常值得人们深思的距离。

“一个对轻功这么着迷的人，最佩服的一个应该是谁？”

这个问题的答案只有一个：“对轻功着迷的人，最佩服的人当然只有天下第一轻功。”

练掌的人，并不一定会佩服天下第一名掌；练力的人，最佩服的绝不是天下第一力士。

可是轻功却是不一样的。

轻功是一种非常优雅、非常有文化的功夫，而且非常浪漫。

甚至比“剑”更浪漫。

——“剑”比较古典，比较贵族，可是“轻功”一定比较浪漫。

“当今天下，谁的轻功最高？”

这个问题的答案也只有一个，在这个时代，被天下武林中人公认为“轻功天下第一”的人大概只有一个。

这个人的轻功，几乎已经被渲染成一种神话，甚至有人说他曾经乘风飞越沙漠。

这个人的名字，当然就是：楚留香。

“在酒这方面，香帅当然也是专家。”

“当然是的。”

“他不但善于品酒，酒量之豪，海内外大概也没有什么人能比得上。”

“那倒不见得。”长腿格格淡淡地说，“一个人的酒量有多大，用嘴说没有用的，一定要喝个明白才能见分晓。”

“这是一定的！”苦行僧的声音里仿佛有了笑意，“我也早就听说过，狼来格格的酒量随时可以灌倒波斯的十来名武士。”

“一个对十来个是假的。”她说，“一个对六个倒还没有败过。”

“那么楚留香呢？”

“没有喝过，怎么知道？”长腿格格说，“只不过如果有人说香帅能灌倒我，我也不信。”

她忽然又改口：“可是我也相信他的酒量一定是很不错的。”

“我也相信。”苦行僧说，“酒、轻功、女人，这三件事，如果楚留香自认第二，再也没有人敢认第一。”

长腿格格虽然不承认，也不能否认，因为这是江湖中人人公认的。

“所以你们现在的这位大君，这一生中最想结交的一个人，就是楚留香。”苦行僧说，“他不惜用尽一切方法，只为了要请香帅到波斯去作客几天。”

“后来香帅确实去了，而且和大君结交成非常好的朋友。”

“就因为他们是很好的朋友，所以才会互相关心。”苦行僧说：“所以江湖中传出楚留香的死讯后，大君才会派你来，探访香帅的生死之谜。”

“确实是这样子的。”长腿格格说，“大君一直不相信香帅会死。”

“非但你们的大君不信，我也不信。”

“我知道。”长腿格格说，“就算在我们的国土里，都有很多人认为楚留香是永远都不会死的，就算他真的已经死掉了躺在棺材里，大家也认为棺材里死的这个绝不是楚留香。”

她还说：“大家甚至还强迫自己相信，楚留香就算死了，也会复活的。随时都可能复活。”

苦行僧承认这一点。

“只不过这个世界上还是没有一个人能证明楚留香是不是真的已经死了。更没有人能证明他死后是不是真的能复活。”他说，“所以你们的大君才会要你来证实这件事。”

长腿格格也承认这一点：“大君的确一直对他很关心。”

“所以你才会来找我。”

“为什么？”

“因为你知道我也对楚留香的生死很关心，和割头小鬼之间也有种很好玩的默契。”苦行僧说：“最重要的一点是，你知道只要你是我的朋友，只要到了我的地区，我就绝不会容许任何人伤害到你。”

“我承认你说得对。”长腿格格说，“可是我刚从波斯来，怎么会知道这么多事？”

“因你有一个关系人。”

“关系人？”长腿格格好像完全不懂这三个字的意思，“关系人是什么人？”

“关系人的意思，就是说他已经在中土有一种非常重要的人际关系，在江湖中的地位也已经非常重要，可是在暗中，他却和另一个国家另一个社会，有另外一种神秘而暧昧的关系。”

长腿格格眨眨眼，好像是没有听懂的样子。

——她的眼睛极清澈、极明媚，而且有一种接近翡翠般的颜色，显得特别珍奇而高贵。

——可是一个女人如果有了她那样的身材和她那样的一双长腿，还有谁会注意到她的眼睛？

苦行僧又解释。

——他好像真的相信她不懂，所以又解释，一直等到她完全明白为止，又好像因为他根本不怕等，因为时间已经是他的。

只有胜者才能拥有时间，对败者来说，时间永远是最致命的毒素。

“你透过一个非常重要的关系人，知道了我这个人和你要做的这三件事有多么重要的关系，”苦行僧说，“最重要的一点当然还不是我，而是我这个组织。”

“组织？”

“是的，组织。”

“什么组织？”长腿格格问，“组织这两个字究竟是什么意思……”

苦行僧盯着她看了很久，忽然从桌下某一处秘密的地方拿出了一个卷宗。

一个粉红色的卷宗。

这个卷宗里有三个人的资料，三个女人，同样神秘、同样美，同样和这次行动有非常密切的关系。

第一个人就是——

姓名：郎格丝

代号：狼来格格

女，二十五岁，波斯混血，未婚。

父：郎波，来往丝路经商之波斯胡贾，入关三年后即获暴利，成巨富，据说曾在一年中搜购黄金达两千七百斤之多。

（注：此批黄金，至今下落不明，亦未见其流出中土。）

母：花凤来，苏州人，江南名妓，身材极高，长大白皙，精于内功，有“白布腰带”之称，一夕缠头，非千金不办。

（注：白布腰带者，是说她全身柔若无骨，可以像腰带一样缠在你身上也。）

——写这份资料的人，对文学的运用巧配并不十分高明，却有一种很特别的趣味，可以让男人看了作会心的微笑。

可是看在这位长腿姑娘的眼里，就完全是另外一回事了。

她的脸色已发青，但是她还要看下去。

郎格丝三岁时即被其父携回波斯。

郎波回国后，献中土珍宝玩物七十二件，为大君喜，得以出入宫廷，郎格丝十一岁时，拜在波斯大君爱妃膝下为义女。

同年，中土华山剑派因门户之争而有血战，三大高手中的“青姑”愤而叛门，携女徒四人远赴波斯，亦为大君爱妃所礼聘，入宫为女官。

同年，郎格丝拜青姑为师，习华山剑法，因其四肢长大，反应灵敏，故学剑极快。

（注：郎格丝发育之早，亦非中土少女们所能想象。）

长腿姑娘的脸又红了。

她不怕赤裸裸地面对任何一个男人，因为她根本不在乎。

可是她发觉自己的隐私被人知道得这么多的时候，她却在乎了。

她甚至怀疑，她在镜子前面欣赏自己时所做的那种动作，这个男人是不是也知道得非常清楚？而她连这个男人的脸都没有看到过，甚至连手都没有看到。

——这个苦行僧的眼色，有时候就像是一面镜子。

揭人隐私是个多么令人痛恨的事，大概是每个人都明白的。

以揭人隐私为手段而求达到自己某种目的的人，是种多么令人厌恶憎恨的人，大家也应该明白。

郎格丝心里虽然充满了痛苦愤恨与羞侮，但她却还是要看下去。

虽然有关她的资料已到此结束，她还是要看下去。

因为苦行僧告诉她："下面这些资料，是另外两个人的，你大概不愿再看下去，因为你既不认得她们，也没有听过她们的名字。"

他说："你一定会觉得，你跟她们这两个人，根本完全没有一点关系。"

事实也正是这样子的。

"可是你一定要看下去，"苦行僧告诉她，"因为这两个你完全不认得的女人，其实是跟你有关系的。"他甚至还强调："我可以保证，你永远都想不到她们和你的关系有多么密切。"

所以郎格丝一定要看下去，她看到的第一个名字，就是她从未看见过的。

这个人姓苏，叫苏佩蓉。

苦行僧的确没有骗她，因为她的确没有想到这个叫作苏佩蓉的女人，竟然就是——

姓名：苏佩蓉

代号：苏苏

女，二十三岁。

父：苏诚，又名苏成，又名永诚，又名永成，又名无欺，又名不变，又名一信，江湖人称"吃亏就是占便宜"的苏吃亏。

（注：又诚实，又守信，又肯吃亏，是不是一个好人呢？这个人，真是好极了。）

——这一点其实是不必注明的，因为这位苏先生平生根本没有吃过亏，“吃亏就是占便宜”的意思，只不过是说别人只要碰见他就一定会吃亏，别人吃了亏，占便宜的就是他。

在苏先生这一生中，走遍南北，认得的人也不知有多少，能够不被他占上点便宜的，恐怕连一个都没有。

像这么样一个人，被他骗到手的女人当然也不少，替他生下苏佩蓉这个女儿的，却是其中最特别的一个。

因为这位女士也和他一样，也是以骗人为业的，被她骗过的男人，绝不会比他少。

这位女士的名字，赫然竟是花凤来，下面记载的数据，也和上一份数据完全相同。

郎格丝终于明白苦行僧为什么一定要她看这份数据了。

——这个本来好像跟她完全没有关系的女人，居然是她同母异父的姐妹。

另外一个女人和她又有什么关系呢？

郎格丝不笨，她的四肢虽然发达，头脑并不迟钝，她的反应通常都要比别人快一点，她当然已经可以想象得到，这份卷宗里的第三个女人和她有种什么样的关系。

她想的果然不错，第三个女人果然是：

姓名：李蓝袖

代号：袖袖

女，二十一岁。

父：李蓝衫，十三岁成秀才，十六岁入举，“蓝衫才子”名动学林，却与进士无缘，可是十九岁时就已成为武当后起俗家弟子中的第一名剑，“蓝衫剑客，剑如南山，采菊东篱，悠然而见。”以那种悠悠然的剑法，在一年中连胜一十九战。

（注：可是这位文武双全的才子剑客死得太早，就在他声名到达巅峰的那一年，他就死了。）

那一年也是他成亲生女的一年，他的女儿还在襁褓中，他就已死在中原一点红的剑下。

那一年，他才二十岁。

那一年，也正是楚留香的名声刚刚开始被江湖中人注意的时候。

那一年楚留香才十余岁，苏蓉蓉、宋甜儿、李红袖也才是少女。

那年的元宵夜，胡铁花和人拼酒时，已经可以一口气连喝黄酒二十八升。

那一年楚留香的另一个好朋友姬冰雁，已经赚到了他这一生中的第一个一百万两。

——不是铜铁锡，而是银子，纯净的白银。

——那一年当然也就是李蓝袖出生的时候，她的母亲当然就是：

母：花凤来，苏州人，江南名妓……

郎格丝用不着再看下去，下面的数据，她用不着看也已经可以背得出来。

这个本来和她完全连一点关系都没有的李蓝袖当然也是她异父同母的姊妹。

——她忽然觉得很好笑，而且真的笑了，笑得几乎要哭了出来。

苦行僧一直在静静地看着她，直等她笑完了，才淡淡地说：“令堂是位很特殊的女人，结识的男人也很特殊，能让她为他生孩子的，当然更特殊。”苦行僧说，“所以你们三位姐妹，不但继承了令堂的聪明和美丽，多少也承继到一点你们父亲的特性。”

他说得很温和，听不出丝毫讥诮之意，但却可以让聪明的人难受得要命。

郎格丝已经有了这种感觉，因为她知道他将要说出的都是事实。

而事实通常都远比谎言伤人。

“你当然知道苏苏就是我特地派去照顾慕容的两个人中之一。”苦行僧说。

“是的，”郎格丝承认，“我知道。”

“那么，我想你一定也知道，她就是刺杀柳明秋的人。”

“是的。”

“柳明秋纵横江湖，艰辛百战，出生入死，经验是何等老到，怎么会栽在一个小女孩的手里？”苦行僧问。

“因为他完全没有提防她。”

苦行僧立刻又问：“她既然已有杀他的意思，像柳明秋这样的人物怎么会看不出来？”

郎格丝沉默，因为她已知道苦行僧的答案。

“苏苏能够让柳明秋完全没有提防她，只因为她有她父亲的特质。”

——一种可以让人在不知不觉中吃亏上当的骗人特质。

“你可以想象到，苏诚在外表上看来，一定是个又诚恳又老实又肯吃亏而且常常受人的气被人欺负的人。”苦行僧说，“苏苏当然也是这样子。”

——是的，苏苏看起来不但又乖又温柔，而且老实听话，你叫她干什么，她就干什么，只不过她心里在想什么，谁也不知道，而且不管她心里在想什么，她都做得出。

“有这种特质的人并不多。”苦行僧说，“这种人要杀人的时候，总不会迟疑片刻，杀人之后，立刻就可以为那个人心酸落泪。”

苦行僧悠然道：“就因为我看出了这种特质，所以柳先生才会死。”

他说这句话的态度，甚至已经露出了一种他从未露出过的得意之色。

郎格丝明了这一点。

要置柳明秋于死地，绝不是件容易事，要看出苏苏这种特质，更不容易。

“袖袖的情况，差不多也是这样子的。”苦行僧说，“她当然也有一种与众不同的特质。”

“她这种特质，当然也有被你利用的价值，所以你才会找到她。”

“是的。”

“苏苏的特质是‘骗’，袖袖的特质是什么呢？”郎格丝问，“在这次行动中，她有什么价值？”

苦行僧先回答了她第一个问题：“袖袖的特质是‘死’，就像她的父亲一样，随时都准备死，随时都可以死。”

“是不是因为他们根本不怕死？”

“是的。”苦行僧说。

可是立刻他又重作解释：“不怕死也不是完全一定绝对的。”

“我不懂你这句话的意思。”

“不怕死的意思，也有很多种不同的解释。”苦行僧说，“只不过我只要说出两种就已足够。”

如果郎格丝问他："哪两种？"

这种问题是根本不需要问的，就算她对这件事很好奇，也不必问。

因为她不问，对方也会自己回答："这个世界上大多数事都只能分为两种，只不过分类的方法有所不同而已。"

"哦？"

"譬如说，人也有很多种，有些人甚至可以把人分成七八十种。"苦行僧说，"可是你如果把它真正严格的分类，人只有两种。"

他再强调："种类虽然只有两种，分类的方法却有很多。"

譬如说，你可以把人分为好人与坏人两种，也可以把人分成死人与活人，男人与女人，聪明人和笨人。

不管你用的哪一种方法分类，都可以把所有的人都包括在其中。

"有一种人平时是怕死的，可是真正到了生死关头，面临抉择时，却往往能舍生而取义，甚至会为了别人而牺牲自己。"苦行僧说，"这当然是'不怕死'中的一种。"

"是的。"

"还有一种人，根本就不怕，根本就没有把生死看在眼里，因为他本来就把生命看得很轻贱，人世间的事，全都不值他一顾！"

"李蓝衫就是这种人？"

"是的。"苦行僧说，"他的女儿也是。"

"就因为她有这种特质，所以才敢陪着慕容像飞蛾一样去扑火？"

"大致可以说是这样子的。"

"可是我不懂你为什么一定要她陪慕容去？为什么要耗费那么多人力物力去找她？"郎格丝问："她在这次行动中，究竟有什么作用？"

苦行僧沉默了很久，才一个字一个字地说：“她在这次行动中所占的地位，甚至不在慕容之下。”

郎格丝显得很惊讶，她一直认为只有慕容才是这次行动的枢纽。

苦行僧眼中那种带着三分妖异的得意之色又露了出来。

“这一点当然是绝对机密的，所以我一直要等到现在才能告诉你。”

郎格丝静静地等着他说下去，连呼吸都似已停顿。

——最机密的一点是在什么地方呢？

“你当然知道楚留香身边有三个非常亲近的女孩，一个姓李，一个姓宋，一个姓苏。”

“我当然知道，”郎格丝说，“不知道她们这三个女孩的人，恐怕也不多。”

这是真的。

## 02

李红袖博闻强记，对天下各门各派的高手和武功都了如指掌，对他们的事迹和经历也记得非常清楚，如果香帅问她：“华山派的第一高手是谁？第一次杀人是在哪一年？杀的是谁？用的是什么招式？”

李红袖连想都不必想，就可以回答出来，甚至可以把那个人的出身家世、性格缺陷，在一瞬间就对答如流。甚至还可以回答出那个人在哪一天哪一个时辰在什么情况下出手的。

她不但自己记得住，还要强迫楚留香也记住。

——在深夜，在灯下，为楚留香添一炉香，强迫他记住。

在江湖中，群敌环伺，杀手四伏，如果你能多对其中的一个人多了解一分，那么这个人对你的威胁就可以减少一分了。

—— 如果你能完全透彻地了解一个人，这个人对你还有什么威胁?

知己知彼，百战百胜，这句话能够从千古以来流传至今，总是有它的道理存在的。

所以她一定要楚留香把一些极成功和在极成功中忽然失败的人物的事迹和战绩，完全记在心里。

因为她对楚留香的感觉是不一样的。

—— 如果只不过是兄妹之情，也是不一样的兄妹之情！如果只不过是朋友之情，也是不一样的朋友之情。

所以她希望楚留香能永远不败。

就算败，也要在败中求胜，败中取胜。永不妥协，永不退让一寸一分。

能为楚留香做这么多事，李红袖当然是一个非常聪明的女人。

最重要的是，她为楚留香所做的所有这些事之中，也有一点共同的特质。

——不败。

可以死，不可以败。

“每个人一生中都要死一次的，但是有些人却可以一生永远不败。”苦行僧说，“李红袖就是要楚留香做一个这样的人。”

永生已不可以得，不败却可以求。

“所以她也是不怕死的，在她为香帅所做的这些事中，就有这种不怕死的特质。”

郎格丝沉默良久才说：“我明白。”

其实她并非真的十分明白。

—— 李红袖、李蓝袖，这两个人之间是不是也有某种神秘的关系？是什么关系？李蓝衫是李红袖的什么人？

这些名字当然也许只不过是巧合，这个世界上姓名雷同的人也不知道有多少。

——但是她们的性格之中，为什么也有一种如此相似的特质？

“不管怎么样说，李红袖总是一个非常坚强勇敢的女人，如果楚留香要去赴死，她也一定会跟着去的。”苦行僧说，“就算明知必死也会去。”

“是的。”郎格丝说，“我也相信她一定会这么样做。”

她的眼直视远方，她的眼中仿佛有一个人。

这个人不是李红袖，而是孤单单站在一顶小轿旁的蓝衣女人。

她很想直接切入问题的中心，很想直接问这个苦行僧：“蓝袖在这次行动中究竟有什么作用？和李红袖又有什么关系？”

她还没有开口，苦行僧已经把话题转到宋甜儿身上。

宋甜儿是个很绝的女孩子，看起来好像有点呆呆的，什么事都不在乎，什么都不放在心上，而且很容易满足，有时候她也许会希望有一个王子会在她生日那一天送她一座城堡。

可是如果有人能在那一天送她一张上面画着城堡的图画，她就已经很开心了。

知足常乐，所以她每天都在开开心心地过日子，甜甜地笑，甜甜地对你笑。

只对你，不对别的人。

——如果你身边有一个这样的女孩，你说开心不开心？

而且她还会做菜。

她是五羊城的人，羊城就是广州，“吃在广州”，人所皆知。

所以她也喜欢吃，而且喜欢要别人吃她做的菜。

——好吃的人都是这样子的。

所以她一定要会做菜，而且做得真好，连楚留香这么好吃这么挑剔的人，对她做的菜都从来没有抱怨过。

他甚至告诉他的朋友，连无花和尚未死时，亲手做的素菜，都比不上宋甜儿的罗汉斋。

天下的名厨，还有谁能比得上她?

——要抓住男人的心，最快的一条路就是经过肠胃。

男人都是好吃的，如果身边有这么样一个女孩，只怕用鞭子也赶他不走。

这个女孩一直都在楚留香身边，天天都在，时时刻刻都在，可是我们这位楚大爷眼睛里却好像从来没有看见过她这个人一样。

只看得见她做菜，却看不见她的人，甚至连那双修长结实经常都晒成古铜色的腿都看不见，真是气死人也。

奇怪的是，我们这位宋大小姐却好像连一点都不在乎。每天还是过得开心无比。甚至远比李红袖和苏蓉蓉都开心快乐得多。

这三个女孩之中，最不快乐的恐怕就是苏蓉蓉。

有人说，她们三个人里面，最漂亮的是苏蓉蓉，有人说最温柔的是她，也有人说楚香帅最喜欢的一个是她。

这些我都不敢确定。

我只能确定，她们之中，最不快乐的一个是她。

——是不是愈聪明愈美丽的女孩愈不快乐？

苏蓉蓉无疑是非常聪明的。

她负责策划，为楚留香建造了一间镜室，替楚香帅采购了很多张极精巧的人皮面具，和很多难买到的易容化装用品。

她自己也精修易容术，使得楚留香随时都可以用各种不同的面貌和身份在江湖中出现。

“千变万化，倏忽来去，今在河西，明至江北”，楚香帅的浪漫与神秘，造成了他这一生的传奇。

这种形象，就是由她一手建立的。

苏蓉蓉不但温柔体贴，而且善解人意。

楚留香的日常生活，饮食起居，大部分都是由她照料的。

香帅可以说是个非常独立的人，但他却曾经向他的好友透露：“我可以什么都没有，但是如果没有蓉蓉，我就真的不知道该怎么办了。”

由此可见他对她的依赖和感情，只不过她还是不开心。

因为她知道他仍然不是完全属于她的。她要的是一个完全属于她的男人。

她完全属于他，他也完全属于她。

他当然不会是这种人。

楚留香是属于大众的，是每位热情少年心目中崇拜的偶像，是每一个江湖好汉想要结交的朋友，是每一个深闺怨妇绮思中的情郎，是每一个怀春少女梦中的王子，也是每一个有资格做丈母娘的妇人心目中最佳女婿。

所以蓉蓉不开心。

所以她时常会想出一些“巧计”来让楚留香着急，甚至不惜故意让楚留香的对头绑走。

所以江湖中才会有些呆子认为她是个糊里糊涂，大而化之，很容易就会上当的女人。

——一个爱得发晕的女人，对她喜欢的男人，本来就通常会用一点小小的阴谋和手段的，一点欺骗，一点狡猾，一点恐吓，和三点甜蜜。

只不过她用得比这个世界上大多数女人都要更巧妙一点而已。

可是她也不会把一个和她无冤无怨的人送到阴沟里去死。

她做不出，她不忍。

她狠不下心去做那些苏苏随时随地都可以在眨眼间做出的那些事。

但是从另一方面来看，她们之间是不是也有某种相同之处呢?

——她们是不是也有一种会在有意无意间去骗人的特质?

## 03

这张椅子虽然非常宽大，可惜宽大的椅子并不一定就会舒服。

一张用很冷很硬的木头或石头做成的椅子，不管它多宽多大，一个赤裸的女人坐在上面都不会舒服的。

郎格丝现在的样子就连一点舒服的样子都没有了，甚至连一点公主的样子都没有了。

她甚至已经把她那两条很长很长的腿都蜷曲了起来。

苦行僧一直在很仔细地观察着她，就好像一个顽童在观察着他刚抓到的一只稀有昆虫一样。

——他眼中所见的，应该是一个可以挑起任何男人情欲的女人胴体，可是他的眼中却全无情欲。

因为他此刻眼中所见的，并不是她的胴体，而是她的心魂。

她的心当然已经被他看穿了，就好像她当然也已看穿苏蓉蓉和苏苏，李红袖与袖袖之间，一定有某种神秘而特殊的关系一样。因为她们之间的确有一种相同的特质。

苦行僧当然也明白这一点，所以就用一种最直接的方法告诉她。

“李红袖和袖袖的性格是一样的，她们都有一种‘轻生重义’的性格。”

他解释：“也许她们并不重义，因为女孩子通常都是没有太多义气的。”苦行僧说：“一个女孩和女孩之间如果太讲义气，这个女孩就会失去她的爱情了。”

——这个苦行僧，居然这么了解女人，真是让人大吃一惊。

一个人如果连“重义”这一点都做不到，要他“轻生”，当然更难。

尤其是女孩。

除非她在天生的性格中，就有一种非常特别的“特质”，一种不怕死的特质。

“在女人来说，这种特质是很少见的，可是她们两人都有。”苦行僧说，“这当然因为她们两个人之间有一种非常亲密而特殊的关系。”

他说：“就好像苏蓉蓉和苏苏之间也有某种很特别而神秘的关系一样。”

“我明白，”郎格丝说，“我非常明白你说的这种关系。”

这一次苦行僧的回答更直接。他说：“李蓝衫就是李红袖早夭的哥哥，苏佩蓉就是苏蓉蓉的异母的妹妹。”

苦行僧故意用一种非常冷淡的声音问郎格丝：“你说他们之间的关系是不是非常密切？”

这个秘密本来是应该让人非常吃惊的，可是郎格丝却好像完全没有反应。

过了很久，她才用和苦行僧同样冷淡的声音说："你找她们一定找了很久，而且一定找得很辛苦。"

"是的。"

"可是不管找得多辛苦你都要找。"郎格丝说，"因为有了她们两个人在慕容身边，楚留香更不会让她们死在这一次行动里。"

"是的。"苦行僧说，"只要他还没有死，就一定会出手。"

"柳明秋如果不死，这一次行动还未必能成功，苏苏杀了柳明秋，应该是这一次行动中最大的功臣。"郎格丝说。

"应该是的。"

"但是你却说，袖袖在这次行动中所占的地位，远比任何人都重要。"

郎格丝问："为什么呢？"

苦行僧凝视着她。

"我相信你应该明白我的意思。"他说，"我相信你一定明白的。"

"是的，我明白。"

郎格丝又沉默很久之后终于承认："你们这次行动的最大目的，并不是要确定楚留香的生死，而是要他死。"

"他一定要死。"苦行僧也承认，"我们既然还活着，他就非死不可。"

"你曾说，你们这次行动一开始，楚留香就等于已经死定了。"

"是的。"

"因为这次行动开始后，他如果还不出手，那么就表示他这个人已经必死无疑。"

"是这样的。"

“可是他如果还没有死呢？如果忽然又在那间不容发的一刹那间出现在那条长街上，你们凭什么能把他置于死地？”

郎格丝冷冷淡淡地问苦行僧：“就凭那位铁大老板？就凭那些像小蛇一样的可以扭曲变形的小鬼？还是凭那个半男半女不人不鬼的老鬼？”

苦行僧叹了口气，因为他也不能不承认：“如果凭他们就能在一瞬间取楚留香的性命，那么楚留香也就不是楚留香了！”

“那么你凭什么说只要他一出现，他也就已死定了？”

郎格丝自己回答了这个问题：“你敢这么样说，只因你布下了袖袖这一着棋。”郎格丝说：“她才是你们的最后一着杀手！”

“不是她一个人，是她和慕容。”

“是的。”郎格丝说，“只要楚留香一出现，他们立刻就会将楚留香置于死地，也只有他们能做到这一点，因为他永远不会想到这两个人才是他的杀星。”

苦行僧忽然笑了，连那双恶眼中闪动的都是真正的笑意。

“狼来格格，你真聪明，你实在比我想象中还要聪明得多。”

这一点才是最重要的。

——没有袖袖，楚留香就算出现，也没有人能在一刹那间取他的性命，如果不能在刹那间取他的性命，他就走了。

他要走的时候，这个世界上恐怕还没有一个人能追得上。

所以一定要做到这一点，这次行动才能完成。

# 第四章

# 一张地图

## 01

听到这个苦行僧把这一点解释清楚，这个世界上恐怕也没有人能否定这个计划的精密和这次行动的价值。

郎格丝也不能否定这一点。但是她只问：“我呢？”

她问苦行僧：“我在这次行动中有什么用？你为什么要找我？”

“不是我要找你，”苦行僧微笑，“如果我没有记错，好像是你来找我的。”

他笑得非常谦虚：“但是我当然也不能不承认，我对你多少也有一点兴趣。”

郎格丝的目光从她自己赤裸的腿上移向苦行僧冷漠的眼。

“什么兴趣？”她问，“你对我有兴趣的地方，当然，不是我的人。”

“这次你错了，”苦行僧说，“狼来格格，如果这个世界上有一个人会对你这么样一个人没有兴趣，那么这个人恐怕就不是人了。”

“你是不是人？”

“我是，”苦行僧说，“最少在大多数时候我都可以算是一个人。”

他忽然又补充：“只不过我和别的人有一点不同而已。”

“什么不同？”

“别的人看到你，尤其是在你现在这种样子的时候看到，第一件想到的事是什么呢？”

郎格丝毫不思虑就回答：“是床。”

苦行僧又笑：“狼来格格，这一次你又错了。”他说：“大多数男人看到你时，第一件想到的事并不一定是床。”

他居然还解释：“因为这一类的事并不一定要在床上做的。”

他说话的态度虽然温柔有礼，言辞中却充满了锋锐，幸好这一点对郎格丝并没有什么影响。

因为她好像根本没有听见这句话，她只问他：“你说你和别的男人都不一样？”

“是的。”

“什么地方不一样？”

“我看见你的时候，非但没有想到床，也没有想到有关床的任何事。”

“你想我的是什么？”郎格丝问。

苦行僧没有直接回答这句话，他只站起来，从某一个隐秘的地方拿出一张图。

一张上面画满了山川河岳城堡树木的图。

“我看见你的时候，我想到的就是这一张图。”苦行僧说，“不管我看到你什么地方，不管我看到的是你的腿还是你的腰，我想到的就是这一张图。”

郎格丝的脸色变了，甚至连全身都变了。

表面看起来，她没有变，全身上下从发梢到足趾都没有变。

可是她变了。

她从头到脚每一个地方都变了。

她光滑柔软的皮肤，已经在这一刹那间爆起，爆变为一张天空，上面有无数颗星星的天空。

——无数的星，无数的战栗。

在某一种时刻来说，每一次战栗都是一种不可抗拒的刺激。

这张图其实只不过是一张地图而已。

一张地图怎么会让郎格丝改变得如此多，而且如此强烈？

“你应该认得这张图的。”苦行僧对她说，“狼来格格，我想你一定认得这张图，但是我也可以保证，你一定想不到这张图怎么会到了我手里。”

郎格丝不说话，因为她无话可说。

她当然认得这张图，这是波斯王室埋藏在中土的宝藏分布图。

波斯的王室是世界上最古老的王族之一，而且是少数最富有的几个王族之一。

在汉唐之前，就有波斯的胡贾来中土通商，波斯的王族也久慕中土的繁华和艳色，再加上王族权势的转移，所以有不少人委托这些商贾将财富载运到中原来，藏匿在某一个神秘的地方！

这些财富当然是一笔很大的数目。但这些财富的主人都享用不到了。

——一个有财产需要秘密藏匿的人，通常都是活不长的。而且往往会很秘密地死。替他们埋藏这些财富的人，当然死得更早。

——如果这些人没有让替他们埋藏宝物的那些人死得更早的把握，怎么会把宝物交给他们？

他们的人虽然死了，他们的财富也随之湮没，他们的死亡和财富本来都已经是个永远无法解开的结。

如果有人能解开这个结，这个人无疑就是富甲天下的强人。

这一类的人虽然很少，但是总会出现的。

——这一类的人，不但要特别聪明，特别细心，而且一定还要特别有运气。

这一代的波斯大君就是这样一个人。

他从很小的时候，就发现了一件事——他从一生下来，就已经拥有一切。

所以他这一生的命运，已经被注定了。

——注定的并不是幸福，而是悲伤。

一个已经拥有一切的人，还有什么乐趣？这个世界上还有什么值得他去奋斗争取的事？

那么他活着是为了什么呢？难道只不过是为了“活”而活？

那么这个人和一个苟延残喘的乞丐又有什么分别？

一个人生命中一定要有一些值得他去奋斗争取的目标，这个人的生命才有意义。

这位波斯大君从很小的时候就认清了这一点，所以他幼年时就已决定要做一些大家都认为任何人都不可能做到的事。

他要做的第一件事，就是要把波斯王室所有湮没的宝藏都发掘出来。

他做到了这件事。

这张地图，就是他的成果。

他调查过所有的资料，把王室中每一笔流出的财富都调查得非常清楚。

——是什么人拥有这笔财富，是在什么时候从数据中消失的？在这段时期中，有些什么人可能把这笔财富带出国境？这些人到什么地方去了？曾经到达过什么地方？

在这些人之中，又有哪些人和哪些财富的拥有者有过来往？

这件工作当然是非常困难的，可是对一个又有决心又有运气的聪明细心的人来说，天下根本就没有他做不到的事。

这张地图就是证明。

地图上每一个标明有“×”标号的地方，就是一笔数目无法估计的财富埋藏处。

所以这张地图本身就是件无价之宝。

大君把这张图交给了郎格丝。

他知道她的工作也是非常艰苦的，艰苦的工作，必须要有后援。

这个世界上还有什么后援能比钱财更有力？

郎格丝当然也明了这一点，当然也知道这张地图的价值。

她看过这张地图后，就把它毁了。

因为她已经把这张图记在心里，只有记在心里的秘密，才是别人偷不去也抢不去的。

——就好像一个人心里某一些值得珍惜的回忆一样，只有用这种方法保存，才能永远属于自己。

她永远也想不到这张图居然又出现在纸上，这张纸居然会出现在这个苦行僧手里。

## 02

“我知道你看到我手里的这张图一定会吃惊的。因为这个世界上本来已经没有这么样一张图存在了。”苦行僧说。

“你们的大君已经把它交给了你，因为他已将它记在心里。”苦行僧又说，“你也将它毁了，因为你也把它记在心里。”

郎格丝忍不住问：“那么现在你手里怎么会有这张图呢？”

“因为我会偷。”

苦行僧微笑：“我也像你们的大君一样，会用一些特别的方法偷别人久已埋藏在心里的东西。”他说：“这种方法当然不容易。”

这种方法当然不容易。

从郎格丝离开波斯的时候，这个苦行僧就已经在注意她了。

——她的饮食起居，日常生活，她的一举一动，她的每一个接触和反应。

“你知不知道我动员了多少人去侦察你？”苦行僧问郎格丝。

她当然不知道。

他自己回答：“你一直想不到的。”苦行僧说：“为了侦测你的行为和思想，我一共出动了六千三百六十个人，而且都是一流的好手。”

郎格丝这一次并没有被震惊。

要侦察她的行为并不困难，要探测她的思想却绝不是件容易事。

能捕捉到的人，对这一类事的判断，也不可能是完全一样的。

所以要探测一个人的心理，所需要动员的人力，也许比出战一个军团还要多得多。

因为这本来就是人类最大的奥秘。

要去偷一个人心里的图，当然也要比偷一个柜子里的图困难得多。

苦行僧虽然仍旧故作严肃，笑得却很愉快。

“在这一面，我相信就是天下共推的盗帅楚留香，也未必能高过我。”

“那是一定的。”郎格丝冷冷地说，“因为天下人都知道，香帅从不偷任何人心里的秘密。”

任何人都知道，楚留香是一个最尊重别人隐私的人。

“如果他要偷，”郎格丝说，“他最多也只不过偷一点别人心里的感情。”

“是的。”苦行僧承认。

“我也是个江湖人，而且我精研古往今来所有江湖的历史，甚至远在百年前的名侠都不例外。”

他说：“可见我也承认，在这一方面，楚香帅是没有人能比得上的。”

楚留香从不杀人，他总认为——

一个人无论在任何情况中，不管犯了多大的错误，都应该先受到法律的制裁，才可以确定他的罪行。

确定他的罪行后，才可以制定对他的惩罚。

在楚留香那个时代，这种思想也许是不被多数人认同的，可是在现代，这种思想却已经成为所有文明国家立法的准绳。

## 03

“既然你也认为楚留香是个很了不起的人，你为什么一定要他死？”郎格丝问。

苦行僧拒绝回答这个问题，可是他的眼睛却已经替他回答了。

在这一瞬间，他的眼睛里忽然出现了说不出的怨毒和仇恨。

郎格丝在心里叹了口气，再问第二个问题。

“你怎么知道大君已经把这张图交给了我？”

这次苦行僧虽然回答了她的问题，却等于没有回答一样。

“每个人做事都有他自己的方法，这种方法通常都是不能告诉别人的。”苦行僧说，“我也不例外。”

他说：“不管我用的是什么方法，你还没有走出波斯的国境，我就已对你这个人非常了解了。”

“所以你早就盯上了我？”

苦行僧摇头：“不是我盯上你，而是要你来盯上我。”

“哦？”

“我当然先要想法子让你知道，我现在正在进行的这个计划，可以和你要做的事完全配合。”

“所以你相信我一到这里，就一定会来找你，不管要用什么手段，都在所不惜？”

“是的。”苦行僧说，“我确信你一定会这么样做。”

“因为你不惜用一切手段，也要得到我这张图。”

“是的。”

苦行僧说：“我不但要利用你的财富，来助我完成这个计划，我还要利用你这个人，来替我除掉那个蜘蛛和那个割头的小鬼。”他解释：“如果我亲自出手，别人也许就会认为我太过分了一点。”

——他们本来都是他这次密约中的盟友，如果他亲自出手杀了他们，非但不智，而且不吉。

“这一次计划中，每一点我都算得很周密。”

苦行僧说：“只有一件事是出我意料之外的。”

“什么事？”

苦行僧盯着这位长腿细腰的狼来格格：“你为什么不杀那个小鬼？”他问：“刚才你本来有很好的机会，你为什么不杀了他？”

——在当时那一刹那间，她的确随时都可以将那个割头小鬼绞杀于她那双长腿下。

“那时我确实可以杀了那个小鬼。”郎格丝说，“我本来也想杀了他。”

“你为什么不杀？”

“因为我忽然下不了手。”

“为什么？”

“就在那一瞬间，我忽然有了一种非常奇怪的感觉。”郎格丝说。

——就在她说这句话的时候，她的身体和脸上也出现一种非常奇怪的表情，就好像一个怀春的少女在一个温暖的仲夏夜里，忽然触及了一只男人的手，一个她喜欢的男人的手。

“我忽然觉得非常刺激。”郎格丝说。

她的声音也变了，仿佛变成了一种春夜的梦呓。她就用这种声音接着说：“就在那个小鬼爬到我身上来的时候，我就忽然觉得全身上下都好像被塞入了一个大毛筒子里一样。”郎格丝轻轻地说：“一个人有了那种感觉的时候，怎么能下手杀人？”

苦行僧眼中第一次有了惊诧之色。

“你说你有这种感觉的时候，就是那个割头小鬼爬到你身上的时候？”

“是的。”

“那个小鬼能让你有这种感觉？”

“只有他能让我有这种感觉。”郎格丝说，“从我有情欲的时候开始，只有他一个人能让我有这种感觉。”

苦行僧怔住。

他早就知道这个狼来格格一定会对他说真话的，因为他已将她“推”入一个不能不说真话的极限。

可是他想不到她说出来的话竟会让他如此震惊。

——一个如此高大修长的美女，将天下的男人都看作狗屎，一个只有在对着镜子时才能发泄的自恋狂，怎么会被一个丑陋的侏儒引发了情感？

——这是多么不可思议的事？这种事谁能解释？

郎格丝能解释，所以她只有自己解释。

“我相信，至少有一点你一定可以明了，”郎格丝对苦行僧说，“这个割头小鬼和其他任何一个男人都是完全不同的。”

“我承认这一点。”苦行僧说：“这个小鬼看起来根本就不像是一个人，当然和别的男人都不同。”

郎格丝淡淡地点了点头：“这个世界上不是人的男人本来就太多了，又岂止他一个？”

苦行僧也不能不承认这一点，就正如郎格丝也不能不承认这个世界上有很多不是人的女人一样。

“可是这个小鬼还是不一样的。”苦行僧说，“他就像是一条蛇、一只老鼠、一个蟑螂、一条壁虎、一只蜘蛛，看见他的女人能够不尖声大叫的恐怕很少。”

“就因为这样，所以才刺激。”郎格丝说，“就因为他这么丑、这么猥琐、这么让人恶心，所以他抱住我的时候，我才会觉得刺激。”

她问苦行僧：“你想想，如果这个割头小鬼真的是个漂漂亮亮的小男孩，是不是不好玩了？”

苦行僧又怔住。

——一个大女人，被一个正正常常的小男孩抱住，的确是没有什么刺激的。

这一点无论谁都不能不承认。

——“不正常”本来就是一种刺激，也正是人类天生的弱点之一。

——对一个本来就不正常的女人来说，这种刺激当然更难抗拒。

“所以我受不了那个小鬼。”郎格丝说。

——那个小鬼抱住她的时候，她心里是什么感觉？肉体又有什么感觉，这些话本来是她准备接着说下去的。

可是她没有说下去。

因为她忽然嗅到了一种她确信自己在此时此刻此地绝无可能嗅到的香气。

她嗅到了一种兰花的香气。

现在还是秋天，距离花开放的时候还早得很。在这么阴森的一间石屋里，怎么可能嗅到兰花的香气？

她甚至不相信自己的鼻子。

可是她相信自己是个完全健康的人，不但发育良好，而且从小就受过极严格的训练。

她确信自己全身上下每一个组织都是绝对健全的，从未有过差错。

“不可能”这种事，本来是不可能在她身上发生的。可是现在却偏偏发生了。

所以她才特别震惊。

——也许就因为她是个十分健全而且反应特别灵敏的人，所以才会特别震惊。

这一点是非常重要的。

每一个正常健康的人，忽然遇到一件自己认为绝无可能发生的事时，都是这样子的。

苏苏也是这样子的。

所以她在绞杀柳明秋之后，才会忽然晕厥，因为她忽然见到了一个她从未想到她会在那一时那一刻见到的人。

这个人是谁?

这时候是什么时候？这时候月正中天，这时候月正圆，这时候兰花的香气忽然像凌晨的浓雾一样散布了出来。

——不可能的，这是不可能的，在月满中天的仲秋夜，怎么会有兰花开放?

郎格丝忽然觉得自己在晕眩，整个人都在不停地旋转，就好像忽然被倾入一个转筒里。

因为她真的看见一朵花在开放。

她真的看见了。她真的看见了一朵兰花开放在这个苦行僧的脸上。

一张苍白的脸，好白好白。除了白之外，她看不见别的颜色。

——这张脸是怎么会出现的？是在什么时候出现的？怎么会忽然从那一层层充满无限神秘的阴影中出现？

——这张脸究竟长得什么样子？是什么样的鼻？是什么样的眉？什么样的嘴？什么样的脸？

郎格丝没有看见。

她没有看见，并不是因为这张脸只有一片白，凄凄惨惨白得耀眼。

她并没有看见，只因为她只看见了一朵兰花。

一朵鲜红的兰花，好红好红，忽然像血花在他那张惨白的脸上绽放。

在火焰中，忽然又出现了一张脸，一张真正属于这个苦行僧的脸。

这张脸为什么如此美？一个苦行僧的脸为什么会如此美？美如花。是不是因为这朵忽然在他脸上绽放的兰花，已与他的脸融为一体？

忽然间，这个苦行僧的脸，已经变成了一朵花。

兰花。

兰花，红色的兰花，红如血，红如火。

这时正是午夜。

这时正有一轮圆月高挂天上。高挂在仲秋午夜漆黑的天空上。

这个午夜，居然有兰花，午夜的兰花。

午夜兰花。

兰花怎么有红的？

——兰花有许许多多的颜色，许许多多的形态，甚至有的黑如墨绿如翡翠，可是这种红色的兰花，红如鲜血的兰花，甚至比血还红。

甚至红得像地狱中的火焰一样。

——这种兰花怎么会在人间出现？怎么会在一个人的脸上出现？

一张如此苍白的脸上，忽然洒满鲜红，一片苍白的雪地上，忽然迸出火焰。

大地突然沉寂，一切的话语都终止了。郎格丝陷入一股莫名的疑惧之中。

天下的每一事每一物，都不可能完全地永恒，但是事物的转换都要假借外力，受环境影响，而这一时、这一刻，谁能道出这个剧变的原因何在？是谁？什么事？什么缘故，使得它有了这个变化？

# 第四部

# 苏　苏

——她忽然发现她面前出现了一个人，一个她从未想到真的会在生命中出现的人，这个人正在用一种奇怪的眼神看着她——

# 第一章

# 宴　会

## 01

苏苏晕了过去。

她是个非常坚强的女人，平生很少有真的晕过去的时候。

可是看见了这个人，她晕了过去。

等她醒的时候，她又看见了一件奇怪的事。

——她看见了一个宴会。

宴会并不奇怪，在这个世界上，宴会是每天都会有的，各式各样的人，各式各样的宴会，有的宴会让人快乐，有的宴会使人烦厌。

宴会绝不是一件奇怪的事，可是这一次宴会，却的确是一个奇迹的宴会。

——这个宴会的宾主一共只有四个人，可是侍奉这四个人的随从姬妾厨役却最少有四百个。

这也不是十分奇怪的事，在王侯巨富显官盐商的家宅，这种事本来是很平常的事。

奇怪的是，这个宴会是开在一片山崖上。

一片飞云般飞起的山崖，在山之绝巅。一片平石，石质如玉，宽不知多少尺。

—— 苏苏知道她再也不会看见了，再也不会看见这么样一片山崖。

—— 她以前绝未见过，以后也绝不会再看见。因为这是一个奇迹。

这一片白玉般的平崖是一个奇迹，这一个宴会也是一个奇迹。

因为这个人就在这个宴会里，就在这个山崖上。

因为这个人就是我们最想见到的一个人。

## 02

这个人穿一件蓝色的长衫，非常非常蓝，式样非常非常简单。

这个人很瘦，脸色是一种海浪翻起时那种泡沫的颜色。又好像是初夏蓝天中飘过的那种浮云。

——谁也不知道那是种什么样的颜色，谁也无法形容。

这个人的神态气质和风度也是无法形容的。

——那么飘逸的一个人，那么飘逸灵动秀出，坐在那里却像是一座山。

他坐在陪客的位置上。

另外一位陪客是一个独臂人，虽然只剩下一条手臂，可是容光焕发，精神抖擞，看起来就像是一个刚中了状元的新科举人一样。

无论谁只要看见了这个人，都一定会看出他是一个非常成功的人，事业、婚姻、情感、经济、友情、生活，每方面都极为成功。

成功就是愉快。

这个人不管从哪方面看来都是一个非常成功又非常愉快的人。

只有一点是非常奇怪的。

——这么样一个成功而愉快的人，别人却不敢看他，因为他的眉眼间，总仿佛带着有一种可以从脚底冷到心底的杀气。

一种连你自己都相信，只要他动手杀你，你就一定会死的气氛。

这种人是非常少的，而且是绝对不可轻犯的，无论谁，只要看过他一眼都可以明白这一点。

苏苏是一个胆子非常大的女人，心也非常狠，可是苏苏看见这个人的时候，只告诉自己一句话。

——不要惹他。

苏苏没有见过这个人，也不认得这个人，可是她知道，惹了这个人，能活着的机会就不太多了。

这个人是谁?

主客是一位老太太。

我敢打赌，谁也想不到这么样一位老太太会在这种时候坐在这种地方和这么样三个人喝酒的。

她不但喝酒，而且喝得很多，甚至比一个争强斗胜的小伙子还多。

她喝酒简直就像是喝开水一样。

人家说，能吃是福气，能喝也是福气，这位老太太大概是这个世界上最有福气的一位老太太了。

别的老太太就算能活到她这样的年纪，也没有这么能吃能喝，就算这么样能吃能喝，也没有她这样的荣华富贵，就算有这样的荣华富贵，也没有她这么样多子多孙，就算有这么多子多孙，也不会像她这样，所有的子孙都能出人头地。

就算有她这所有的一切，也不可能有任何一位老太太，能像她一样，在江湖中有这么大的名气。

这位老太太一共有十个儿子，九个女儿，八个女婿，三十九个孙儿孙女，再加上六十八个外孙和外孙女。

她的子婿之中，有一个出身军伍，身经百战，已经是当今军功最盛的威武将军。

可是这位将军在她的子婿中却绝不是受人重视的一个。

在她的家族心目中，一个将军根本就不算是一回事。

她有九个女儿，却只有八个女婿，这绝不是因为她有一个女儿嫁不出去。

江湖中人都知道，这位老太太的九个女儿都是天香国色，而且都有千万嫁妆，要求她们嫁他的男人，从北京排队，一直可以排到南京。

她有一个女儿没有嫁出去，只因为她有一个女儿已经削发为尼，已经承续了“峨眉”的衣钵，已经是当代最有权力的七位掌门之一。

——而且是江湖中第一位最有权力的女人。

——这个社会毕竟还是一个男性的社会，一个女人能够在男性的权力世界中占一席，已经很不容易。

——纵然是第七位，已经非常不容易。

这位老太太最小的一个孙女儿竟是金灵芝。

金灵芝当然是楚留香和胡铁花的好朋友，她是同时认得他们的。

他们正在一家完全男性化的洗澡堂里洗澡，她闯了进去。

这种洗澡堂是非常古老的，是一种非常古老的女性禁地；千百年来，都很少有女人敢闯进去，——我们甚至可以说，绝对没有女人敢闯进去。

——我们甚至也可以说，除了一些虽然是女性却非女人的女人外，根本没有女人敢闯进去。

敢闯进这种男人禁地的女人，当然要有一点勇气。

对一个女人认得两个男人这件事来说，这当然是一个很奇特很刺激的开始。

可是他们认识之后共同经历的事，却更玄奇刺激得多。

他们曾经躺在棺材里，在大海上漂流，也曾在暗无天日的地狱中等死。

他们曾经用渔网从大海中捞起好几条美人鱼——会杀人的美人鱼。

他们甚至遇到过终生不见光明的蝙蝠人。

他们曾经同生死，共患难。

他们都是好朋友。

胡铁花和金灵芝的交情更不同，也许就因为这缘故，所以楚留香就和金灵芝比较疏远一点。

楚留香在蝙蝠岛上呵护过的东三娘，后来不幸死了。

死人是没有感情的。

——死人已经死了，什么都死了，生命躯体血肉思想都已死得干干净净，怎么还会有感情?

可是，还是有感情的。

死人对活人虽然已经没有感情，活人对死人还是有感情的。

这是不是也是人类最大的悲哀之一。

——这个宴会的主人是谁?

## 03

一张非常特别的脸，非常瘦，轮廓非常突出，颧骨非常高，使得他脸上看起来好像有两个洞一样——在颧骨阴影下深陷下去的那一部分，看起来就像是一个洞。

一张非常大的嘴，不笑的时候，好像很坚毅，而且很凶，笑起来的时候却像是个菱角。甚至是个元宝。

一双非常大的眼，眼神清澈而锐利，可是往往又会在一瞬间有一种非常仁慈而可爱的表情出现。就好像刚刚吹过将融的冰河那种春风一样。

一个非常大的骨架，手长，脚长，头大，肩宽，就好像一个上古人类的标本。

——这个人多么奇怪。

苏苏见过男人，见过男人无数，可是这么奇怪的男人，她还没见过。

最奇怪的一点是，这个男人不但比她见过的所有男人都奇怪，而且比她见过的所有男人都有钱，这一点也是她可以确定的。

——如果连苏苏这么样一个女人都不能确定一个男人是不是有钱，那才真的是怪事了。

从九岁的时候，苏苏就已经被训练成一个鉴定各种金银珠宝珍贵饰物的专家。

——至于书画古玩的鉴定，那当然比较困难，那要等到她十七岁以后才行。

据苏苏的初步估计，这个人身上穿的一套衣服和衣服上饰物的价值是：

——三万八千个人从出生到死亡间这一生中所有的耗费，而且这三万八千人所过的生活，还是极优裕的生活，吃的是鸡鸭鱼肉，穿的是绫罗绸缎，身边的是娇妻美妾。

——这当然是一件不可思议的事，可是你有没有听说过一个故事，用一颗宝石换一个国土的故事？

生命中本来就有很多事的价值是无法估计的，还有很多事甚至无价。

——一个人一件物的价值的认定，最主要还是在你的心里，一个卑贱的妓女，在你心里的价值也许会胜过圣女无数。

可是苏苏对这个人衣饰的估价却是完全客观的，而且绝对精确，甚至比一个最赚钱的当铺里最精明的朝奉还精确。

苏苏从来没有见到过这么样的一个人，也没有想象到这个世界上有一个人穿着这么样一套华贵的衣服在她面前出现。

她甚至有点心动了。

——一个女人，看见如此华贵的衣饰珠宝如果还能不动心，这个女人一定不是真女人。

"不是真女人是什么意思？"

"如果她不是假的，就是死的。"

苏苏是个非常聪明的女人，而且学得很多，学得很勤。有时候甚至学得很苦。

事实上，大多数时候她都学得很苦，甚至不惜牺牲一切去学，甚至牺牲一个女人一生中最珍惜的一些事物。

——没有人知道她学成后是快乐还是痛苦？连她自己也不知道。

可是她知道她是成功的，武林中能够独创一格而且能够横行一时的武功，如果有一百种，她就算没学会，至少也可以认出它的来历家数。

武林中如果有一百个顶尖人物，她至少可以认得出其中九十九个。

那个蓝衫人她是认得的。

——一看见这个人，她心里就会觉得有一杆枪。枪尖在心。心如火。

——不是这种可以烧及人的火，而是一种暖暖的、温温的火，就好像晚来天欲雪，红泥小火炉里的那种火一样。

——就好像有好朋友在将雪的寒夜要来饮小火炉上的新皑酒时的那种心情一样。

——就好像初恋而失恋，再一次有了恋情时那种心情一样。

——就好像快要死了一样。

快要死了，是什么滋味？

苏苏甚至还认得那位老太太。

一场盛宴正在杯觥交错中进行着。

在这样的场合，这样的气氛中，任何人都会感到十分尽兴。苏苏似乎也感染了他们愉悦的心情。

看到蓝衫人，苏苏的心里微微有些震撼，看到老太太呢？她的心情又是如何？

——江湖中有谁不知道江南的万福万寿园？江南人都知道，在这座名园里面有三多。

花最多。

江南的花，仿佛都汇集到这里来了，不分种类，不分季节，就算是冬天，春天的花也会来。

人最多，尤其是名人。

江湖中的名人仿佛都已汇集到此处，没有到过万福万寿园的人，就算有名也有限。

如果说江南的江湖名人有一百个，那么这个家族至少也占了四十九个。

财产最多。

金氏家族的财产是无法估计的。

——田产、地产、事业、店铺，其中甚至包括棺材铺，一个人生死之间所有一切的供求需要，他们都有。

可是这还不算。

他们的家族里，最值得炫耀的一件事，是所有人类最不需要但却最艳羡的——

珠宝。

这个世界的人，有谁不喜欢珠宝？

——玛瑙、翡翠、碧玉、祖母绿、猫儿眼、金刚钻，谁不喜欢？

就算男人中有一些不喜欢的，女人呢？

——不喜欢珠宝的女人，大概比不喜欢男人的女人更少。

金氏家族里的珠宝，大概可以让这个世界上大多数女孩都出卖自己。

这位老太太就是万福万寿园的最近一代女主人，可能也就是金氏家族最后一代的女暴君了。

——暴君在这个世界上，已经愈来愈少。

那个脸上有两个洞、心里却好像有几千几百个洞的人是谁呢？

苏苏站起来了，从一张很舒服很舒服的软榻上站起来了。

她站起来的姿态很优美，因为她很小就受过极严格的训练，已经懂得一个女人要用什么方法才能取悦男人。

——一个不懂得取悦男人的女人，就不会是一个成功的女人，有时候甚至不能算作一个女人。

苏苏站起来的时候，用那么优美的姿态站起来的时候，别人居然全部都没有注意到她。

每一个人好像都有他自己的事要做，而且一定要做，就算在这个世界上最了不得的事发生在他们身边，他们也不会去看，不敢去看。

——当然也有人是不屑去看。

只有一个人是例外。

苏苏站起来的时候，那个蓝衫人几乎也在那同一刹那间站了起来。

他的态度是非常温柔的，他的风度也是非常温柔的，可是在温柔中，却又带着一种非常奇怪的态度。

一种“死”的态度。

——那么沉静，那么温柔，那么孤独，那么冷淡，可是心灵中却又好像有一把永远不会熄灭的火。

这个人是谁，谁有这种魅力？

苏苏知道这个人是谁，却只是不敢确定，所以这个人向她走过来的时候，她也走过去，用一种连她自己想起来都很娇怯的声音问他：“你是不是楚留香？”

是的。绝对是的。

## 04

——这个人当然就是楚留香，除了楚留香之外，还有谁有这种魅力？

一种接近死的魅力。

——这个世界上，还有什么事比“死”更有魅力？

——这个世界上，除了“死”之外，还有什么事能让人去自杀？生命如此可贵，要让人去自杀是一件多么困难的事？如果“死”里没有一种魅力，怎么能让人去死？

死的魅力，是不是一种忘记？是的。

——忘记是一件多么困难的事，除了“死”之外，还有什么事能让人完全忘记？

——不但是忘记，而且是没有了，什么都没有了。生命也没有了，死了也没有了，快乐也没有了，痛苦也没有了。

——这是一种多么痛快的解脱，多么彻底！

楚留香。

——楚留香是一个什么样的人？一个人要经过多少挣扎多少磨炼多少经历，还要再加上多少运气才能做一个楚留香这样的人？

老天，苏苏忽然觉得全身都软了。

“你真的就是那个楚留香？”苏苏问他。

其实她当然相信他就是“那个”楚留香，却还是忍不住要问，因为这简直是件令人无法相信的奇迹。

——真的能亲眼看见楚留香，多么神奇，多么令人无法思议。

这个蓝衫人笑了，然后又用一种非常文雅而又非常奇特的方式摸了摸他的鼻子。

他真的喜欢摸鼻子，他真的是。

“是的，我真的就是那个楚留香。”他说，“我相信楚留香好像只有我一个。”

那位老太太忽然也笑了笑：“像他这种人如果太多，就不好玩了。”

那个眼冷如刀的独臂人居然也插口：“这个世界上如果没有像他这样的人，也不好玩了。”

那个脸上有两个洞的人，居然只笑笑，居然没有开口。

——这实在是件奇怪的事，如果你知道他是谁，你才会知道这件事有多么奇怪。

这个蓝衫人当然就是“那个”楚留香了，可是那个楚留香不是已经死了么？

在传说中，楚留香好像也不是这么样一个人。

传说中的楚留香，好像要比较年轻一点，比较活泼一点，这个楚留香好像太成熟了一点，也好像太稳重了一点。

所以苏苏忍不住又问：“天下人都知道楚留香已经死了，如果你是楚留香，你怎么还没有死？”

“我本来是要死的，而且已经决定要死了。”这个蓝衫人说，“只可惜我暂时还死不了。”

“为什么？”苏苏问。

“因为你。”蓝衫人看着她，轻轻叹息，“最少有一部分原因是因为你，所以我才死不了。”

“因为我？”

苏苏的样子看起来好像很惊讶，又好像有一点儿故作惊讶。

“你死不了是因为我？”她问楚留香，“还是你因为我而不想死了？”

这个小女孩，居然好像有一点是想要调戏楚留香的意思。

——这种方法常常是女孩子掩饰自己错误的最好方法之一。

幸好楚留香被这样的女孩用这种方法调戏已经不知道有多少次了，如果楚留香不能应付这一类的事，那么楚留香到现在最少已经死过一万八千次。而且都是死在女孩的怀里。

老太太在笑了，那个脸上有两个洞的人也在笑了，甚至连那个眼有杀机的人眼中都在笑了。

他们笑，只因为他们都认为这么样一个小女孩居然也要用这种方法对付楚留香，真是一件很好笑的事。真是好笑极了。

——到了这一刻，甚至连苏苏自己都觉得自己很可笑。

楚留香用一种很温和的眼光望着她，眼中也有笑意。

——就算他明知她是个要伤害他的人，他的眼中一样有笑意，因为他对这个世界上的人和事已经看得太多了。

一个人要伤害另一个人，也许并不是他们自己的错，而是一种“无可奈何”。

——无可奈何，多么辛酸，多么惨痛，多么不幸。

楚留香只告诉这个自以为已经聪明得可以骗过楚留香的女孩：“我

知道有一个人，一个非常神秘、非常有力量的人，组织了一个非常可怕的组织。”他说：“这个组织唯一的目的，就是要查证我是不是已经死了。”

他又在摸他那个有名的鼻子：“这件事当然是很不容易做到的。”他笑：“我的行踪在我十二三岁的时候就很难查得到。”

那个脸上有两个洞的人忽然插口：“这一点我可以证明。”

这个人究竟是谁？为什么可以说这种话，他怎么会知道楚留香少年时的事？而且可以证明？

在这个世界上，可以说这种话的也许只有一个人——

胡铁花。

可是这个脸上有两个洞的人，当然不会是胡铁花。

——这个人如此华贵，如此沉静，怎么会是那个胡铁花？

苏苏实在忍不住了。

她知道楚留香有许多秘密要告诉她，可是在这一瞬间，她实在忍不住要问：“这个人是谁？”

楚留香笑道：“这个人是谁，其实你应该知道的，可是你又不敢相信。”

他说：“非但你不敢相信，天下江湖，恐怕也没有人敢相信。”楚留香说：“我可以保证，天下江湖，谁也不会相信这个人就是胡铁花，更没有人会相信胡铁花会变成这么样一个人。”

苏苏怔住，怔怔地看着眼前这个人。

——如此沉静，如此华贵，如此消瘦，而且居然还如此安静。

这个人和传说中那个胡铁花好像是完全不一样的，传说中的胡铁花，好像只不过是一只醉猫而已。

可是胡铁花如果真的只不过是一只醉猫，他就不是胡铁花，也不会是楚留香最好的朋友。

——这一点大家一定要明白的。

胡铁花不但是楚留香最好的朋友，也是最老的朋友。

他喜欢找楚留香拼酒，喜欢学楚留香摸鼻子，只因为他喜欢楚留香，并不是因为他呆。

他喜欢的女人，都不喜欢他，喜欢他的女人，他都不喜欢，也不是因为他呆。

呆，只不过是他故意制造出的一种姿态，一种形态而已。

——别人都不提防他，只提防楚留香，你说这种形态对楚留香多么有益？这么可爱的朋友，你到哪里去找？

苏苏又快要晕倒了。

她看着这个脸上有两个洞的人，用一种快要没有声音的声音问："你真的就是那个胡铁花？"

"好像是的。"这人的笑容居然也很温和："胡铁花好像也只有一个。"

"你……"苏苏问，"你怎么会变成这样子的？"

"我变成了什么样子？"他反问，"我现在的样子有什么奇怪？"

苏苏又看着他怔了半天。

"别的事我不知道，只有一件事我一定要问。"

"什么事？"

"江湖中人都知道，胡铁花是个天生的穷鬼，可是现在你却好像有钱得要命。"

胡铁花笑了。

在他开始笑的时候，是个沉静而华贵的人，但是在一刹那间忽然起了一种无法形容的改变。

这种改变甚至是无法形容的。

“老婆要偷人，天要下雨，人要发财，都是没法子的事。”

这句话说出来，已经是胡铁花的口气了。

“我本来是打死都不想发财的，”这个脸上有两个洞的人说，“可是那时候每个人都说楚留香已经死了，说得连我都不能不相信。”

他说：“如果这个老臭虫真的死了，我怎么能不发财？”

“老臭虫？”苏苏问，“难道你说楚香帅是个老臭虫？”

——这一点苏苏当然是不明白的，别人都称“香帅”，胡铁花却偏偏要叫“老臭虫”，因为他们之间的感情是和任何人都不一样的，有时候甚至比真正的兄弟更亲密，这个外号由来已久。

“他不是老臭虫谁是老臭虫？”胡铁花说，“只不过除了我之外，叫他老臭虫的人好像并没有几个。”

楚留香又开始在摸鼻子了，老太太又在笑，苏苏已经知道这个人就是胡铁花。

所以她更要问：“老臭虫如果死了，你为什么一定要发财？”

“因为老臭虫死了，我就要花钱，而且非花钱不可。”

“为什么？”

“因为报仇是件非常花钱的事。”胡铁花说，“替别人报仇，也许只不过只要拼命就行了，可是要替楚留香报仇，就一定要花钱了。”

他一定要解释：“你想想，这个老臭虫是个什么样的人？要什么样的人才能杀死他？要用什么法子才能杀死他？这其中要动员多少人？要有一个多精密的计划？”

胡铁花说：“最重要的一点是，杀了楚留香这么样一个人之后，要用多大的力量才能隐藏住这个秘密？”

在这种情况下，无论谁都应该可以想象得到，置楚留香于死地的人，绝不是一个人，而是一个极庞大精密的组织。

“我不但不是别人想象中那么样的一个醉猫，而且比别人想象中要聪明十七八倍。”胡铁花道，“这一点我当然知道。”

——这一点大家都承认。

“要对付这样一个庞大的组织，当然绝不是一个人的力量所能做得到的。”胡铁花说，“就连我这样的天才，也做不到的。”

大家都笑了。

这个安详沉静，脸上已经有两个洞的胡铁花，还一样是胡铁花，说起话来，还是改不了以前那种腔调。

——他是改不了，还是故意不改呢？

“要对付这么样一个组织，最少要有三个条件。”胡铁花说，“第一，是要有朋友；第二，是要有钱；第三，还是要有钱。”

他说：“朋友我一向是有的，而且都是好朋友，可是钱呢？”

“所以你就一定要去赚钱？”

“是的。”

“看样子，你好像也真的赚到了不少钱。”

“岂止不少，而且很多。”

“你想赚钱的时候，就能赚到很多钱？”

“看情况好像就是这样子的。”

“赚钱真是这么容易的事？”

胡铁花说：“赚钱当然不容易，如果有人说赚钱容易，那个人一定是乌龟。”他说：“可是像我这样的天才，情况就不同了。”

情况当然是不同的。有的人赚钱如探囊取物，有的人赚钱如乌龟跑步，有时候赚钱就好像下雨一样，你还没有准备好，一个个大黄金元宝就从天上“哗啦哗啦”地掉了下来。

“我赚钱就是这样子的。”胡铁花说，“有时候我想少赚一点都不行。”

他叹了口气：“钱这种东西，就好像女人一样，你追她的时候，她板起脸不理你，你要推她的时候，推也推不了。”

苏苏很想装作听不见，老太太却笑着说：“这真是他的经验之谈，女人有时候真是这样子的，只不过一定要等活到我这么大年纪的时候才会承认。”

“这不是我的经验之谈。”胡铁花赶快解释，“这是老臭虫告诉我的。”

苏苏忽然发现这些人都有一种别人永远学不到的优点。

这些人都轻松得很，无论在任何情况下，不管情况多么严重，他们都能够找机会放松自己。

这也就是他们能活到现在的原因，而且活得比大多数人都好得多。

——这或许也就是胡铁花能发财的原因。

那个独臂人，一直安安静静地坐在那里，世上好像已经没有什么事能让他移动半分。

这个人是谁呢？

# 第二章

# 中原一点红

## 01

十年前，江湖中曾经出现过一个人，一身黑衣，一口剑，一张惨白的人皮面具，露出面具外的一双锐眼，看起来比他的剑更可怕。

但其实真正可怕的还是他的剑。

——一柄杀人的剑，随时随地都可以杀人于瞬息间。

更可怕的一点是——

这个人什么人都杀，只要是人，他就杀。

最可怕的一点是——

只要是这个人要杀的人，就等于是个死人了。

曾经有人问过他。

“只要有人肯出高价，什么人你都杀，甚至包括你最好的朋友在内，这是不是真的？”

“是。”

这个人说：“只可惜我没有朋友可杀。”他说：“因为我根本没有朋友。”

有人看过他出手，形容他的剑法：

他挥剑的姿态非常奇特，自手肘以上的部位都好像没有动，只是以手腕的力量把剑刺出来。

有很多剑术名家评论过他的剑法：

他的剑法并不能算是登峰造极，可是他出手的凶猛毒辣，却没有人能比得上。

还有一些评论是关于他这个人的：

这个人一生中最大的嗜好就是杀人，他生存的目的，也只是为了杀人。

“中原一点红？”苏苏又忍不住叫了出来，“搜魂剑无影，中原一点红。”

她问：“这个人真的就是昔年那个号称中原第一快剑，杀人不见血的一点红？”

“是的。”胡铁花说，“这个人就是。”

“他还没有死？”

“好像还没有，”胡铁花说，“有种人好像很不容易死，想要他死的人能活着的反而不多。”

“他是不是也像楚香帅一样，装死装了一段日子？”

“好像是的。”

“现在他为什么又活回来了呢？”苏苏问。

“当然是因为我。”

“是你把他找出来的？”苏苏又问，“你找他出来干什么？”

胡铁花微笑。

“若求杀人手，但寻一点红。”胡铁花说，“我找他出来，当然是为了杀人的。”

他的态度忽然又变得很沉静，一种只有历经沧桑的人才能获得的沉静。

“人家要杀我们，我们也要杀他们，你说这是不是天公地道的事？”

苏苏看着这个人，这个杀人的人，忽然间，她就发觉这个人确实是和别人不同了。

因为她已经感觉到这个人的杀气。

——这个世界上有一种人就好像是已经杀人无数的利刃一样，本身就有一种杀气存在。

苏苏甚至不敢再去看这个人。就算这个人一直都静静地坐在那里，她也不敢去看。

她宁可去看胡铁花脸上那两个洞，也不知陷入了多少辛酸血泪的洞。

她问胡铁花：“一点红是什么意思？他全身上下连一点红的颜色都没有，别人为什么要叫他一点红？”

这个问题她本来不该问胡铁花的，她本来应该问中原一点红自己。

其实这个问题她根本不该问。江湖中每个人都应该知道别人为什么要叫他一点红。

——剑光一闪，敌人已倒，咽喉天突穴上，沁出了一点鲜红的血。

只有一点血。

——这个人的脸已扭曲，满头都是黄豆大的汗珠，虽然用尽力气，也发不出一点声音，只有野兽般的喘息。

一点红，好厉害，连杀人都不肯多费半分力气，只要刺中要害，恰好把人杀死，那柄剑就再也不肯多刺入半分。

胡铁花告诉苏苏："中原一点红的名字就是这样来的。"

一个像"中原一点红"这样的杀手，他的生命究竟是什么样子的？

他的一生，要用一种什么样的方式才能度过？

苏苏忽然觉得有一种冲动，忽然想冲过去抱住这个人，和他一起滚入一种狂野的激情里。

她忽然觉得她甚至可以为他死。

——这是不是因为她自己也是个杀人的人？

## 02

在女人心目中，坏人通常都比好人可爱得多。

这时候酒已经喝得差不多了。

说话的时候，当然是要喝酒的，听别人说话的时候，当然也是要喝酒的。

——对某一些人来说，不喝酒也会死的。

苏苏忽然发觉自己也开始在喝酒了。

她喝的是一种很奇特的酒，酒的颜色就好像血的颜色，而且冰凉。

她没有喝过这种酒，可是她知道这种酒是什么酒。

江湖中每个人都知道，楚香帅最喜欢喝的是一种用冰镇过的波斯葡萄酒，用一种比水晶更透明的杯子盛来。

——这不是现在才开始流传的，这是古风。

葡萄美酒夜光杯，欲饮琵琶马上催。

醉卧沙场君莫笑，古来征战几人回。

苏苏居然也忽然觉得有一种说不出的悲戚——也是一种无可奈何的悲戚。

——生命本来就是无可奈何的，生不由己，死也不能由己。

下面是金老太太对这件事的意见。

“我也是楚留香的朋友，可是我从来不想为他复仇。”她说，“这一点我和胡铁花是完全不同的。因为我根本不相信楚香帅会死。”

“她说她会看相。”胡铁花说，“她看得出楚留香绝不是早死的相。”

“我说的看相，并不是迷信。”金老太太说，“而是我看过的人太多了。”

她解释：“我相信每个人都有一种格局，也就是说，一种气质，一种气势，一种性格，一种智慧，这是与生俱来的，也是后天培养出来的。”

金老太太说：“一个高格局的人，就算运气再坏，也要比一个低格局的人运气最好时好得多。”

她又解释：“譬如说，一个挑肥的人运气最好的时候，最多只不过能够多挑几次水肥而已。”

这不是很好的比喻，挑水肥的人有时候也会捡到金子的，只不过这种例子很少而已。

一个像金老太太这样的人，说的当然都不会是情况很特殊的例子，因为这一类的事对她来说根本已经毫无意义。

“除了我之外，我相信这个世界上一定还有另外一个人的想法和我一样，”金老太太说，“这个人一定也不相信楚香帅会这么容易就死的。”

“这个人就是谋刺楚留香那个组织的首脑？”

“是的。”

“他为什么不相信香帅已死？”

“因为他一定是楚留香这一生中最大的一个仇敌。”金老太太说，“一个聪明人了解他的仇敌，一定要比了解他的朋友深刻得多，否则他就死定了。”

“为什么？”

金老太太举杯浅啜，嘴角带着种莫测的笑意，眼中却带着深思。

这是一个很复杂的问题，她一定要选择一些很适当的字句来解释。

——一个人了解他的仇敌，为什么一定要比了解他的朋友深刻？

金老太太的回答虽然很有道理，却也充满一种无可奈何的悲戚。

——一种对生命的悲戚和卑弃。

“因为一个人要害他的朋友是非常容易的，要害他的仇敌却很不容易。”她说，“所以他一定要等到非常了解他的仇敌之后，才能伤害他。”

她又说：“一个最容易伤害到你的，通常都是最了解你的，这种人通常都是你最亲近的朋友。”

——这种事多么哀伤，多么悲戚，可是你如果没有朋友呢？

我记得我曾经问过或者是被问过这一个问题，答案是非常简单的。

“没有朋友，死了算了。”

“这个人是谁？”苏苏问，“我的意思是说，这个组织的首脑是谁？”

“没有人知道他是谁！”金老太太说，“我们最多也只不过能替他取一个代号。”

——在他们的档案作业中，这位神秘人物的代号就是：兰花。

苏苏无疑又觉得很震惊，因为她又开始在喝酒了，倾尽一杯之后才问：“你们对这个人知道的有多少？”

“没有多少。”金老太太说，“我们只知道他是个非常精密深沉的人，和楚香帅之间有一种无法解开的仇恨。”

她叹了口气：“在这种情况下，我们对这个人根本就可以算是一无所知。”

“但是你们却叫他兰花？”

“是的。”

“你们为什么叫他兰花？”苏苏问得仿佛很急切，“这个人和兰花有什么关系？”

金老太太早已开始在喝酒了，现在又用一种非常优雅而且非常舒服的姿态喝了另一杯。

——这位老太太，年轻的时候一定是位美人，而且非常有教养。

令人吃惊的是，这位优雅知礼的老太太，居然没有回答这个她平时一定会回答的问题。

——在一般情况下，拒绝回答别人的问题是件极不礼貌的事，除非问这个问题的这个人问得很无礼。

苏苏问的这个问题是任何人都会问的，金老太太却只说：“在这种情况下，我们可以确信，这位兰花先生对楚香帅的了解，一定远比我们深刻得多。”

“因为一个人对仇敌的了解，一定远比对朋友的了解深刻得多。”

“是的，”金老太太的叹息声温柔如远山之春云，“世上有很多事都是这样子的，我们不但要了解，而且要忍受。”

她轻轻地告诉苏苏。

“尤其是女人，女人的了解和温柔，对男人来说，有时远比利剑更有效。”

苏苏忽然觉得很感动。

这本来是一个老祖母茶余饭后对一个小孙女说的话，现在这位老太太对她说的就是这种话。

——一个身世飘零的孤女，听到这种话时心里是什么感觉?

金老太太又说：“一个人如果真的能对楚香帅了解得非常深刻，他就绝不会相信楚香帅会死得那么容易。”

“就算江湖中人都确定楚香帅已经死了，他也不会相信。”

“是的。”金老太太说，“除非他亲眼看见了香帅的尸体。”

江湖中至今还没有人看见过香帅的尸体。

“所以他一定要证实香帅究竟是生是死，”金老太太说，“否则他活着睡不着，死也不甘心。”

“他要怎么样才能证实呢？”

“这一点我们也想了很久，我相信我们的智慧也不比他差多少，”金老太太说，“我们也拟定了一个计划，来证实香帅的生死。”

她说：“我们确信，只有用这一种方法，才能证实香帅的生死。”

“哪一种方法？”

“这种方法虽然很复杂，可是只要用两个字就能说明。”

“哪两个字？”

“感情。”

——感情，在人类所有一切的行为中，还有什么比“感情”这两个字更重要的?

感情有时候非常温和的，有时却比刀锋更利，时时刻刻都会在无形无影间令人心如刀割，只恨自己为什么还没有死。

## 03

“这个兰花先生既然对香帅如此了解，当然知道香帅是非常重感情的人，就算他已经决定不问江湖的恩怨仇杀，可是他如果听见有一个绝不能死的人陷入必死的危机，他一定会复出的。”金老太太说，“如果他没有死，就一定会复出的，如果他还不出现，就可以断定他已经死了。”

金老太太问苏苏：“要证明香帅的生死，这是不是最好的法子？”

苏苏只有承认：“是。”

金老太太叹了口气：“我相信你一定已经知道这个人是谁了。”

苏苏也不能不承认：“是。”

胡铁花抢着说：“三个人是不是要比一个人更保险得多？”

“是。”

“所以他们就找来了三个人，三个在老臭虫心目中都是绝不能死的人。”胡铁花看着苏苏，“这三个人其中就有一个是你。”

苏苏不说话了。

金老太太又叹了口气：“所以香帅刚刚才会说，他还没有死，其中有一部分原因是你。”

苏苏又仰尽一杯。

谁也不知道她现在心里是什么感觉，可是每个人都知道她也是个人，多少总有一点人性在。

——人在江湖，身不由己，情仇难却，恩怨无尽。

如果你厌倦了这种生活，唯“死”而已。

只可惜有些人连死都死不了。

——江湖人的悲剧，难道真的都是他们自找的?

少女恋春，怨妇恋秋，可是那一种真正深入骨髓的无可奈何的悲哀，却可惜只有一个真正的男人才能了解。

这一点是不是一件非常奇怪的事?

不是。

不受委屈，不许怨尤，不肯低头，不吐心伤，绝不让步。

这种人遭遇到无可奈何的事，岂非总是要比别人多一点?

——光荣和骄傲是要付出代价的。

“兰花先生断定，只要你们三个人有了必死的危机，香帅就会复活。”金老太太说，“可是香帅如果已退隐，怎么会知道这个消息？”

她自己回答：“他当然一定先要把这件事造成一件轰动天下的大事。”

“他当然也知道像老臭虫这样子，就算已经退隐了，耳朵还是比兔子还灵。”

——这一点与这一次“飞蛾行动”的计划完全符合。

“第二，要完成这个计划，一定还要让香帅相信你们已经必死无疑；除了他之外，天下已经没有别的人能够救得了你们。”

“这一点是很难做到的。”胡铁花说，“老臭虫一向比鬼还精。”

“所以这位兰花先生一定要先把慕容身边的主力消灭，先置他于必败之地。”

——生死之战，败就是死。

“我们很早以前就已想到，这次计划中最大的阻力就是柳明秋柳先生。”金老太太说，“柳先生不死，慕容无死理。”

“所以他非死不可。”

“只不过天下江湖中人都知道，想要把柳先生置之于死地，并不比对付香帅容易。”金老太太说，“所以我们相信他必有奇兵。”

“这一支奇兵是什么人呢？什么人能够杀柳先生于瞬息？”

——要杀他，就要在瞬息间杀死，因为杀他的机会，一定只不过是一瞬间的事，稍纵即逝，永不再来。

——这种人虽然不多，可是这个世界上的确有这种人存在。

“我们都想不出这个人是谁，所以我们也拟定了一个计划。”

他们这个计划只有一个字。

——等。

——长久的战争，不但要考验勇气和智慧，还要考验耐力，后者甚至更重要。

这个教训是我们不可不牢记在心的。

“所以我们就选择了这个地方，就在这里等。”金老太太微笑，“现在我才知道，我们这些人真是一群老狐狸。”

她笑得眼睛都好像不见了，因为他们终于等到他们要看见的事。

他们终于看见了这支奇兵。

金老太太用一双已经眯成两条线的笑眼看着苏苏。

“直到那时候为止，我们才彻底了解兰花先生这个计划。”她说，“他利用你们三个人作饵，来钓香帅这条大鱼。因为他算定香帅只要不死，就一定会去救你们，就算明知你们都是想要他命的人，他也一样会去救你们的。”

胡铁花叹了口气："老臭虫这么样一个聪明的人，有时候却偏偏喜欢做些呆事。"

"这个计划中最重要的一点，当然就是要用什么方法，才能让楚留香死？"

只要他一出现，就必死。

一击必中，中则必死，因为第二次机会是绝不会有的。

"这一击当然要经过千筹百算，绝不能有一点错失。"

"可是不论怎么算，这个世界上大概还没有人敢说能在一击之下，将楚留香搏杀于当地。"

"除非出手的人是香帅绝对不会提防的。"金老太太说，"在这一方面，慕容和袖袖当然是最好的人选了。"

她说："香帅去救他们，他们杀了香帅，就是告诉别人，也没人相信，大家只知道楚留香早已死了，在这一战的一年之前就已死了。"

苏苏完全被震惊。

这个本来好像无懈可击的计划，到了这些人手里，竟似变得不堪一击。

她简直无法相信这是事实。

过了很久，她才能开口。

"你们既然已经识破了这个计划，为什么不直接揭穿它？"

"我们不敢轻举妄动。"

"为什么？"

"因为你们，你，慕容，和袖袖。"

"我不懂。"

"计划如果被揭穿，你们三个也就没有利用的价值了，兰花随时都可能杀了你们泄愤。”

金老太太说：“所以香帅坚持我们不管有任何行动，都要先考虑你们的安全。”她说：“无论在任何情况下，都不能让你们死在别人手里，就算明知你们是钓饵也一样。”

苏苏抬起头，就看见了那个沉静的蓝衫人，无论谁看见这个人，都无法不去想他那多姿多彩的一生。

—— 他的朋友，他的情侣，他的仇敌，他的冒险，他的风流多情，他的艰辛百战。每一样都是不平凡的。

这个人究竟是怎么样的一个人？他的生命为什么比这个世界上古往今来的大多数人都丰富得多？

老天为什么要特别眷顾他？

想到了这个人的一生，再想想那些生来就好像应该遭受到一些不幸的人，再想想慕容，再想想自己，苏苏忽然觉得非常生气。

——这么样一个幸运儿，居然还要装死。

苏苏忽然大声说：“不管怎么样，你们这件事还是做错了。”

“哪件事做错了？”

“你们不该让柳先生死的。”苏苏说，“他也是人，也是你们的朋友，你们既然知道他是牺牲的目标，为什么还要让他死在我手里？”

她恨恨地说：“我相信你们也不能不承认，如果你们想救他，一定有机会，可是你们连试都没有试。”

金老太太却悠然而笑。

“你真是个奇怪的女孩子。”她说，“你自己杀了他，反而来怨我们。”

“我只问你，我说的有没有理？”

“有理，当然有理。”金老太太说，“只不过我也有几句话要问你。”

“你问。”

“柳先生为什么一定要选中你陪他去突袭？为什么要把你先带到这里来？为什么还要先为你制造一些让他自己心乱的机会？”

苏苏再次被震惊。

——难道连这件事也是个圈套？难道柳明秋也是他们计划中的一分子？

难道柳明秋的死也只不过是装死而已？

苏苏怔住。

她吃惊地看着他们——这些人究竟是一些什么样的人？这个世界上难道就没有人能欺骗他们，击败他们？

金老太太仿佛已看出她心里在想什么，这位老太太的一双慈祥笑眼好像总是能看出一些别人看不见的事。

“我刚才好像已经说过，连我自己都开始对我们这些人觉得有点不满意了。”

“为什么？”胡铁花问。

“因为我们实在太精。”金老太太叹着气说，“有时候我甚至希望能被别人骗上一两次！”

胡铁花笑了！

如果这个世界上有一个人能骗过这位老太太，这个人会是个什么样的人？

——一定是个不是人的人，一定比狐狸还灵，比鬼还精。

胡铁花不但笑，而且大笑。

金老太太也陪他笑，事实上，这位老太太好像时时刻刻都在笑。

那个沉静的蓝衫人又在摸他的鼻子，连鼻子上都仿佛有了笑意。

连“中原一点红”眼中都有了笑意。

可是苏苏笑不出。

这些人的笑容这么可爱这么亲切，可是他们的人都是如此可怕。

如此尖锐如此精明如此神勇如此可怕。

尤其是他们集合在一起的时候。

——“中原一点红”的凌厉和冷酷，金老太太的经验和睿智，胡铁花的大智若愚，大肚包容，再加上楚留香。

这是一股什么样的力量？如果用这种力量去对付一个人，谁能不败?

也许只有“兰花”是例外。

因为直到目前为止，还没有人知道“兰花”是谁，连苏苏都不知道。

“可惜我们这些老狐狸还是有办不到的事。”金老太太说，“直到现在为止，我们对这位兰花先生还是一无所知，甚至连他是男是女都不知道。”

——姓名、年纪、性别、身份、家世、武功，完全都不知道。

# 04

在战场上争胜，须得知己知彼，方能百战百胜，但是他们这一群人却在一无所知的情况之下迎敌，若不是自寻死路，便是自视甚高。

自视甚高，其实便是自寻死路，他们会是这样的一群人吗？

不！绝对不会。他们不是自负，而是对自己有着绝对的信心。

金老太太眯着笑眼说："我们只知道一点。"她说："我们一定会把他找出来的，不管他是个什么样的人，我们都会把他找出来。"

"现在呢？"苏苏忍不住问，"现在你们准备怎么做？"

楚留香慢慢地走过来。

"现在我唯一要去做的事，还是那件事。"他说，"去救慕容和袖袖。"

"在这种情况下，你还是要去救他们？"

"是的。"

楚留香的原则是永远不会改变的。

苏苏相信。

她相信他们要做的事一定能做到，可是她想不出他们会去怎么做。

慕容和袖袖的存亡，关系到似乎已经不是两条人命的生死，而是一种道义，一种死生相许的允诺。

苏苏看着楚留香坚毅的脸色，她心里所能想到的一句话是：

楚留香毕竟是楚留香。

楚留香的原则当然是不会变的，任何的艰难险厄都不能阻止他心中的意念。即使是赴汤蹈火，只要他决定走一遭，他的脚步就不会有半点迟疑。

何况现在，一切的情况，似乎都已经没有隐瞒，一切都在这一群人的掌握之中，他们可以从容地克敌制胜。

“中原一点红”、胡铁花、金老太太，加上机智、勇力、权谋都是一等一的楚留香，他们可以发挥每个人的所长，来完成救援的任务。

等待，不止是他们的对策而已，更是他们的计划。等待，不仅使他们看清了钓饵，更重要的是，他们也许利用了这次等待，作了一项严密的部署。

苏苏忽然有了一个古怪的想法：

楚留香和这一群人，也许不止是要救慕容和袖袖，他们可能打算“偷”。

从死神手中，把这两条人命偷回来。

她虽然不知道他们会如何下手，但是她似乎很确定地相信，他们不会是硬拼强夺，而是把这种搏斗当作一种“艺术”来处理。

苏苏浅酌了一口酒，她的内心极度感到震撼；身在江湖，她虽然早已听说了楚留香的忠胆侠行，但是那些传闻、故事却都与她无关。

这一次却不然。

这一次的决定，楚留香和他的朋友们所要搭救的人，不但与她有关，而且她几乎还可以算是其中的主角人物之一。虽然她很清楚，兰花先生安排的这项行动，只是想求证出一个结果，他们三个人都只是在这个求证过程的一个钓饵，是一个骇人的阴谋中小小的休止符而已；但她是决计不会反悔的，她甚至因为自己得以扮演这个被人关注的角色，而感到心中有份小小的满足。

如果说，她的内心中有什么恼恨的话，那必然是因为她虽然在整个事件中扮演了一个角色，却始终不知道这幕戏是怎么演的，它的结局又是如何。

“你们说说看，柳明秋的死，是不是另一种伪装？为了某种目的而设下的圈套？”苏苏显然因为无法明了全盘的状况而感到愤懑。

“谁也不能回答你的问题。”金老太太说，“因为柳明秋已经死了，而死人是不会说话的。”

当然，死人是不会说话的，这个答复，等于是未作任何答复。柳明秋的死，即使有任何的阴谋，都不会在此时就被揭穿，因为一场斗智的搏战才刚刚开始，双方剑拔弩张，却各自怀了许多秘密，许多令人无法猜透的秘密。

这些底牌，有时候就是真正的杀手锏，等到最后真相大白的时候，也就是决定胜负、生死的时候。

# 第五部

# 后　人

——老者很郑重地将一个纯金的凤凰交给这个少年，而且告诉他："成功绝没有侥幸，楚留香绝不是个普通人，只不过……"

# 第一章

# 论战·飞战

## 01

后人的意思，当然不是说在你后面的人——后人的意思，在一般的情况下，通常只有两种。

——如果你说一个人是楚留香的后人，那么这个人如果不是楚留香的儿子，一定就是他的孙子、曾孙、玄孙、重孙、重重孙，乃至十七八九代金孙。

我们现在要说的后人，不是这一种。

我们现在要说的后人，只不过是生活在楚留香那一个时代很多年之后的人。

两个人。

这两个人，就是我们在前面已经说过的两个人，一个有智慧也有经验的老者，一个求知欲非常丰富的少年。

老者清癯，少年真漂亮真好看。

## 02

一间古厝，一张大榻，一件短几，一壶茶，一坛酒，两个青丝竹编成的枕头，以及两个人。

这两个人，当然就是我们刚刚说过的那两个人。老者喝茶，少年饮酒。

这个少年居然也像楚留香一样，喝酒如喝茶。

这个少年是谁?

少年问老者。

“我知道那一战被后世称为‘飞战’，因为那一次行动是‘飞蛾行动’，其他有关第一战的人，都有鹰之眼，鹏之翼，燕之捷，箭之确。”他说，“鹰、鹏、燕、箭，都飞，所以这一战当然是飞战。”

飞战？非战?

老者微笑。

“也许你知道的还不够多。”他对少年说，“对那一战，有两种说法。”

“哪两种？”

“飞翔的飞是飞，并非如此的非也是非。”老者说，“那一战是飞战还是非战，至今还没有人能下一个定论。”

“非战？”少年惊诧，“非战的意思，难道说那一战不是战？”

“是的。”

“非战”的意思，当然就是“不是战”。

"那一战惊天动天，天下皆知，怎么能说它不是战？"少年问。

"战的意思，是针锋相对，互争胜负。"老者说，"可是那一战，根本就没有胜负可争。"

"为什么？"

"因为那一战还没有开始时，就已经有一方败了。"

"败的那一方当然不是香帅？"

"当然不是。"老者又笑，"你一定要记住一点，有些人是永远都不会败的，生也不败，死也不败。"

楚留香当然是这种人。

老者又告诉少年。

"在兰花先生的计划中，楚留香本来已经是个死定的人，出现也死，不出现也死。"

"我也知道是这样子的。"

"可是他错了。"

"哦？"

"这个计划是彻底失败的。"

"为什么？"

"因为在这次行动中，楚留香如果已经死了，这次行动就等于没有行动。"老者说，"没有行动而行动，是什么呢？"

"是猪。"少年说，"一头失败的猪。"

老者笑。

"你说得好极了。"他大笑，"尤其是因为今年是猪年。"

老者脸上的笑容很快又改变成一种很严肃的态度。

"可是在这次行动中，楚留香如果没有死，就必胜无疑。"

"为什么？"

"因为一点小小的关键。"老者故作神秘，不让少年问就抢先，"这一点非常非常小的小小关键，暂时我不会告诉你的。"

少年没有反应，只问："那么香帅有没有救出那两个人呢？"

"当然救出来了。"老者说，"只不过，有没有救出那两个人并不是这次事件里的关键。"

"那么，关键在什么地方呢？"

"在一个人。"

"兰花先生？"少年问，"是不是兰花先生？"

"当然是的。"

这一点才是关键。

要救慕容和袖袖，并不是件困难的事，困难的是，救出他们之后，要用什么法子才能找出兰花先生的真面目。

这次飞蛾行动如果失败，兰花先生很可能立刻就和这个组织完全脱离关系。

"不仅很可能，而且几乎是必然的事。"老者说，"如果他和这次事件这个组织完全脱离了关系，那么，这个人就要从此从这个世界上消失了，就好像从未存在过一样。"

但是他的确存在过，而且做出了很多很可怕的事。

"所以我们一定不能让他从此消失，一定要把他的根挖出来。"

"是的。"老者说，"你说的话通常都非常有道理。"

他看着少年微笑："现在的问题只不过是要用什么法子才能挖出他的根呢？"

少年沉默。

他不能回答，因为这根本是件无法回答的事。

老者说："兰花先生处心积虑，掩饰自己的行踪，为的就是要保护自己，就算他这个万无一失的计划失败了，他自己也可以全身而退。"

"看来他无疑是个十分谨慎小心的人。"

"一定是的。"老者对少年说，"天下枭雄人物，大都是这种人。"

"只不过，他还是有弱点的。"

"哦？"

"有弱点的人，就难免会造成错误，就算不是致命的错误，至少也是一条线索。"少年说，"有了线索，就可以把他找出来。"

"有理。"老者说，"只可惜我还不知道他的弱点在哪里。"

"就在午夜，就在兰花。"

"就在午夜，就在兰花。"

老者叹息："你说得好，只可惜我还是不懂。"

"午夜的意思，就是子时左右。"

"这一点我懂。"老者又笑，"兰花的意思我当然也懂。这都是很容易懂的，我只不过不懂，你为什么要说它们是那个神秘人物的弱点？"

他的声音中虽然带着一点长者对晚辈的仁慈的责备和讥诮，少年却不在意。

哪个少年在长者面前没有说错话做错事？除非他根本不说话不做事。

——在长者面前永远不说话不做事的人，是种什么人？

——如果他不是个绝顶聪明的伪君子，就是个白痴、呆子。

"江湖传言，都说这个人只有在月圆夜的午夜时才出现，出现时总是带着一种兰花的香气。"

他说：“就好像香帅出现时总是带着一种郁金香的香气一样。”

“是的。”老者说，“江湖传言，的确如此，这种兰花的香气，最近几乎已经和香帅的郁金香的香气同样闻名了。”

“所以这就是他的弱点。”

少年说：“名气有时就像是包袱，名气愈大，包袱愈重。”他说：“最可怕的是，这个包袱里什么都有。”

——有声誉，有财富，有地位，有朋友，有声色，有醇酒，可是也有负担，横逆，中伤，挑拨，暗算，杀戮。

所以这种人通常都最能明白一句话：

人在江湖，身不由己。

这一点，老者当然也懂。

他这一生中，也不知道做过多少件并非他自己情愿做的事，可是他并无怨尤。

因为他知道——

一个人的一生中，一定要勉强自己做几件不愿做的事，他的生命才有意义。

这也就是“有所不为，有所必为”的意思。

——在寒冷的冬天，谁愿意跳下海去？可是你如果看见有人快要在海水中淹死，你能不能不跳下去救他？

## 03

少年又继续说：“江湖中大多数人都知道，这位兰花先生平时是个非常斯文温柔的人，可是一到了月圆夜的午夜，他就变了，变成了另外一个人。”

这一点老者也知道。

——在月圆夜的午夜，有很多人都会发狂的，有的会动春心，有的会犯暴行，有的会杀人。

“而且江湖中人也知道，这位兰花先生出现的时候，就好像楚留香一样。”

——他为什么会和楚留香一样？

“因为香帅出现的时候，总是会带着一种淡淡的香气。”少年说，“这位兰花先生也一样，不管他在什么时候什么地方出现，都会带着一种兰花的香气。”

老者笑了。

“兰花是王者之香，难道他是王者？”

“至少他自己认为是的。”

“我想你当然应该知道楚留香这个名字的来历。”

“我当然知道。”

事实上，这一点是每个人都知道的，香帅之所以为香帅，只因为他每次出现时，总是带着一种浪漫而清雅的香气，一种非常接近郁金香的香气。

老人说："可是我相信你一定不知道为什么他每次出现时都要带一点香气。"

少年承认他不知道。

一个大男人，一个像楚留香这样的男人，怎么会把自己身上弄得香香的？这是不是一件奇怪的事？

少年忍不住问："他为什么要这样做呢？"

"因为他是一个非常自爱的人，而且有洁癖。"老者说，"他绝不会让别人对他留下一点坏印象。"

"这是一定的。"少年说。

一个人一定要先尊敬自己，别人才会尊敬他。

"香帅平生最痛恨的一件事，就是别人身上有臭气。"

"这种人谁不讨厌？"

"所以香帅生怕自己身上有让别人讨厌的气味。"老者说，"他怕这种事，因为他自己不知道自己身上是不是有怪味。"

少年并没有问他为什么，因为楚留香的鼻子有毛病，已经天下皆知。

"他嗅不出他的身上是不是有味道，他怕别人讨厌他的味道，所以他就从一个很遥远的国度，捎来一种带着郁金香气的香精。"

少年忽然叹气，老者对他说："这是一个很传奇的故事，它说明一个人对自己生命的热爱与珍惜。"

"我明白。"

"这一类的故事，通常只会让人激动振奋，你为什么要叹息？"

“因为香帅。”

“哦！”

“他在活着的时候，就已经是个传奇人物，不但天下皆知，而且名留至今。”少年说，“我至今才知道这是怎么造成的。”

# 第二章

# 兰花传奇

## 01

一个传奇是怎么造成的？一个英雄是怎么造成的？多少艰辛？多少血泪？多少忍受？多少自制？

——虽然血战也许是大家都明白的，可是忍受和自制恐怕就比较难以了解了。

现在我们又回到最重要的一点。

兰花先生出现时，为什么也要带着一种让人注意的香气？

以他的性格，以他的为人，以他要做的事，他本来是应该尽量避免受人注意的。

“这就是他的弱点。”少年说，“也就是我们的线索。”

——一定要在月圆时才会出现。

这已经替别人把寻找他的范围缩小了，兰花的香气，更是一种非常特殊而明显的目标。

所以少年才会说得那么肯定。

——这是他的弱点，也就是我们的线索。

因为这个道理就好像一加一等于二那么简单，也应该像一加一等于二那么正确。

只不过一加一是不是绝对等于二呢？

长者忽然笑了笑。

“一个人的弱点，有时候往往就是他的长处，一条很明显的线索，有时候反而可以让你迷路。”他告诉少年，“这个世界上好像还没有‘绝对’的事，绝对正确和绝对错误都是不太可能存在的。”

长者说：“一件事的正确与否，只在你从哪一个角度去看而已。”

这些话中仿佛含有很深的哲理，少年虽然不服，但是也不敢反辩。

长者当然看得出他的心意，所以先说：“你一定认为这两点都是很明显的线索，但是我却好像不同意。”他问少年：“你是不是觉得奇怪？”

“是的！”少年说，“我的确想不通其中的道理。”

“这个道理其实也很简单。”长者说，“我不认为这两点是线索，只因为这条线索太明显了。”

他告诉这个少年。

“太明显的线索，往往都是个陷阱。”

少年还是不太了解：“为什么？”他问。

长者说话时的态度很严肃：“因为像兰花先生这样的高手，是绝不会把一条这么明显的线索放在你面前的。除非他想诱你走上歧途，或者是他已经疯了。”

兰花先生当然不会疯的。

“所以午夜和兰花都可能是一种烟幕，让你产生错觉，让你走上歧途，掉下陷阱。”

长者又向少年解释。

“譬如说，你认为他只有在月圆时的午夜出现，其他的那些夜晚他在做什么事呢？难道是在栽花、下棋、弹琴？难道是在洗碗、扫地、挑粪？”

少年怔住。

他从未想到过这个问题，可是现在他想到了。

——在其他的那些夜晚，这位兰花先生做的事，也许比他在月圆夜做的事更可恶更可怕。

长者眼中带着深思。

“他故意让你认为他只有在月圆夜才会出现，故意让你认为他只有在这个特定的时候才会犯罪杀人，别的时候他去犯罪杀人时，你就不会注意了。”

他问少年：“你能说这是他的弱点？”

少年承认：“我想错了。”

长者又问：“兰花的香气又能算是一条什么样的线索呢？”他说：“兰花的香气，并不是固定在某一个人身上的，也没有谁规定只有某一个人身上才能带着兰花的香气。”

少年承认。

无论你把从兰花中提炼出的香气精华洒在谁身上，那个人身上就会有兰花的香气，甚至你把它洒在一头猪身上，那头猪也会有兰花的香气。

——如果身上带着兰花香气的就是兰花先生，那么一头猪也可能是兰花先生了。

少年苦笑。

这一点他也从未想到过，现在他显然也想到了，他只觉得自己常常笨得就像是一头猪。

“如果连这两点都不能算是线索，那么等到那次飞蛾行动失败，兰花先生消失后，还有什么人能够找得到他？”

“至少还有一个人。”

“楚留香？”

“当然是他。”

老者笑：“当然是他，无论谁都可以想象得到，这个世界上如果还有一个人能够找到这位神秘的兰花先生，这个人一定就是楚留香。”

“一定是的。”少年承认。

“可是楚留香也只不过是一个人而已，在一种完全没有线索的情况下，怎么能找出一个几乎好像完全不存在的人来？”

好玄的问题，谁能回答？

少年看着长者，忽然笑：“这个问题正是我想问你的，你怎么反而问起我来了？”

老者也笑了，可是他的笑很快就结束，立刻用一种非常严肃的声音说：

“这是一种心态的问题。”

“心态？”

“心态的意思，就是一个人在处理一件事的时候，对这件事的想法和看法。”

长者解释。

“同样的一件事，如果由不同的人来处理，结果通常都是不一样的。”长者说，“因为这个世界上有各式各样不同的人，就算在同样的处境下，处理同样的一件事，所用的方法都不会一样。”

“是不是因为他们的心态不同？”

“是的。”

——一个娇生惯养的富家子，和一个艰辛奋斗白手起家的人，在同样情况下处理同样一件事时，他们所用的手法会有多大的差异？

——一个愚人和一位智者在处理同样一件事，又会有多大的差异？

这种差异几乎是难以想象的。

“最重要的一点差异，也许还不是他们对这件事的想法和看法不同，而是他们自己心里受到这件事的影响有什么分别。”

这又是一句很艰涩的话，可是少年居然懂。

“有些人在危难时会挺身而出，从容就义，有些人却逃得比马还快。”少年说，“有些人在失意时会狂歌纵酒，有些人会振臂再战，有些人完全不在乎，有些人却会去一头撞死。”

“为什么呢？”

“因为他们心里的感觉不同。”少年问长者，“这是不是就是心态？”

“是的。”长者抚掌，“就是这样子的。”

他说：“飞蛾行动虽然已投下这么大的人力物力，如果彻底失败了，别的人一定会张皇失措，又恐又怒，甚至会不惜作最后的孤注一掷。”

“大多数人都会这样子的。”少年说，“这个世界上，大多数人在彻底失败时都会变成困兽。”

“有没有例外？”

“有，当然有，而且有两种。”少年说，“一种是智者，一种是枭雄。”

他说：“智者淡然，枭雄冷静，智者无欲，枭雄无情，对得失之间的把握，都是有分寸的。”

“你错了。”长者说，“能例外的人不是两种，是三种。”

“还有一种人是什么人？”

“是愚人。”

少年想了想立刻就懂了。

“是的，是愚人。”少年说，“因为他们根本就没有得意过，又怎么会失意？”

兰花先生当然不是愚人。

“像他这样的枭雄人物，纵然败了，也不会败得走入绝境。”长者说，“因为他们无论做什么事，都一定留有后路。”

他又补充：“到了必要时，他们就会当机立断，把自己和失败的那件事之间的关系完全切断，走到他预留的另外那条路上去，去做另外一件事，甚至会变成另外一个人。”

“那时候午夜也没有了，兰花也没有了，他这个人也就从此消失。”

“是的。”

“所谓壮士断腕，就是这意思。”

“是的。”长者说，“腕子已经烂了，还是死抱住不放，这种事他们是绝不会做的。”

“所以你认定，只要飞蛾行动一失败，这位兰花先生立刻就会消失无踪？”

“不错。”

“飞蛾行动已必败无疑，香帅又怎么能把他找出来呢？”

——这就是问题的症结所在了。

长者微笑：“我刚才已经告诉过你，这是一种心态的问题。”

——问题又回到原处，少年还是不懂。

长者再解释：“凡是枭雄人物，如果败了，一定败得干脆利落，一定不会拖泥带水，因为他们知道自己一定还会有东山再起的机会。”

“这种人对自己当然有信心。”少年说，“这大概也就是他们的心态。”

“是的。”长者说，“只不过，这种人当然还是胜的时候比较多。”

“当然，常败的人，怎么能称枭雄？”

长者忽问少年：“如果他们胜了呢？他们在胜的时候，会是什么样的心态？”

少年怔住。

他从未想到这一点，现在他才忽然发现，这一点才是问题的真正关键。

长者又对少年说：“你认为那次飞蛾行动一定会失败的，因为楚留香在那次行动中已经掌握了所有的先机。”

长者问：“可是你有没有想到，如果香帅根本不想胜，那次行动会造成什么样的结果？”

这个问题也是不必回答的。

甚至不必问。双方争胜，有一方根本不愿胜，胜的当然是另一方。

应该问的是：“这一次行动是生死之争，胜者生，负者死，所以不能不胜，香帅为什么不想胜？”

长者又否定了这个问题，他告诉少年："问题也不该这样问的，因为答案早已有了。"长者说："你也应该想得到，如果香帅彻底毁灭了那次行动，彻底击败了兰花先生，却始终不知道他击败的这位兰花先生是谁，那么他这次胜利还有什么意义？"

少年同意这一点。

"如果香帅这一生始终查不出这位兰花先生是谁，我想他恐怕连觉都睡不着。"

"所以他在这次行动中，只许败，不许胜。"长者说，"他简直是非败不可。"

"为什么？"

"因为他一定要找出这位兰花先生来。"长者说，"他一定要当面和这位兰花先生一决胜负。"

少年叹息："那楚留香这次就错了。"

"哦？"

"他应该知道，有一种人是再也不能和任何人争胜负的了。"

"哪种人？死人？"

"是的，"少年说，"他应该知道，在那次行动中，不胜就是死。"

长者笑："在这一方面，你的想法就和香帅不一样了。"

"难道他认为在那种情况下不胜，也仍可以不死？"少年问，"难道他认为在那种情况下兰花先生还会留下他的命？"

"是的。"

"他怎么会这样想？"

"只因为一点。"长者说，"只因为他非常了解兰花先生的心态。"

长者问少年："你有没有看过狡猫捕鼠？你有没有看过蜘蛛捉虫？"

少年看过。

他也知道猫捉鼠后，绝不会很快就把那只老鼠吃掉的，因为吃掉一只老鼠，只不过满足了它的食欲而已，对它来说，这一点满足还不够。

蜘蛛也一样。

蜘蛛网住了一条虫之后，也要先把这条虫戏弄一番，然后再慢慢地一点一点吃下去。

因为它们认为这是一种享受。它们绝不会放弃这种享受。

——在虫与鼠的境界里，猫与蜘蛛无疑都是枭雄。

少年明白这一点，所以他问长者："香帅是不是认为兰花先生也和猫与蜘蛛一样，在制服他之后，绝不会先要他的命？"

"是的。"长者说，"他相信兰花先生在他临死之前，一定会先把他享受一下。"

"因为他相信兰花先生的心态一定就是这样的。"

"是的。"

"他有把握能确定这一点？"

"他没有。"长者说，"可是他一定要赌一赌，一定要冒一次这种险。"

少年不明白："我真的不懂，香帅为什么会这样做？"

"因为他相信兰花先生在这一次行动中如果胜了，就一定不会杀他。"

"为什么？"

长者解释："杀，是一定要杀的，就好像猫吃鼠，也是一定要吃的，如果他们不吃不杀，当然有他们一定的原因。"

“什么原因？”

回答也是一种一定的回答：“因为兰花先生也像是猫与蜘蛛一样，在某种情况中，也有某种特殊的心态。”

## 02

“然后呢？”

“不是然后，是结局。”

“我要问的就是结局。”

长者笑，长笑，笑不绝。

因为这件事的结局，一点都不可笑。

结局永远都不会是可笑的。永远不会。

无论多开心多欢愉多可笑的事，到了结局的时候，就不开心不可笑了。

——生命是开心的，多么丰富，多么热闹，就算有些人的生命中没有那种丰富的欢乐，也会有一点淡淡的恬适的愉悦。

可是生命的结局是什么呢？

是死。

无论什么样的人，他的生命的结局都是死。

什么是死？

——如果你曾经仔细想过这个问题，你就会明白人生是一个多么大的悲剧了，如果你明白这一点，你对很多事也许都会看得淡一点。

看得淡一点并不是消极，也不是放弃，而是一种让你胸襟比较宽大一点的态度。

当然，在这个世界上，有很多故事都是以成功和快乐作为结局的。

艰辛奋斗者必获成功，有情人终成眷属。

只可惜这种结局并不是一种结局，而是一种暂停的符号。到了终结时，还是一样的。

所以少年问长者这件事的结局时，长者就笑了，因为他只有笑。

——这个问题问得是多么愚蠢，多么可笑。

“一个人如果要做一件事，最好就不要问它的结局。”长者说，“因为所有的结局到了真正终结时，都是一样的。”

他说：“所以我们要做一件事的时候，只该问这件事是不是应该去做，是不是值得去做，在做这件事的时候，是不是能够让别人快乐，自己振奋？因为生命只不过是一段过程而已。”

少年明白。

“一个人如果能够明白这一点，他的生命就是快乐的了，他的这一生也可以算没有白活的了。”

他说：“我相信楚留香一定是最明白这一点的人，所以他不管做什么事情，总是全力以赴。”

——所以他的生命永远比任何人活得都有意义。

可是这个世界上无论什么事都还是要有结局的，有了开始，就要有结局，无论什么事都不能例外。

因为有了生命，就已经有了开始——有了开始，就一定有结局。

如果没有开始呢？

没有开始，就什么都没有，没有生命，没有悲欢，没有人，也没有结局。

——没有结局是不是比较快乐呢？

不是。

没有结局本身就是一种结局！

——也许这一点才是最悲哀的。

不管怎么样，这个世界总算已经形成了，已经有了生命，有了开始，有了人，有了悲欢离合。

“所以每件事都应该有结局的，这次飞蛾行动也不应该例外。”

“是的。”长者说，“这个世界上大多数都是没有例外的。”

“那么这件事为什么好像没有结局呢？”

“它是有结局的，只不过你不知道而已。”长者说，“这个世界上恐怕只有极少数的人知道，这件事的结局是什么样的结局。”

“为什么？”

“因为这是一个非常秘密的秘密。”

“什么秘密？”

“不知道。”长者说，“除了那有限的几个当事人之外，江湖中至今好像还没有人知道。”

他又补充：“江湖人每个人都知道这件事，这次行动，但却没有人知道它的结局。”

“所以它才会被列入武林中近百年来的四大疑案之一。”

“是的。”

“我记得你还告诉过我，这次事件几乎已经可以和沈浪的那件疑案相提并论了。”

“是的。”

——沈浪的那件疑案，是早就在江湖中流传已久的。

昔年的名侠沈浪，从少年时候就可以缉捕名凶名盗所得之花红为生，身经百战，战无不胜，其经历之诡奇，绝不在楚留香之下。

他在正义庄遇朱七七，遭遇到他生平从来未有的激情，他在白云山庄遇王怜花，遭遇到平生从来未有的诡谲，他在楼兰古城中遇快活王，遭遇到平生从来未有的危恶凶杀。

他都活了下来。

——激烈的爱情有时比凶杀更能致人死命，可是他居然也活了下去。

然后他成名了。

他那个情绪非常不稳定的情人朱七七，已经稳定了下来，已经可以死心塌地地跟着他。

连他的仇敌都已变作他的朋友，因为他已经彻底原谅了他们。

这时候他才三十多岁，正是可以大有作为的时候。

可是他忽然失踪。

他的情人，他的兄弟，他的朋友，也跟着他一起失踪了。

江湖中至今还没有一个人知道他们的下落。

这时候他已经天下无敌，已经连仇人都没有了，根本不需要再躲避仇家的追杀。

他当然不会欠别人的债。

他也没有情结、愁结。

像这样一个人，本来应该在这个世界上活得开心之极。

可是他却忽然从这个世界上彻底消失。没有人知道他到哪里去，也没有人知道是为了什么。

——是不是因为他太开心了？

沈浪这么样做，大家还可以想到他是为了什么。

——为了他的盛名，为了朱七七在江湖中得罪的人，为了后来已成为他朋友的王怜花的前罪，他都有理由退隐。

可是楚留香呢？

楚留香为什么要把这个故事的结局永远埋藏地下？

没有人能想得到他的理由。

## 03

少年沉默、沉思，良久，忽然跳了起来。

“我想出来了。”他高声说，“我想出来了。”

“你想出了什么？”

“我想出了香帅为什么不愿意把这件事的结局公诸天下。”

长者吃惊地看着他，似乎还不能相信这个年轻人能把这个秘密揭穿。

少年的脸已因兴奋而发红。

“这件事本来已经天下皆知，而且对香帅的名誉丝毫无损，他为什么要隐瞒呢？”

少年自己提出问题，自己回答。

“这只有一个理由可以解释。”他说，“如果他把结局说出来，虽然不会伤害到他自己，却会伤害到另外一个人。”

他说：“这个人，当然是一个他无论在任何情况下都不愿去伤害的人。”

长者也沉默、也沉思，也过了很久才问少年：“你的意思是不是说，这个人就是兰花先生？”

“是的。”

“楚留香不肯把那次事件的结局说出来，就因为他不肯揭穿那位兰花先生的真实身份？”

“是的。”

少年迟疑，立刻又说：“不是他不肯揭穿那位兰花先生的身份，而是他不愿让世人知道这个人就是兰花先生。”

这两种说法听来好像是一样的，其间却又有一点差异。

长者明白这一点，少年却还要解释：“所以我认为，这位兰花先生一定也是一个和香帅有极亲密，极不寻常关系的人。”

“也是？”长者问，“在这次事件中，还有些什么人和他有这种关系？”

少年想说话，忽然又闭上了嘴，因为他也不忍将这个人的名字说出来。

——一个多么聪明、多么温柔、多么美丽的人！多么可敬，多么可爱！

在江湖人心目中，这个人几乎已成为美的化身，有谁忍心毁坏？

少年只能对长者说：“不管怎么样，这个人一定是世上最了解楚香帅的一个人，所以到最后才能把香帅骗到她面前去。”

他还解释。

“香帅自以为在最后一步棋中施用了一点诡计，才能找出这位‘兰花先生’的真相，又怎么知道这不是她意料中的事？”

难道这位“兰花先生”并非先生，难道她早已了解楚留香那种喜爱冒险的天性，早知他一定会使出这最后一着险棋，早知他一定会出现在她面前的？

她将这次行动命名为“飞蛾行动”。

是不是因为她早已算准楚留香会像飞蛾一样投入她美丽的火焰

中?

“所以不管经过的情况如何，结局总是一样的?”

少年下结论：“你认为那是个什么样的结局?”

“一个美丽的结局。”

“那些枉死在这次行动中的人呢?”

“死的都是些该死的人。”少年说，“这也是这次计划中最有趣的一部分。”

长者承认：“那位兰花先生当然不会让任何人伤害楚留香的，那位郎格丝公主最后当然也只有失望而返!”

他微笑：“公主的腿再长，也打不过兰花先生的，只能走得比较快一点而已。”

“铁大爷呢?”

“那个人其实并不是人，只不过是个傀儡而已，一个铁打的傀儡。虽然比别的傀儡硬一点，可是傀儡就是傀儡，不管用什么做的都一样。”

“是的。”

“最有趣的，还是那个割头小鬼。”

## 第三章

# 结　局

关于那个来无影去无踪的割头小鬼，江湖传言是这样子的：

——有一天，有几位江湖名侠终于抓住他了，着实地拷问他。

“你为什么要割人头？”

“我不割人头。”小鬼很郑重地说，“我只割名人的头。”

“名人难道不是人？”

“名人和人是有一点不同的。”小鬼说，“名人是一种很特别的人。所以我一定要割下他们的头来研究研究。”

“有什么不同？”

“至少他们总有一点和别人不同。”小鬼说，“他们总是会有一些别人没有的痛苦。”

群侠默然。

也不知道是该杀了这个小鬼，还是放了他，小鬼自己想出了一个办法。

“你们把我用铁线、牛筋绑起来，用手铐、脚镣铐住，再把我锁到一个铁箱子里去，抛入长江。”小鬼说，“如果我死了，我死而无怨；如果我还没死，就是我的运气了。”

这个提议立刻被接受。

十天后，终于有人忍不住了，又从长江里把箱子捞出来，看看这个小鬼死了没有。

一打开箱子，大家都怔住。——箱子居然是空的。

当然也不能说完全是空的，虽然没有人，却有一张字条，上面写着：“饮不完的杯中酒，割不尽的名人头。”

《楚留香新传4：新月传奇·午夜兰花》完

## 读客文化将出版以下古龙经典作品

《小李飞刀1：多情剑客无情剑》

《小李飞刀2：边城浪子》

《小李飞刀3：九月鹰飞》

《小李飞刀4：天涯·明月·刀》

《陆小凤传奇1：金鹏王朝》

《陆小凤传奇2：绣花大盗》

《陆小凤传奇3：决战前后》

《陆小凤传奇4：银钩赌坊》

《陆小凤传奇5：幽灵山庄》

《陆小凤传奇6：凤舞九天》

《陆小凤传奇7：剑神一笑》

《楚留香新传1：借尸还魂》

《楚留香新传2：蝙蝠传奇》

《楚留香新传3：桃花传奇》

《楚留香新传4：新月传奇·午夜兰花》

《七种武器1：长生剑 · 孔雀翎》

《七种武器2：碧玉刀 · 多情环》

《七种武器3：离别钩 · 霸王枪》

《七种武器4：愤怒的小马 · 七杀手》

《萧十一郎》

《火并萧十一郎》

《绝代双骄》

《欢乐英雄》

《三少爷的剑》

《流星 · 蝴蝶 · 剑》

《武林外史》

《白玉老虎》

《圆月弯刀》

《大人物》

《绝不低头》

《碧血洗银枪》

《彩环曲》

《苍穹神剑》

《大地飞鹰》

《风铃中的刀声》

《护花铃》

《剑毒梅香》

《剑客行》

《猎鹰·赌局》

《名剑风流》

《飘香剑雨》

《七星龙王》

《失魂引》

《血鹦鹉》

《英雄无泪》

《游侠录》

《月异星邪》

读客

激发个人成长

多年以来，千千万万有经验的读者，都会定期查看熊猫君家的最新书目，挑选满足自己成长需求的新书。

读客图书以“激发个人成长”为使命，在以下三个方面为您精选优质图书：

## 1. 精神成长

熊猫君家精彩绝伦的小说文库和人文类图书，帮助你成为永远充满梦想、勇气和爱的人！

## 2. 知识结构成长

熊猫君家的历史类、社科类图书，帮助你了解从宇宙诞生、文明演变直至今日世界之形成的方方面面。

## 3. 工作技能成长

熊猫君家的经管类、家教类图书，指引你更好地工作、更有效率地生活，减少人生中的烦恼。

每一本读客图书都轻松好读，精彩绝伦，充满无穷阅读乐趣！

**图书在版编目（CIP）数据**

楚留香新传. 4，新月传奇·午夜兰花 / 古龙著. --
上海 : 文汇出版社，2019.1
（古龙文集）
ISBN 978-7-5496-2577-2

Ⅰ. ①楚… Ⅱ. ①古… Ⅲ. ①侠义小说－小说集－中
国－当代 Ⅳ. ①I247.5

中国版本图书馆CIP数据核字（2018）第114440号

---

**著作权合同登记号：09-2018-480**

**楚留香新传4：新月传奇·午夜兰花**

作　　者 / 古　龙

责任编辑 / 徐曙蕾
特邀编辑 / 宗建华　周奥扬
排版设计 / 黄巧玲
封面装帧 / 文　薇

出版发行 / 文匯出版社
上海市威海路 755 号
（邮政编码 200041）
经　　销 / 全国新华书店
印刷装订 / 北京中科印刷有限公司
版　　次 / 2019 年 1 月第 1 版
印　　次 / 2019 年 1 月第 1 次印刷
开　　本 / 890mm × 1270mm　1/32
字　　数 / 343 千字
印　　张 / 14.25

ISBN 978-7-5496-2577-2
定　　价 / 67.00 元